LA REINE DE LUMIÈRE

DU MÊME AUTEUR
CHEZ POCKET

LE LIT D'ALIÉNOR (2 tomes)

LE BAL DES LOUVES
LA CHAMBRE MAUDITE
LA VENGEANCE D'ISABEAU

LADY PIRATE
LES VALETS DU ROI
LA PARADE DES OMBRES

LA RIVIÈRE DES ÂMES

LE CHANT DES SORCIÈRES (3 tomes)

LA REINE DE LUMIÈRE
ELORA
TERRA INCOGNITA

MIREILLE CALMEL

LA REINE DE LUMIÈRE

tome 2

Terra incognita

XO ÉDITIONS

Pocket, une marque d'Univers Poche,
est un éditeur qui s'engage pour la
préservation de son environnement et
qui utilise du papier fabriqué à partir
de bois provenant de forêts gérées de
manière responsable.

ISBN : 978-2-266-21087-4

À vous deux, Manotte et Maëva,
Ma mère, ma fille,
Pour vos mains de lumière,
Au soulagement d'autrui…

1.

Le clapotement des sabots dans les flaques répondait aux battements du cœur de Mathieu, comme une musique chargée autant de promesses que de vengeance.

Il risqua un pas vers l'avant, se dégageant du tronc massif qui le masquait entièrement. Le châtaignier devait être multicentenaire à en juger par l'épaisseur rassurante de son écorce et son envergure. À lui seul il eût suffi à la forêt. Mais, en cet endroit, à un quart de lieue du château de Bressieux, il était cerné d'autres, tout aussi impressionnants. Leurs repousses, généreuses, ceinturaient la route d'un rempart végétal que le printemps crayonnait d'un vert tendre.

L'endroit idéal pour une embuscade.

Huit… non, se reprit Mathieu. *Neuf. Neuf chevaux plus la voiture.*

Marquée aux armes d'Aymar de Grolée. Une excitation malsaine gagna le creux de son unique paume. Il la frotta contre le moignon de chair qui terminait son poignet droit piqueté d'aiguilles invisibles, vestiges d'un temps où il avait décidé d'en terminer avec une main inutile, déchiquetée par les serres d'un rapace. Il avait cru, en la tranchant d'un coup sec de son braquemart, oublier sa présence malhabile. Erreur. Elle se rappelait à lui plus méchamment qu'avant.

Quelques minutes encore, songea-t-il en se rejetant dans l'ombre.

Quelques minutes avant de donner le signal.

Un sourire mauvais lui abîma le visage. L'éclat du regard émeraude s'assombrit de démence. Depuis qu'il croyait sa femme et sa fille défuntes, mais plus encore depuis qu'Hugues de Luirieux détenait son fils Petit Pierre en otage, Mathieu était en guerre. Une guerre justicière que rien, sinon le sang versé, ne pourrait apaiser.

*

* *

Hélène de Sassenage était morte. À la manière d'une chandelle dont on aurait soufflé la flamme. Le corps se tenait droit, mais lumière et chaleur avaient cessé d'être. Renfoncée dans la voiture qui la ramenait au château de Bressieux, elle fixait ses mains gantées, croisées sur son ventre imperceptiblement rebondi. Elle ne voyait rien. N'entendait rien. Pas même l'écho de cette vie qui se développait en sa chair sans son consentement.

Deux mois plus tôt, l'homme qu'elle aimait avait choisi son destin. Profitant de ce qu'elle était inconsciente, Djem lui avait fait administrer la seule dose d'antidote au poison des Borgia qui coulait dans leurs veines à tous deux, se condamnant sans appel.

Hélène ne s'en remettait pas. Elle eût cent fois préféré s'éteindre dans ses bras.

Elle abandonna sa nuque contre le bois du carrosse qui les ramenait d'Italie, elle et une chambrière insipide, choisie pour sa discrétion.

Ils approchaient.

Elle serrerait Elora dans ses bras. Elora, sa fille adoptive, la seule qui, peut-être, saurait la ranimer.

Peut-être.

Elora était capable de tout. Même de l'impossible, convenait Hélène.

Sinon, il lui faudrait survivre, comme Algonde, avec sa malédiction… Algonde, femme serpent prisonnière du Furon… Algonde.

La première à s'être sacrifiée pour elle.

Hélène se sentit plier sous le fardeau d'une culpabilité morbide.

La boue qui collait aux roues alourdissait leur progression, amortissait les irrégularités de la route en plein cœur de la forêt. Le balancement était propice à l'endormissement.

Hélène ferma les yeux. Consciente qu'elle ne sombrerait pas davantage que les heures, que les nuits précédentes.

Elle était au-delà de l'épuisement.

Au-delà du chagrin.

Lorsque la voiture s'immobilisa net, elle ne réagit pas. Lorsque quelqu'un de son escorte hurla à l'embuscade, pas davantage. Lorsque sa chambrière, s'étant mise à la fenêtre, fut projetée en arrière par la violence d'un trait d'arbalète qui lui transperça le front et la cloua contre le volet de bois, elle poussa seulement un cri de surprise.

Pas d'effroi.

La camarde lui faisait signe. Venait à sa rencontre. Exauçait enfin ses prières. Elle n'avait plus qu'à lui tendre les bras. Se jeter dans la bataille qui, au-dehors, opposait sa garde aux brigands.

Sans un regard pour la malheureuse qui, les yeux grands ouverts et voilés du sang de sa blessure, s'agitait sporadiquement dans la mort, Hélène de Sassenage ouvrit la porte du carrosse.

Consciente qu'on ne lui déplierait pas le marchepied, elle releva ses jupes et sauta dans la fange bourbeuse.

— À couvert ! à couvert ! lui gueula un soldat en l'apercevant, essoufflé de croiser le fer avec un individu échevelé qui le dépassait d'une tête et demie, près du moyeu.

Moment d'inattention stupide à s'inquiéter d'elle. La massue que le géant tenait à senestre le prit derrière l'oreille, lui décollant la nuque dans un craquement sec. Du sang gicla de ses narines, macula la manche du mantel d'Hélène. Il s'effondra. Elle ne bougea pas. À peine eut-elle le sentiment que son cœur s'accélérait de se deviner la prochaine victime de cette brute. Un sifflement stridula dans son tympan, sonnant la fin de l'escarmouche. Ses soldats étaient tombés, pour la plupart fauchés par les flèches avant même le combat.

Toujours indifférente, Hélène laissa venir à elle un des individus tandis que les autres fouillaient les cadavres. Elle s'attarda sur ses traits burinés par une vie d'errance au grand air, sur son bras unique. Sur cette cicatrice qui lui fermait l'œil droit, accentuant la cruauté dans l'autre.

Cette cicatrice…

Cette fois Hélène perçut nettement l'accélération des pulsations dans ses veines. Elle connaissait cette cicatrice. Elle était là le jour de l'accident. Sa gorge se serra.

— Bonjour dame Hélène, se moqua Mathieu, planté en face d'elle, la main rougie du sang qui dégoulinait de sa lame.

Elle recula d'un pas. Non pour fuir son arme, mais pour fuir sa vérité à lui. La certitude qu'il venait reprendre la fille qu'elle avait élevée à sa place et qu'elle aimait tant.

Elle bredouilla.

— Elora. Qu'as-tu fait d'Elora ?

Le regard d'émeraude se voila de surprise avant de s'assombrir de haine. Qu'espérait-elle ? Ranimer en lui un sentiment de culpabilité pour n'avoir rien su empêcher dix ans plus tôt ? Ou un éclat de vengeance qui eût amené une mort rapide ? Il ne la lui accorderait pas. Hélène était seule coupable avec les siens de la triste fin d'Algonde et de la disparition d'Elora. Elle souffrirait. Autant qu'il continuait de souffrir lui-même.

Le son qui franchit ses lèvres avait autrefois chanté l'amour, Hélène s'en souvenait bien. Elle ne reconnut pas le crachat abject de l'homme qu'il était devenu.

— Fallait pas laisser partir sa mère… Fallait pas. Tu vas payer pour ça.

La douleur poignarda Hélène. Elle porta la main à son ventre, certaine d'avoir été transpercée par le braquemart. Mais non. Rien. Pas de blessure apparente. C'était une autre, plus maligne qui venait de s'ouvrir dans sa chair. Une certitude.

Elle avait perdu Elora.

Deux bras la soulevèrent sans ménagement. L'homme à la massue. Briseur, venait de l'appeler Mathieu. Briseur. Elle songea que cela lui allait bien. Il la déposa dans le carrosse. Referma la porte.

Elle s'assit sagement sur la banquette, constata qu'on avait évacué sa chambrière.

La voiture s'ébranla dans un soubresaut.

Elle croisa dans un réflexe protecteur ses mains sur son ventre, écarquilla les yeux en découvrant sous ses doigts l'arrondi qu'il offrait. Le fixa avec l'hébétude d'un moment d'incompréhension puis se souvint.

Des mains de Djem sur sa peau, du vit de Djem en elle. De leurs souffles mêlés. Du lent mouvement de leurs ventres l'un contre l'autre jusqu'à l'embrasement. De l'enfant en elle. De son bonheur à lui en apprenant la nouvelle.

Alors elle comprit. Elle comprit enfin pourquoi il s'était sacrifié. Ce n'était pas pour elle. Non. C'était pour l'enfant. Comme Mathieu lorsqu'il lui avait autrefois abandonné Elora. Deux pères. Nourris de la même détresse face au destin.

Elle n'était pas responsable. Elle était comme eux. Au-delà de la désespérance. Il faudrait qu'elle le lui dise, à Mathieu. Lorsque le carrosse s'arrêterait. Où qu'il s'arrête.

Il faudrait qu'elle le lui dise, oui, qu'Elora avait réussi l'impossible.

Lui rendre la chair de la vie…

Ensuite…

Ensuite elle se battrait pour la garder, cette vie détestable.

Au nom de l'amour.

2.

— Comment suis-je ? s'inquiéta Algonde devant un élégant miroir sur pied, en écartant les bras pour laisser le satin glisser en caresse sur sa peau.

Elle était seule avec sa grand-mère dans cette chambre du manoir de la Rochette qu'Enguerrand de La Tour-Sassenage lui avait attribuée. Près du lit fermé de rideaux de velours, deux coffres aux couvercles relevés débordaient encore des robes magnifiques qu'elle avait essayées quand, sur la coiffeuse, brosses à cheveux, peignes, fards et onguents voisinaient avec des bijoux éparpillés autour d'un coffret.

Malgré ce faste, Algonde ne parvenait pas à se rassurer.

Les mains de la fée Présine recalèrent la longue tresse châtaine sur le devant du buste, avant de finir délicatement sur ses épaules. Droite derrière Algonde, elle admira le reflet, pour elle, parfait. Si l'on exceptait l'angoisse du regard gris-vert qu'Algonde posait sur elle-même.

— Est-ce si flou que cela ? lui demanda-t-elle.

Algonde sentit une boule d'angoisse lui étreindre la gorge. Elle voulut répondre mais n'y parvint pas. Elle fixa son image. Une image que ses yeux, abîmés par la trop vive lumière au sortir de sa captivité, peinaient à se réapproprier. L'image d'une femme aux jambes recouvertes par une longue robe blanche parsemée de violettes, aux hanches rehaussées d'une ceinture d'argent et d'améthystes.

Présine soupira contre son oreille.

— Il faut du temps à ton regard pour guérir, Algonde. Du temps pour te réapproprier une identité. Du temps pour accepter la perte de tes pouvoirs.

— Cela fait deux mois…

— Que sont deux mois au regard de ces dix années ?

Présine la fit pivoter vers elle, captura de l'ongle une larme échappée de la frange soyeuse des cils d'Algonde.

— Il faut accepter ce que tu es. Ni la petite Algonde de Sassenage, ni la dame de compagnie d'Hélène à la Bâtie, encore moins la femme serpent du Furon. Toi. Aujourd'hui. Transformée par toutes ces vies. Laisse-les sur le bord du chemin, mon enfant. Derrière toi.

Un chapelet de larmes glissa le long des joues d'Algonde que Présine cette fois ne tenta pas d'endiguer. Elle l'enlaça, avec tout l'amour qu'elle lui portait.

— Tes peurs, ce sont elles, ces Algonde d'hier, qui les promènent, qui les entretiennent. Mais qui sont-elles désormais pour te dicter leur loi ? N'as-tu pas assez payé leur combat, leur acharnement, leur dévotion à la prophétie… ?

— C'est toi, toi qui me dis cela, grand-mère ? toi qui m'as condamnée à mon destin ? hoqueta Algonde.

— Je ne t'ai pas condamnée. Je t'ai accompagnée vers l'inéluctable. Avec toute ma tendresse. Ne le sais-tu pas ?

Elle se dénoua d'Algonde pour l'embrasser sur le front.

— Ce que tu crains existe, je ne le nie pas. Mais pas pour les tiens. La preuve en est qu'ils t'attendent, tous deux, dans le salon voisin.

Elle lui releva le menton.

— Tu ne dois pas douter, jamais, de l'amour que l'on te porte. Tu ne dois pas douter, jamais, de moi.

Algonde hocha la tête.

Présine fit apparaître au bout de ses doigts un mouchoir brodé de dentelle.

— Je vais les rejoindre. Sèche tes larmes et dis adieu à tes chaînes. Pour avancer. Droit devant toi. D'accord ?

— Oui, trembla la voix d'Algonde.

Présine tourna les talons avec la grâce aérienne d'une feuille d'automne portée par le vent. La porte, en se refermant sur elle, claqua de la même manière qu'une croûte de givre au dégel, remarqua Algonde avant de moucher son nez. Présine avait raison, elle le savait. Que serait-elle devenue sans elle dans la grotte ? sans ses conseils, sans sa chaleur, sans son rire ? Elle pouvait lui faire confiance.

Elle s'avança jusqu'à toucher le miroir du doigt. Les bougies allumées dans la pièce l'auréolaient de lumière dans ce léger brouillard qui formait son quotidien.

Qu'avait-elle à craindre ? Cela faisait dix ans qu'elle attendait ces retrouvailles.

Si, pendant tout ce temps, elle avait pu regarder vivre les gens qu'elle aimait, ce don de voyance l'avait aussi confrontée au vide que sa mort avait creusé dans le cœur de ses proches. Car, pour tous aux alentours, la femme mutilée par les griffes de Marthe et enterrée ne pouvait être que la bécaroïlle de Sassenage. Qui eût pu imaginer qu'elle avait échangé sa place contre celle de Mélusine ? Comment établir la différence dans la camarde ? La fée défunte lui ressemblait autant que ce reflet.

Oui, Présine avait raison. La petite Algonde de Sassenage ne pouvait renaître. Il fallait qu'elle l'admette. À l'exception des siens, peut-être, personne ne croirait à son histoire. Elle demeurerait Mélusine, sortie des eaux par quelque stratagème qui la ferait pointer du doigt, qui ombrerait à jamais chacun de ses gestes. Elle serait crainte, respectée. Pas aimée.

Et ce constat l'effrayait. Ce sentiment de n'être plus personne sinon la matérialisation d'une légende. Vulnérable d'autant.

Si encore elle avait conservé ses pouvoirs pour se défendre, mais tout lui avait été enlevé, jusqu'à sa vue. Algonde ne devait pourtant, là, s'en prendre qu'à elle-même. Présine l'avait assez mise en garde. Elle avait refusé d'entendre, trop longtemps privée de soleil. Elle s'était précipitée devant la croisée, l'avait ouverte en grand pour jouir du paysage enneigé. Lorsqu'elle s'était sentie poignardée par la réverbération, elle s'était jetée en arrière. Quelques heures après, brûlante de fièvre, dans le noir complet, elle avait dû admettre qu'il était trop tard.

Ce n'était pas irréversible, non, chaque jour qui passait lui donnait à récupérer, mais jamais Algonde n'aurait imaginé que ce fût si long.

Que cet aveuglement lui coûterait autant. Dans tous les sens du terme. Non seulement elle ne pouvait jouir de sa liberté, mais redevenue humaine, elle avait perdu le contact avec les siens. Elle n'avait pu suivre le cheminement d'Elora vers Istanbul, celui d'Hélène auprès de Djem. Elle ignorait tout de ce que Mathieu et sa troupe avaient décidé à Romans. Tout de Petit Pierre.

Ne lui restaient que des images d'hier pour composer son jourd'hui.

Une en particulier, qui n'avait cessé de la hanter durant ces dix années.

Celle de sa mère lorsque Mathieu, bouleversé, lui avait déposé un cadavre dans les bras.

Une image leurre dont Algonde ne se guérissait pas. Algonde pouvait comprendre que Mathieu se soit trompé, que tous se soient trompés. Pas sa propre mère. Gersende savait sa ressemblance avec Mélusine. Elle aurait dû deviner la vérité. La sentir dans son ventre. Mais non. Marthe avait gagné. Et Gersende s'était effondrée.

Des mois durant, Algonde l'avait regardée continuer à vivre, à accomplir les tâches du quotidien, son rôle d'intendante du castel de Sassenage. Elle l'avait vue réapprendre à rire des plaisanteries de maître Janisse, le cuisinier du château, qu'elle avait épousaillé peu avant le drame.

À vivre.

Mais jamais plus Algonde n'avait vu pétiller ses yeux. Jamais plus elle ne l'avait entendue prononcer son nom.

Pour Gersende, Algonde était morte.

Juste morte.

Alors, ce jourd'hui, 28 avril de cette année 1495, malgré tout ce que Présine avait pu lui dire, Algonde restait terrorisée. Elle redoutait que Gersende ne se trompe encore. Qu'une part d'elle, détruite par la souffrance d'hier, la rejette.

Parce que, plus encore que de ressusciter, Algonde craignait de mourir une seconde, une ultime fois.

Elle retint sa respiration pour réguler les battements désordonnés de son cœur. Elle ne parvint qu'à s'angoisser davantage. Rien n'y ferait. Elle ne guérirait de sa frayeur qu'en l'affrontant.

Elle se détacha du miroir, lissa les pans de sa robe avant de rajuster à ses index les anneaux qui maintenaient les pointes du tissu sur le dos de ses mains.

Elle ne voulait pas être belle.

Elle voulait juste être elle.

Elle atteignit la porte, fit jouer le loquet, franchit le seuil dans le brouillard léger qui lui barrait l'horizon. Perçut le cri en même temps que remontaient ses larmes.

La seconde d'après, sa mère, aussi bouleversée qu'elle, la serrait dans ses bras.

3.

— Nous avions un accord !

Le poing de Mathieu s'écrasa violemment sur la table. Face à lui, par-delà le plateau de bois, et indifférent à sa colère, Hugues de Luirieux, debout, enleva une part d'omelette de la pointe de son coustel. L'ayant goûtée, il se tourna vers Celma, que cette vive intervention avait fait se redresser brutalement, la cuillère en suspens au-dessus du chaudron de soupe.

— Fameuse, ma chère… Vous faites ici du bon travail et ces enfants ont l'air repus et sereins…

Jean et Bertille piquèrent du nez dans leur bol, coupables soudain de jouir des bienfaits de cet homme qui assurait leur pitance et venait, sans s'annoncer, d'interrompre leur repas. Depuis plusieurs semaines, Luirieux avait confié l'intendance de ce petit castel à Celma, leur offrant par là même un confort qu'ils n'auraient jamais connu autrement. La fureur de Mathieu grandit, d'autant plus que, ramenant son regard vers lui, Luirieux ajoutait :

— … alors que la route ne leur valait rien.

Menace distincte. Souvenir douloureux. Bertille, qu'on avait dû amputer de deux orteils après le long voyage à pied dans la neige depuis Fontaine, venait d'en blêmir. Celma, immobile, se força à sourire. Désamorcer la tension qui pesait dans la cuisine.

— Nous vous devons beaucoup, messire, et ne l'oublions pas, dit-elle.

Luirieux repiqua dans le plat, davantage pour marquer son territoire que par faim.

— Beaucoup, en effet. Pour ne pas dire tout, n'est-ce pas Mathieu ?

Ce dernier ne répondit pas. S'il n'y avait eu les enfants, il se serait jeté sur cet homme et l'aurait roué de coups. Les mâchoires crispées dans un effort surhumain, il se força à reprendre le contrôle de lui-même. Un sourire cruel émailla la face mangée de barbe du prévôt.

— Douterais-tu de ma parole après tout cela ?

— Nous avions un accord. Hélène de Sassenage contre mon fils. Vous l'avez. Je ne l'ai pas, grinça-t-il.

— Ni toi ni moi ne voulons d'êtres en captivité. Lorsque Hélène se sera rendue à mes exigences, je donnerai suite aux tiennes. Ainsi sont les règles. Mes règles.

Cette défausse ne convainquit pas Mathieu. Il n'avait d'autre choix pourtant que de se résigner.

— Quand ? demanda-t-il encore.

Haussant les épaules, Luirieux enjamba le banc et s'attabla. Celma se précipita pour ajouter un couvert. Avec, comme Mathieu, qui venait de se rasseoir, vaincu, l'envie d'égorger cet homme sur place.

Il n'y fallait pas céder, pourtant. Le prévôt était chez lui dans ce fief proche de Romans offert par le grand prieur d'Auvergne.

Depuis qu'il les y avait installés, Luirieux les tenait à sa merci, employant Briseur et La Malice dans ses rangs et Mathieu à de basses besognes pour assouvir son ambition démesurée. Fort de l'avantage de Petit Pierre qu'il affirmait détenir.

Conscient de leur haine autant que de leur servilité, Luirieux se frotta les mains devant l'épaisse soupe que la devineresse achevait de verser dans son écuelle.

— La bienséance m'interdit de refuser plus longtemps si plaisante chère. Mais, sitôt savourée, je gagnerai le donjon. Lors, s'il plaît à ta prisonnière comme il me plaît à moi, eh bien, ma foi, nous fixerons date pour régler nos affaires.

*

* *

La chambre n'avait visiblement pas servi depuis longtemps mais le matelas de laine était bon, les couvertures étaient moelleuses et on avait pris un soin particulier à la parfumer d'une jonchée de jonquilles avant qu'Hélène n'y soit enfermée. Pour autant elle n'avait vu personne depuis son arrivée trois jours plus tôt. Personne à part Briseur, qui lui avait fait gravir l'escalier, lui portait ses repas, récupérait ses eaux sales et répondait par des grognements à ses requêtes. Elle implorait la visite de Mathieu, en vain. Il n'avait pas même assisté à son arrivée, s'étant séparé de son escorte pour une raison inconnue. C'était cela qui coûtait le plus à Hélène. Ruminer à longueur de journée tous ces mots qu'elle lui voulait dire. Car, de fait, elle ne comprenait pas. Non, elle ne comprenait pas. Certes, elle était bouclée au sommet d'une tour austère, mais elle pouvait, au travers des carreaux de couleur de la fenêtre close, apercevoir des enfants qui jouaient dans la cour intérieure du castel. La nourriture était soignée, signe d'une volonté de la garder en bonne santé, et Briseur, toujours lui, lui avait apporté ses malles. Pas un bijou ne manquait. Autant de vie et d'attentions, contraires à l'idée qu'elle se faisait d'une vengeance. Or n'était-ce pas ce que Mathieu lui avait promis lorsqu'il l'avait interceptée ?

À présent qu'elle faisait cas de cet enfant en elle, et bien que le souvenir de Djem soit si douloureux qu'elle restait par moments prostrée, Hélène s'était réapproprié le sens des réalités. Et de son entourage. Les paroles d'Elora à Rome lui étaient revenues par bribes, réimprimant en elle un souffle perdu. Sa fille adoptive lui avait tout expliqué. L'emprisonnement d'Algonde dans les eaux souterraines du Furon, Présine transformée en louve pour nourrir Constantin, et Mathieu, redevenu brigand par désespoir d'avoir cru mortes sa femme et sa fille. Avant de quitter le Vatican avec Khalil, Elora lui avait signifié son intention de regagner le Dauphiné pour œuvrer aux retrouvailles de ses parents. Du coup, l'arrestation arbitraire dont Hélène avait subi la violence, la haine dans le regard de Mathieu, les mots mêmes de ce dernier devenaient incompréhensibles. À moins qu'Elora soit toujours en chemin, retardée par quelque affaire dont elle seule savait l'importance. Auquel cas, Mathieu ne savait toujours rien d'elle ni de sa mère, prisonnière du Furon. L'urgence d'une conversation avec lui s'imposait doublement. Outre le fait qu'elle en devinait l'importance pour son devenir, Hélène souhaitait ardemment retrouver Algonde, son Algonde, délivrée de ce méchant sort et son fils, Constantin, avant qu'il ne soit confronté à son destin.

Aussi, lorsque la porte s'ouvrit, à une heure inhabituelle pour ce début d'après-midi, se leva-t-elle du lit où elle s'était étendue, le cœur bondissant dans sa poitrine.

Son espoir se transforma en surprise lorsque, en place du bandit, elle vit le prévôt Hugues de Luirieux franchir le seuil et lui offrir révérence. Un sursaut de joie la traversa.

— Vous, sire de Luirieux ? Est-ce à dire que je suis libre ?

Il se redressa, l'œil carnassier, la bouche ronde de convoitise.

— Il ne tient qu'à vous, dame Hélène. À vous seule.

Un instant d'étonnement. De doute. Puis, soudain, d'effroi. Hélène se durcit.

— Dois-je comprendre que vous êtes de connivence avec ces brigands ?

La main de Luirieux s'envola dans un geste léger.

— Brigands… Comme vous y allez, ma chère. Auriez-vous été molestée, dépouillée ?

— Non, mais…

Il s'avança pour lui prendre la paume. Dubitative autant que désappointée, elle le laissa la porter à ses lèvres et, tout aussitôt, ajouter :

— J'ai reçu peu de temps avant votre retour un bref de votre père, me recommandant de veiller sur vous et de vous conduire en sécurité.

— Vraiment ? s'étonna Hélène, le doute au cœur.

Elle n'avait jamais apprécié cet homme qui avait trop longtemps louvoyé dans le sillage de Philibert de Montoison à l'époque où ce dernier voulait la contraindre aux épousailles[1]. Ils étaient semblables l'un à l'autre et si elle s'était débarrassée de Montoison, voir son compère réintégrer la vie civile et la charge de prévôt ne lui avait guère été agréable. Elle avait dû pourtant admettre qu'il avait fait son travail convenablement jusque-là et que personne dans la contrée n'avait eu à s'en plaindre. L'œil pourtant qu'il posait sur elle l'incita à la méfiance. Elle recula et gagna un fauteuil pour marquer entre eux une distance honorable.

1. Voir, du même auteur, *Le Chant des sorcières*, tomes 1 à 3, XO 2008-2009 ; Pocket n°s 13882, 13920 et 13921.

Anticipant sa demande, Luirieux récupéra un parchemin dissimulé dans le revers de son pourpoint de velours rouge.

— Voici cette lettre. La voulez-vous lire ?

Elle tendit la main. Reconnut sans hésiter l'écriture de son père comme son sceau, brisé. Parcourut la feuille des yeux, avant de relever la tête.

— Je ne vois rien ici qui justifie d'avoir massacré mon escorte. Tout au contraire, mon père vous recommande de la renforcer jusqu'à Bressieux afin que j'y récupère mes affaires et mes gens, puis de me conduire au castel de Sassenage qu'il me donne. Je ne suis ni dans l'un ni dans l'autre.

— Certes chère amie, certes.

— Je ne suis pas votre amie et vous me devez obligeance, je vous le rappelle, se froissa-t-elle.

Un rire souleva la gorge de Luirieux. La seconde d'après, ses mains aux veines saillantes emprisonnaient les bras du faudesteuil et il soufflait au-dessus d'Hélène une haleine aux relents de vin épicé.

— Les choses ont changé, ma douce. Je ne suis pas Philibert de Montoison et votre Djem n'est plus de ce monde pour vous mettre à l'abri de mes intentions.

Elle déglutit. Se pouvait-il que Mathieu se soit associé à cet homme par souci de la tourmenter ? Si le sang quitta son visage, Hélène refusa de capituler.

— Écartez-vous pour me les signifier. Vous empestez.

Leurs regards s'affrontèrent, si proches l'un de l'autre qu'Hélène se sentit transpercée jusqu'à l'âme. Luirieux se recula pourtant, aussi brusquement qu'il s'était approché. Nouant ses mains dans son dos, il gagna la croisée, s'amusa un instant du jeu de Jean avec un chiot qu'il lui avait ramené la semaine précédente, davantage pour agacer Mathieu que pour plaire à l'enfant.

Derrière lui, Hélène se recroquevillait, en proie à toutes les inquiétudes que le silence du prévôt laissait planer. Quelle idée avait donc eue son père de le prévenir de la mort de Djem, de l'annulation de son mariage avec Aymar et de cette faveur qu'il lui avait consentie lorsqu'elle avait émis le souhait de se retirer à Sassenage... Lorsque Luirieux fit volte-face, ses intentions lui éclatèrent aux yeux. Elle frissonna de la tête aux pieds.

— Jamais mon père ne vous agréera pour gendre, dit-elle.

Luirieux ravala la phrase qu'il avait préparée, la changea en compliment.

— Je constate avec plaisir que votre vivacité d'esprit est égale à votre beauté. Je ne vous laisse pas le choix, Hélène. Vous m'épousez ou je fais murer portes et fenêtres de ce donjon. Abandonné jusqu'à hier, il retombera dans l'oubli sans peine. Et vous avec.

Elle ricana, rattrapée par le fardeau de sa peine.

— Ce tombeau dont vous me menacez hante mes nuits comme un refuge depuis la mort du prince. La vie que vous m'offrez n'est pas de taille à rivaliser avec sa paix.

Il la jaugea un instant. Il savait qu'elle disait vrai.

— Je ne doute pas de votre envie d'en finir, ma mie. Mais condamnerez-vous l'enfant que vous portez ?

— Comment... ? s'empourpra-t-elle.

Il s'inclina avec déférence.

— Un doute, très chère. Que vous venez de lever. Réfléchissez à ma proposition en toute quiétude. Elle n'offre pour vous que des avantages. Ce mariage ne sera pas consommé, une méchante blessure m'interdisant votre couche ; en revanche, je reconnaîtrai votre fils comme le mien et vous l'élèverez à Sassenage puisque tel était votre souhait.

— Qu'y gagnerez-vous ?

— Terres et renommée.

Une voix venait d'éclater dans la mémoire d'Hélène. Celle de la fée Mélusine qu'elle avait un jour rencontrée avec Algonde dans la retenue d'eau des Cuves du Furon.

« Tu auras trois époux. Le premier pour te sauver du déshonneur, le second pour t'en punir, le troisième pour t'en délivrer », lui avait dit la fée.

Luirieux avait raison. Elle ne voulait plus mourir. Son destin n'était pas de mourir. Et moins encore de finir ses jours avec ce fourbe.

— Faites monter Mathieu, exigea-t-elle en se redressant, les joues réchauffées de cette certitude.

— Et pourquoi donc ? Votre ancienne amitié n'est plus, d'après ce que j'en sais, et son désir de vous pourfendre est plus grand que celui de vous absoudre.

— Je veux lui parler, répéta-t-elle.

Le regard de Luirieux s'étrécit derrière ses paupières tombantes. L'insistance d'Hélène le braqua sur ses positions.

— À moins que vous ne soyez mon épousée, vous n'en avez aucune raison. Il est à mes ordres. Pas aux vôtres. Sur ce, permettez que je vous abandonne à vos réflexions.

Il s'inclina. Dans quelques secondes, il aurait quitté la pièce. Hélène prit une profonde inspiration. Elle n'avait pas le choix. C'était à son tour de se sacrifier.

— Faites-moi porter de l'encre et du papier, dit-elle, la voix affermie. Je saurai convaincre mon père de vous laisser m'épouser.

4.

D'aussi loin qu'Algonde se souvienne, jamais le rire de maître Janisse n'avait tonitrué si puissamment. Il rebondissait sous les solives de l'antichambre, ricochait contre les rideaux tirés, faisait trembler la flamme des chandelles, empourprait les joues du cuisinier et illuminait ses yeux aux paupières tombantes, tandis qu'à plat, dans de grands gestes, ses deux mains épaisses claquaient ses genoux à intervalles réguliers.

Son bonheur était à son image, volubile et généreux, tandis qu'assise à ses côtés, toute de retenue, Gersende se taisait, le visage de nouveau lumineux.

Le regard abîmé d'Algonde allait de l'un à l'autre avec le même sentiment au cœur. Elle avait retrouvé les siens. Balayé sa terreur de l'instant précédent. Il avait suffi d'une phrase, une seule phrase, soufflée à son oreille, tandis que sa mère l'étreignait.

— Malgré les apparences, j'ai toujours senti ton cœur battre en moi.

Algonde avait éclaté en sanglots. Janisse était venu les encercler de ses gros bras et, pendant quelques minutes, sous le regard ému de Présine et d'Enguerrand de Sassenage, plus rien d'autre n'avait compté pour eux que cet échange-là.

C'est l'entrée d'un valet, porteur de rafraîchissements, qui y avait mis un terme. Dans un silence qui les avait ramenés vers une assise confortable, ils l'avaient laissé servir de l'eau de fleurs. Janisse y avait goûté. Présine lui en avait promis la recette.

Le valet s'était retiré.

Et Algonde avait parlé.

Longtemps.

Sans qu'un seul d'entre eux ose l'interrompre.

Ce qu'elle n'avait su dire à son reflet dans le miroir, elle l'avait craché en s'agrippant à la main de sa mère.

Comme une enfançonne face aux réminiscences d'un cauchemar.

En ne s'épargnant rien, elle ne leur avait rien épargné.

Ni le marché avec Mélusine. Ni la brûlure du froid autour de sa taille prisonnière de l'onde, ni la douleur lorsque ses membres s'étaient soudés sous l'enveloppe d'écaille. Pas davantage les longs mois d'errance sous-marine, à chercher, malgré elle, une issue, une échappatoire. Les heures passées, tête et buste émergeant du petit réservoir des Cuves pour traquer dans la forêt, sur les falaises alentour, le moindre signe d'une présence amie, aimée. La détresse, la solitude, l'angoisse, l'espoir suivi de renoncement. Les jours sans fin à feuilleter leurs vies à tous, à caresser du doigt leurs visages tristes, désincarnés, à en hurler de rage et de désespoir. De manque.

Et puis, peu à peu, l'habitude. La froide habitude de gestes cent fois répétés. Jusqu'à ce jour où elle avait compris qu'Elora la captait. Alors, à la regarder grandir, à nouer avec elle ce lien si étroit, si puissant, si particulier d'échange, elle avait fini par accepter l'inacceptable.

La voix plus affermie face à leurs visages décomposés, Algonde avait raconté les premiers pas de Constantin, comme une consolation de n'avoir réellement vu ceux de sa fille.

Le premier mot : « maman ».

La force de ces deux syllabes.

La force de tous les courages, de tous les renoncements.

Le rire qui s'envole sous la roche. Le jeu dans l'eau. La caresse des petites mains sur ses joues, les comptines pour bercer l'un en regardant s'endormir l'autre, à distance.

L'envie renouvelée d'une famille, servie par l'installation des brigands à Choranche. Ses appels au secours dans les rêves de Mathieu, puis de Petit Pierre. La certitude d'Elora de les voir réunis.

Et encore le destin qui s'emballe par l'entremise de Fanette, d'Hugues de Luirieux, et d'un messager retrouvé mort dans les bois de Bressieux.

La voix brisée de nouveau, Algonde avait évoqué pour finir la rebuffade de Mathieu.

Le baiser d'Enguerrand de Sassenage. Et, depuis deux mois, leur complicité autour d'un même but.

La reconquête de leur amour perdu.

De leur vie perdue.

Aucun commentaire en réponse à ce long monologue.

Juste, de nouveau, ces mots dans la bouche de sa mère.

— Je t'aime.

Suivis d'un baiser sur ses phalanges blanchies.

Un silence à couper au couteau, troublé par le bourdonnement d'une abeille au-dessus du pichet.

Puis un raclement de gorge et la voix éraillée de Janisse, tournée brusquement vers le chevalier.

— Alors comme ça, messire Enguerrand, vous revenez du Nouveau Monde…

— C'est cela même, maître Janisse…

— Qu'y mange-t-on ?

Voilà, avait songé Algonde en s'abattant contre le dosseret du faudesteuil, les yeux rivés à ceux de sa mère, Mélusine était retournée au néant par le souffle de cette seule question.

Elles s'étaient souri.

La vie était devant.

Janisse l'avait compris et annoncé à sa façon.

Depuis, tout était simple.

Effaçant le chagrin, le rire de Janisse ponctuait les anecdotes d'Enguerrand, et Algonde s'en rassasiait comme d'une gourmandise dont longtemps, trop longtemps, elle avait été privée.

Maître Janisse ne cessa de se taper les cuisses que pour essuyer les larmes qui dévalaient ses joues.

— Avec des plumes, comme un paon ? insista-t-il, rendu hilare par le portrait du sauvage que venait de lui brosser Enguerrand.

— Ne vous moquez point, maître Janisse. Sous leurs allures se cache une générosité dans laquelle vous vous seriez reconnu sans peine…

— Tout de même, cuisiner les fesses à l'air….

Il pouffa de nouveau, tenta de contrôler son emportement, avant d'exploser en se tenant la panse, les entraînant cette fois avec lui.

Comme un orage crève en plein mois d'août, pour épurer l'air ambiant.

Lorsque tous furent apaisés, Janisse poussa un soupir à fendre l'âme, puis, caressant son ventre proéminent, s'exclama brusquement :

— Foutredieu, ma bécaroïlle, j'ai faim ! Dix ans que ça m'est pas arrivé.

Le tour de taille du cuisinier démentant de lui-même cette affirmation, Algonde pouffa.

Il la fixa alors avec une gravité inattendue. Une gravité qui la marqua pour longtemps et dans laquelle perça tout l'amour qu'il lui portait.

— Tu peux rire, ma fille, mais c'est vrai. Je mangeais pour manger. C'est comme tes œufs au lait. J'avais plus le goût pour les préparer.

Algonde sentit de nouveau son cœur se serrer. Enguerrand le comprit et se leva avec entrain pour faire face au cuisinier.

— Mon bon Janisse, j'en ai l'eau à la bouche ! Le temps que l'on dresse la table, ne voudriez-vous m'accompagner en cuisine pour me donner votre recette ?

L'œil de Janisse s'illumina. Il se dressa en prenant appui sur les bras du fauteuil, tel un pourfendeur de justice.

— Ma foi, il ne sera pas dit que moi, maître Janisse, je laisse à d'autres le soin de vous régaler. Allons, messire Enguerrand, allons ! Et toi, ma bécaroïlle, ne t'éloigne pas trop, je serai vitement là. Faut pas bien longtemps de préparation avant d'enfourner des œufs au lait tu sais, et foutredieu, je ne veux plus te quitter !

5.

— Moi non plus je ne voudrais plus te quitter, ma fille, mais je suppose qu'il n'est pas question que tu rentres avec nous à Sassenage ? demanda Gersende en lui tapotant la main, sitôt que les deux hommes se furent effacés.

Algonde secoua la tête, attristée.

— Nul ne peut renaître de ses cendres, mère. Et puis, il y a Constantin. Je ne peux m'éloigner de lui. Il m'est bien assez pénible de le laisser s'abîmer encore dans la grotte quand je suis, moi, dans cette demeure.

Présine se mit à rire.

— Ne force pas le trait. Tu sais comme moi qu'il s'y plaît et que je suis à ses côtés la plupart du temps.

Algonde n'avait rien à objecter. Constantin lui-même avait dédaigné la chambre qu'Enguerrand lui avait offerte, prétextant que le matelas était trop mou, l'air trop sec, la couverture mal adaptée. Il avait tenu deux jours dans ces draps, se cachant des domestiques pour ne pas que son visage mangé de longs poils sombres les effraie. Ils auraient vu le diable dans sa haute taille, ses manières et son parler fleuri, incongrus dans la bouche d'un enfant de dix ans. Mieux valait, pour tous, qu'il ne se fasse pas remarquer. Au troisième matin, il s'était excusé auprès du chevalier. Ce sommeil qui le fuyait, c'était chez lui qu'il le retrouverait. Enguerrand n'avait pas insisté. Il se souvenait de son voyage dans le Nouveau Monde, de l'insistance de Colomb à vouloir que les indigènes s'accommodent de leurs manières. Non seulement ils n'y étaient pas arrivés, mais ils s'étaient sentis profondément blessés qu'on veuille les leur imposer.

Fort de cette expérience, le chevalier avait eu une longue conversation avec Constantin. Il en était ressorti que le garçonnet resterait libre d'aller et venir à son gré. De se nourrir des plats cuisinés ou du fruit de sa chasse et de sa pêche. Libre aussi de se cacher ou de se montrer.

Un nouvel équilibre s'était installé. Chaque jour, ainsi qu'elle le faisait avant, Algonde rejoignait Constantin dans la grotte de Mélusine, sous le manoir. Elle s'asseyait à ses côtés sur sa natte de paille, face à Présine, et s'instruisait avec lui.

Outre la connaissance des simples, des animaux, du visible et de l'invisible, Présine leur enseignait le latin, le grec, le sumérien, et nombres de langues usitées encore ou non, qu'elles soient des Hautes Terres ou de celle-ci. Elle professait l'écriture et les mathématiques, l'astronomie et la géographie et même, Algonde s'en était souvent ébaubie, le maniement des armes. De l'épée noble et puissante au coustel, du lance-pierre au fouet. Sans parler de la lutte à main nue.

L'essentiel, en somme, pour former un roi autant qu'un guerrier et dont Algonde, elle aussi, bénéficiait par ricochet.

De fait, une seule chose lui manquait de sa prison d'hier. Nager avec le garçonnet, se réjouir de son rire tandis qu'il chevauchait sa queue monstrueuse de sirène. Quelques jours plus tôt, ayant recouvré une vue plus nette, elle avait essayé, à son appel, de le rejoindre dans le lac. La froidure de l'onde l'avait tant saisie qu'elle avait eu l'impression qu'on lui cisaillait les veines. Elle avait ressorti vitement son pied, les lèvres violettes, prête à s'évanouir de douleur. Le Furon ne voulait plus d'elle. Ou elle ne voulait plus du Furon. Peu importait, en vérité. Elle ne pouvait plus. Constantin avait insisté quelques secondes. Puis son visage s'était fermé et il s'était enfoncé sous la surface, ainsi qu'elle le faisait elle-même quelques mois plus tôt. Aucun reproche quand il était revenu sur la berge où elle était restée à l'attendre, les bras noués à ses genoux, emmitouflée dans son mantel. Lorsqu'elle avait voulu se justifier, Constantin s'était accroché à son cou.

— Autre temps. Autre vie. Mais une seule constante. Je t'ai à mes côtés. C'est cela qui compte.

Constantin. Tant d'intelligence et de vivacité dans si petit et si étrange personnage…

*

* *

— Veux-tu le rencontrer, mère ?

Un sourire ravi étira le visage de Gersende.

— Rien ne saurait me plaire davantage. Mais… Janisse…

Présine se leva la première avec une telle grâce qu'on eût dit un papillon qui s'envolait. Elle darda sur elles son regard bleu d'azur pailleté de soleil.

— Je le ferai patienter sitôt qu'il reviendra, quoique, vu ses manières, il va relever chaque couvercle et rajouter de son avis partout, si encore il ne bouscule pas un marmiton et ne froisse pas le cuisinier. Allez toutes deux et prenez votre temps. Vous avez besoin de vous retrouver.

Algonde et Gersende lui en surent gré.

— C'est par là, mère, indiqua Algonde en devançant sa silhouette ronde et chaleureuse dans l'encadrement de la porte qui menait à sa chambre.

Parvenue devant la cheminée, elle leva la main en direction de la hotte et enfonça l'œil d'une Mélusine de pierre, déclenchant un mouvement glissant du mur voisin.

— Le même mécanisme qu'à Sassenage, dans la chambre du donjon, remarqua Gersende, avant d'ajouter : C'est surprenant, tu ne trouves pas, quand on sait que c'est Sidonie qui a fait construire cette maison forte.

Algonde enleva une lanterne, alluma la bougie qu'elle contenait à l'aide d'une autre, piquée sur un chandelier.

— Mélusine le lui aura soufflé. Je pense qu'elle espérait alors tromper Marthe. La prendre de vitesse et s'échapper par là après que je lui aurai remis l'enfant de la prophétie. Rien ne s'est passé comme elle l'espérait, sinon qu'elle l'a bien emprunté[1].

Elle s'engouffra dans le conduit, descendit les marches, Gersende dans ses pas. Cette dernière attendit que le passage se soit refermé derrière elle, les emmurant, pour rompre le silence :

— Quelque chose me tracasse dans ce que tu me dis, Algonde. Sans doute n'est-ce pas d'importance, mais…

Algonde s'immobilisa au bas de l'escalier, rattrapée elle aussi par un sentiment désagréable.

— Tu te demandes pourquoi Présine m'a demandé d'abandonner Constantin à Fontaine, à moins d'un quart de lieue d'ici, au risque de l'exposer à la vue de Mélusine. En vérité, je l'ignore ; nous n'en avons jamais parlé.

1. Voir *Le Chant des sorcières*.

— Tu conviendras avec moi que c'est curieux, Algonde. Si Mélusine avait vaincu Marthe et non l'inverse, que se serait-il passé en vérité ?

Elles se fixèrent toutes deux, longuement. Algonde secoua la tête.

— Présine n'avait aucun intérêt à s'associer avec Mélusine. Aucun. De toute manière, c'est du passé. Mélusine est morte.

Gersende s'approcha de sa fille pour lui caresser la joue.

— À deux toises de la grotte où tu avais laissé Constantin. C'est une coïncidence troublante, Algonde. Je m'étonne que tu ne l'aies pas relevée.

Algonde se nicha dans les bras de sa mère.

— J'étais bouleversée de trop d'autres choses.

— Je sais, ma bécaroïlle. Je sais.

Elles demeurèrent ainsi, soudées l'une à l'autre, dans ce départ du tunnel qui broyait le cœur de Gersende.

— Présine est restée à mes côtés durant ces dix années, m'entourant de tout l'amour dont elle était capable pour tenter de compenser le tien qui me manquait tant. Je ne veux me souvenir que de cela.

Enfouissant son nez dans le creux du cou de sa mère, Algonde inspira à pleins poumons son odeur retrouvée de cannelle et de lait chaud. L'odeur d'une enfance heureuse. Sécurisante.

Gersende se rassasia elle aussi de son contact. Tant de nuits à repousser cette petite étincelle qui reniait la camarde. Tant de nuits à se retourner auprès de Janisse qui ronflait, pour s'imprégner de sa chaleur à lui. Pour tromper le vide. Combien de fois s'était-elle abrutie de travail pour éviter de courir vers les Cuves, d'appeler Mélusine et de se repaître de sa ressemblance avec Algonde ? C'est Janisse qui l'en avait empêchée, lui affirmant que ce serait torture plus grande encore.

Depuis que la lettre d'Algonde leur était arrivée, quelques jours plus tôt, il s'en voulait autant qu'elle d'avoir résisté.

Gersende caressa le dos de sa fille, de bas en haut, comme autrefois. De son séjour dans le Furon, Algonde avait gardé un corps plus musculeux, sculpté par la natation. Les séquelles étaient là, partout en elle. Bonnes ou mauvaises. Il était inutile de ressasser le passé. Seul le présent devait compter. Elle chuchota.

— Tu as raison, il est inutile de nous torturer encore. Qui suis-je, moi qui t'ai abandonnée, pour douter de celle qui m'a remplacée ?

Algonde s'écarta d'elle. Embrassa sa joue ronde, aussi douce qu'hier.

— Tu ne m'as pas abandonnée, mère. Et personne ne te remplacera jamais.

Elles se sourirent. Des étoiles dans les yeux. Puis Algonde l'entraîna par la main.

Devant l'orifice qui perçait le tunnel, Algonde s'effaça d'une courbette.

— Mon antre…

Gersende en franchit le seuil et, tout aussitôt, éclata en sanglots. La caverne, si belle soit-elle avec ses eaux dormantes qu'un fin rai de lumière caressait en tombant du plafond, lui fit l'effet d'un tombeau.

Il fallut que Constantin se détache de l'ombre et, d'une cabriole, atterrisse devant elle pour qu'elle s'arrache à cette vision macabre. Pour qu'elle accepte enfin que le rêve avait rejoint la réalité et que cette réalité ne se changerait plus en cauchemar.

Quelques minutes plus tard, Gersende faisait le tour du lac au bras de Constantin, s'émerveillait de sa délicatesse derrière sa singularité, et riait avec Algonde, comme si rien de tout cela n'avait existé.

6.

Jean et Bertille s'étaient endormis, côte à côte, selon une habitude qu'ils avaient tenu à conserver. Certes, en place des paillasses d'hier, un lit moelleux les accueillait, mais c'était là tout ce qu'ils avaient concédé au confort de ce petit castel dans lequel Hugues de Luirieux les avait placés, après avoir dégagé l'ancien personnel.

Celma ne se plaignait pas de cette solitude. Au contraire. À dire vrai, elle se plaisait dans la sécurité de ces murs séculaires que les Templiers puis les Hospitaliers de l'ordre de Saint-Jean de Jérusalem avaient rénovés.

Situé idéalement à quelques encolures de l'Isère au sud-est et de Romans à l'ouest, le corps de logis rectangulaire recevait la pleine lumière de l'après-midi par de hautes et nombreuses fenêtres à meneaux qui s'ouvraient sur une vaste cour intérieure pavée. Le donjon, austère et carré, était détaché de la bâtisse et formait angle au mur d'enceinte. De l'autre côté, lui faisant face, le bâtiment des écuries jouxtait un potager et un poulailler. L'ensemble était protégé par une herse qu'on abaissait à la nuit tombée pour se garder des animaux sauvages que la forêt alentour attirait, et dans laquelle Jean et Bertille s'aventuraient chaque jour pour chasser, tandis qu'elle vaquait à l'entretien de la maisonnée.

En fait, son travail d'intendante se bornait à s'assurer que Luirieux ne manquât de rien si, exceptionnellement, l'envie le prenait d'y venir passer une nuit ou deux. Pour ainsi dire jamais. Et quand bien même, les deux enfants étaient assez dégourdis pour servir l'un le vin, l'autre les mets.

Pour ce qui était de leur prisonnière, Briseur s'en chargeait. De même qu'il assurait la tablée des mercenaires que Torval et Ronan de Balastre, les deux âmes noires de Luirieux, dirigeaient avec Mathieu. Celma refusait d'avoir à faire avec eux et interdisait aux enfants de s'y mêler lorsqu'ils revenaient se saouler dans la salle des gardes du donjon après leurs rapines.

Ces diables n'étaient pas de la même race que leur communauté, décimée, de brigands. Là où les siens auraient respecté les enfants, ceux-là, Celma n'en doutait pas, les auraient croqués avec une ardeur putassière.

Si encore elle avait pu se plaindre…

Mais Luirieux tenait Petit Pierre.

Comme il les tenait par la menace de la potence.

Celma n'avait pas le choix. Et c'était là tout son tourment, jour après jour, depuis deux mois qu'ils étaient à sa merci. Pour protéger sa nichée, elle courbait l'échine, travaillait dur en cuisine ou au jardin, quand elle ne briquait pas sol, vitres ou parquet pour ne subir aucun reproche, rien qui eût pu donner à Hugues de Luirieux une occasion de les châtier.

À plusieurs reprises, tirant les runes en toute discrétion, elle avait accroché des images. Petit Pierre riant, Algonde virevoltant sur ses jambes retrouvées. Épuisée par ses longues journées, elle n'obtenait rien de plus. Elle eût pu sans peine demander à Bertille de se mettre en transe, mais y répugnait. La dernière fois, sa fille avait capté une ombre noire et maléfique autour d'eux. Une créature sans visage et sans nom qui semblait les surveiller sans relâche. Trois jours de fièvre avaient suivi et Celma avait craint de la perdre. Depuis, elle lui avait interdit de se laisser encore avaler par ses prémonitions.

Mais n'en pensait pas moins.

À deux ou trois reprises, elle avait évoqué Mélusine et le pardon que la fée espérait de Mathieu. Ce dernier n'avait su qu'en rire. Si Celma n'avait pas promis à Algonde de se taire, elle lui aurait depuis longtemps révélé la vérité à son sujet. L'aurait-il crue pour autant ? Celma n'en était pas persuadée. Il éprouvait tant de haine et de rancœur envers cette créature des eaux qu'il la croyait capable de tout pour s'en arracher.

Lors, même sa ressemblance avec Algonde devenait un argument de duperie. Une raison suffisante pour qu'il refuse de s'en approcher.

De même, elle s'était mordu la langue pour ne pas évoquer Elora. Il eût fallu pour cela en revenir à Algonde et d'Algonde à Mélusine.

Une seule personne pouvait lézarder les murs de raison au centre desquels Mathieu s'était enfermé. Hélène. Mais il évitait tout contact avec elle.

Après le mariage, peut-être. C'était le seul espoir que cultivait Celma pour, enfin, voir éclater la vérité.

Elle gagna le lit dans lequel Mathieu s'était déjà retranché. Il lui tournait le dos, feignant de dormir. Celma repoussa les draps puis moucha la chandelle sur la table de chevet. Elle s'allongea dans la nuit retombée.

Elle savait que le sommeil ne viendrait pas. Mathieu était trop en colère. C'était ainsi depuis qu'ils s'étaient rencontrés. Celma souffrait de sa souffrance, s'angoissait de ses angoisses. Tant qu'il ne serait pas en paix, elle ne pourrait l'être elle-même.

Elle se tourna vers lui, l'enlaça avec tendresse. Il ne bougea pas. Un bloc. Noué des pieds à la tête sur sa fureur, une odeur de vinasse accrochée à son souffle.

Elle soupira.

— Inutile de feindre. Je te sens, Mathieu, je te connais.

Un grognement. Passage difficile d'un air vicié entre ses dents serrées.

— Je le hais…

Celma appuya un baiser sur l'arrondi de l'épaule, là où le choc d'une branche basse avait laissé une écorchure qui s'était infectée et qu'elle avait soignée. De combien de cicatrices cet homme avait-il été marqué ? Faudrait-il qu'elle le perde pour le guérir définitivement de toutes celles qu'il gardait encore purulentes en lui ?

— Moi aussi, je le hais. Mais que pouvons-nous faire pour l'instant, sinon attendre ? Nous plier à sa loi et attendre ?

Elle trouva le poing serré de Mathieu sous ses doigts, voulut l'ouvrir, ne parvint qu'à le tétaniser davantage. Elle renonça. L'enveloppa.

— Dès qu'il nous aura rendu Petit Pierre, nous filerons.

— Il ne le rendra pas.

Mathieu se retourna d'un bloc, l'écrasant à demi. De jour en jour il s'enfermait dans sa brutalité. De jour en jour il s'éloignait de l'homme qu'elle avait rencontré. Malgré cela, Celma l'aimait. Elle se repositionna sans se plaindre. S'accouda à son torse pour se surélever. Un rayon de lune accrochait le cintre de la fenêtre. Elle serait pleine dans quelques jours. Mathieu se remettrait en chasse avec les hommes de Luirieux, saccagerait un village dans les montagnes, couvert de peaux de bêtes. Puis reviendrait, plus souillé et meurtri de ses actes qu'avant. Se haïssant lui-même et haïssant plus encore celui qui ordonnait ces exactions.

Elle chassa cette image. Une de plus que ses prémonitions lui avaient offerte. Une de plus qu'elle pouvait accrocher au sinistre trophée de sa prescience.

Sa main s'envola sur son torse. Il l'emprisonna dans la sienne. Presque à la broyer.

— Arrête.

— Pourquoi ?

Il tourna vers elle un visage rongé, que le contre-jour lunaire rendait plus effrayant encore.

— Ta douceur me fait mal. Ta chaleur me fait mal.

Le cœur de Celma se mit à saigner. Elle n'en laissa rien voir cependant.

— Pourquoi ?

— Tu t'accroches à quelque chose qui n'existe plus. À quelqu'un qui n'existe plus. Ce qu'il a fait de moi me révulse. Ce qu'il exige de moi me révulse, pourtant je l'accomplis comme un diable sanguinaire, m'enfonçant un peu plus chaque jour dans l'enfer.

— Tu n'as pas le choix, Mathieu.

Il détourna la tête. Elle perçut les battements désordonnés dans sa poitrine.

— On a toujours le choix.

— Que veux-tu dire ?

— La vie de mon fils vaut-elle mieux que toutes ces autres que je prends ? que ces femmes forcées par Torval, ces enfants fouettés par Ronan de Balastre ? Je ne crois pas. Et pourtant, je continue. Je détourne les yeux de leurs appels à la pitié et je continue. Est-ce cet homme que tu peux aimer, Celma ? cette déjection humaine que Luirieux m'a condamné à devenir ? Il vaudrait mieux pour toi, pour Petit Pierre, que je sois mort plutôt que d'être ce chien-là.

Elle refoula ce hurlement de désespoir en sa gorge. L'emmura derrière sa douceur. C'était le seul refuge qu'elle pouvait lui offrir.

— Ton dégoût de toi-même est à lui seul une rédemption. Il faut tenir, Mathieu. Garder confiance. Si tu ne peux la trouver en toi, cherche-la en moi. T'ai-je déjà trahi ? menti ? trompé ?

— Non. Pas toi… Pas toi…

— Petit Pierre nous reviendra. Lors nous fuirons, loin d'ici. Très loin d'ici, je te le jure. Et nous recommencerons. Dans l'amour, cette fois.

Il eut un ricanement aussi sec qu'un claquement de fouet.

— Tu n'es pas comme eux. Tu ne l'as jamais été que par fatalité. Mais tu n'es pas comme eux, Mathieu. Non.

— Je ne sais pas, Celma.

— Dans deux mois, Luirieux épousera Hélène. Dans deux mois, nous serons libres.

Elle porta sa paume à sa joue pour la ramener vers elle, sentit l'humidité sous ses doigts.

— « Une seule larme et je t'ouvrirai les portes du paradis », disait Jacou au moment de son sermon. Tu te souviens ?

— Il a fini pendu, comme les autres, tout curé qu'il était. Il y a longtemps que Dieu nous a abandonnés, ne le vois-tu pas ?

— Je garde foi en toi.

Il soupira.

— Tu es bien la seule.

Celma s'approcha de ses lèvres.

— Que fais-tu de Briseur, de La Malice, de Jean, de Bertille et de Petit Pierre ? Nous sommes tous là, avec toi. Nous avons besoin de toi, Mathieu. Nous comptons sur toi.

D'un geste souple, elle se rabattit sur lui pour l'imprégner de sa chaleur, fouiller sa bouche, taire le mensonge que la cruauté d'Hugues de Luirieux imposait à leurs vies. Mathieu se laissa faire. Il s'était toujours laissé faire par Celma. Elle le menait invariablement à l'apaisement, même si, au moment de jouir, il savait que c'était le souvenir d'Algonde qui emportait le combat.

Ce fut vrai. Encore une fois.

Et comme chaque fois, lorsqu'il roula sur le côté, enveloppant Celma de son bras, il chassa l'image pour mieux laisser le sommeil lui donner consistance.

Avant de sombrer, il se promit de ne pas céder à l'appel d'Hélène de Sassenage. Il ne voulait pas tout gâcher. Deux mois, avait promis Luirieux. Deux mois, avait imploré Celma. Il tiendrait. Jusqu'à ce qu'il ait récupéré son fils.

Ensuite, il arracherait le cœur de Luirieux.

Puis, dans la foulée, celui d'Hélène.

Sa vengeance accomplie, peut-être trouverait-il la force de renaître et de se pardonner.

7.

Djem est mort.

Algonde ne parvenait pas à s'imprégner de ces trois syllabes.

Djem est mort.

Gersende avait attendu le dernier moment, l'heure du départ, pour l'entraîner près d'une des cinq fenêtres à meneaux de la vaste salle de réception, et les prononcer.

Juste avant de lui tendre la lettre qu'elle avait reçue d'Hélène, une dizaine de jours plus tôt.

La missive, d'une écriture tremblante qu'Algonde reconnut à peine, racontait en quelques lignes l'empoisonnement par les Borgia, la dépouille du prince, privée de sépulture et ballottée au gré de marchandages sordides, l'enfant à venir et le désir d'Hélène de le mettre au monde à Sassenage que le baron Jacques venait d'accepter. Hélène attendait de Gersende qu'elle prépare son logis en conséquence, ne sachant quand les aléas de la route la feraient arriver.

L'œil retenu par la floraison printanière que lui offrait un élégant jardin clos au-delà des vitres ouvertes, Gersende soupira.

— Je n'ai pas voulu endeuiller ces retrouvailles, mais ton insistance à nous garder à tes côtés…

Algonde releva enfin la tête, le cœur serré.

— Je comprends, mère, il ne faut pas t'inquiéter. Au contraire, promets-moi de prendre soin d'elle et, dès que possible, de me l'amener.

— Cela va de soi, ma bécaroïlle.

Algonde replia la lettre avant d'ajouter, d'une voix blanche :

— La dernière fois que je l'ai vue au travers de mes pouvoirs, elle chevauchait au milieu des janissaires, tout près de Djem, libéré enfin. Il y avait du bonheur sur leurs visages. Un bonheur si grand…

Gersende lui releva le menton d'un doigt recourbé.

— Il faut en jouir lorsqu'il s'invite. En ce monde, rien ne dure jamais, tu le sais bien.

Algonde accompagna de la joue le revers caressant de cette main aimée, qui, naturellement, en avait suivi l'ovale. Toutes deux isolées dans le souvenir d'une enfance heureuse bercée de tendresse, elles restèrent quelques secondes ainsi, avant qu'Algonde ne soupire, autant apaisée que chagrinée.

— Tu vas me manquer, mère.

— Toi aussi, approuva Gersende en laissant retomber son bras. Mais Sassenage est tout près. Je te promets de revenir bientôt. Avec ou sans Hélène. Peut-être apportera-t-elle aussi des nouvelles d'Elora. Elle n'en parle pas dans son courrier, mais…

La bouche d'Algonde se tordit vilainement à l'évocation de sa fille, faisant renaître une pointe de tourment.

— J'en doute. Elora avait sa propre quête à mener. Moi non plus je ne t'ai pas tout dit, maman : l'ombre de Marthe plane au-dessus d'elle. Elora l'a perçue à plusieurs reprises.

Gersende blêmit. Elle l'attira un peu plus loin de Janisse qui, resté auprès d'Enguerrand et de Présine, tournoyait autour de la table dressée en face de la monumentale cheminée. Le cuisinier trompait sa tristesse du départ en gestes et paroles anodines, auxquels le chevalier et la fée prêtaient l'indulgence de leur propre émotion.

Gersende, quant à elle, ne les entendait pas, ramenée brusquement en arrière.

— Crois-tu la petiote en danger ?

— Non, non, pas ainsi que tu le crains. Elora est de taille à lutter contre Marthe. Ce que je redoute est plus sournois. Tu te souviens de cette mixture que la Harpie m'a forcée à ingurgiter ?

— Celle qui a déclenché tes couches ?

— C'est cela, oui. Présine pense que Marthe l'a composée à l'aide de son propre sang pour pervertir la lumière d'Elora et que, par la suite, tandis que nous étions à la Bâtie, elle a continué à lui en administrer.

— Et ?

Algonde balaya l'air d'une main ennuyée.

— Je ne sais pas. C'est un peu comme une maladie inguérissable, mais discrète. Elle peut te laisser en paix ou te faucher, brutalement.

— Tu veux dire qu'Elora pourrait basculer ? se rallier à Marthe ?

Algonde arrêta son regard sur une tapisserie d'Aubusson qui ornait d'une scène courtoise un pan de mur entre deux portes, mais son esprit continuait sa course.

— Dans l'absolu, c'est possible, même si tout en moi le refuse. Pour ma part, je pense seulement que Marthe la surveille. D'où ? Par quel moyen ? Je l'ignore, mais elle est là, quelque part, et elle attend que toutes les pièces soient en place. À moins que, comme le croit Elora, elle n'en prenne une, stratégique, pour déstabiliser le jeu sur l'échiquier et forcer son esprit à basculer. À notre dernier contact, Elora avait décidé d'œuvrer pour l'en empêcher. J'ignore si elle y est parvenue.

Gersende se sentit balayée d'un froid glacial. Elle lui pressa le bras pour se réchauffer de son contact.

— Palsambleu, mes caillettes ! allez-vous vous quitter ou commandons-nous à déjeuner ? s'époumona maître Janisse dans leur direction.

— Je viens, je viens, mon époux ! s'empressa Gersende.

— Pas un mot à Hélène, bien entendu. N'ajoutons pas de l'inquiétude à son malheur, recommanda Algonde en lui bisant la joue.

Gersende hocha la tête. Reprenant un sourire de façade, elle piqua ses mains sur ses hanches et s'alla planter devant Janisse qui fauchait quelques miettes de massepain sur la nappe, retardant le laquais qui attendait pour desservir.

— N'es-tu pas rassasié encore ?

Il rentra la tête dans les épaules, tel un enfant grondé, avant de se tourner vers Algonde.

— J'ai laissé consigne en cuisine de tes plats préférés, mais, si besoin était, envoie un coursier et je t'en ferai porter. Tu es toute pâle encore et maigrichonne, faut te remplumer, ma bécaroïlle !

Algonde s'attendrit.

— Point d'inquiétude, mon bon Janisse. Enguerrand veille sur moi presque aussi bien que vous le feriez. Allons, ne vous mettez pas en retard. Qui sait ? Hélène vous attend peut-être déjà à l'arrivée.

Enguerrand et Présine échangèrent un regard surpris. Ils s'abstinrent pourtant de commentaires, comprenant que tout prétexte serait bon à Janisse pour traîner des pieds. Pas plus que Gersende il n'avait envie de les quitter.

Profitant que le soleil s'était voilé, Algonde fut heureuse de pouvoir les raccompagner.

La carriole que maître Janisse avait empruntée au panetier du castel de Sassenage les attendait dans la cour, aux pieds d'une glycine qui courait le long de la bâtisse et retombait en grappes charnues au-dessus de la tête d'un valet d'écurie. Impavide, ce dernier retenait d'une main juvénile le bœuf qu'il y avait attelé.

Janisse grimpa sur le siège du conducteur puis, le temps que Gersende le rejoigne, tourna la tête vers Algonde, demeurée comme Enguerrand et Présine en haut des marches, devant la lourde porte cloutée.

— Reste pas là, ma bécaroïlle, c'est pas bon pour tes yeux, gronda-t-il d'un timbre paternel.

De fait, traversé d'un vol d'oies sauvages, le nuage s'effilochait lentement et déjà, les paupières d'Algonde s'étaient plissées sous l'apport de luminosité.

Le valet s'écarta. Janisse secoua la longe. La voiture s'ébranla dans un grincement de roues et la tractée de son modeste attelage.

Quelques minutes plus tard, ils passaient l'enceinte de la maison forte, les mains agitées d'au revoir et les visages tournés encore vers les leurs, attristés.

Enguerrand attendit qu'ils aient disparu pour passer son bras autour des épaules d'Algonde et la ramener vers l'intérieur, Présine sur leurs talons.

— Le retour d'Hélène n'est pas une heureuse nouvelle, n'est-ce pas ? demanda-t-il tandis qu'ils longeaient une dizaine de chatons sculptés par Constantin dans des postures joueuses et posés à même le sol.

Algonde leva vers le chevalier deux prunelles aussi moussues que cendrées.

— Djem a été assassiné, annonça-t-elle.

Frappé de méchante surprise, Enguerrand étouffa un juron tandis que les traits de Présine s'affaissaient.

— Il faut prévenir Constantin, se désola la fée.

— Laisse-moi m'en acquitter, grand-mère.

Présine n'insista pas. Qui mieux qu'Algonde pouvait comprendre ce qu'Hélène ressentait ? Qui mieux qu'Algonde pourrait tout expliquer ?

*

* *

Dans la foulée, cette dernière se détacha d'eux pour traverser le manoir, disparaître dans sa chambre, activer l'ouverture du passage secret et gagner enfin la grotte.

Comme elle l'avait supposé, elle trouva le garçonnet assis en tailleur sur le rocher qu'elle avait érodé longtemps par le frottement de ses écailles. Tournant le dos au lac, il achevait de sculpter un renard dans un morceau de châtaignier. Constantin possédait déjà une jolie collection d'animaux, de l'aigle à l'écureuil. La veille au soir, il l'avait montrée à Gersende, qui avait été éblouie par les expressions, chaque détail donnant l'impression de mouvement. Comme si l'animal allait bondir, s'échapper de sa carapace de bois. Algonde se souvint du tremblement des mains de sa mère lorsqu'elle avait soulevé la plus belle des pièces. Une femme serpent. Elle, Algonde. La ressemblance était si frappante que, quelques secondes, Constantin avait cru que Gersende allait s'évanouir. Mais non. Elle s'était maîtrisée, s'était tournée vers sa fille et lui avait souri avant de reposer l'objet, de choisir une belette aussi vraie que nature et de demander à Constantin si elle pouvait la garder.

Il la lui avait offerte avec plaisir. Pour sceller leur rencontre et leur amitié.

Absorbé par le travail du ciseau qui glissait sur le bois, il attendit qu'Algonde eût traversé la salle souterraine pour lever les yeux de son ébauche.

— Partis ? demanda-t-il comme elle se plantait devant lui au milieu de cet affleurement de roche qui dénivelait le sol.

— Il y a quelques minutes, répondit-elle dans un sourire en soulevant ses jupons pour ne pas s'y entraver.

Elle escalada le monticule pierreux en prenant garde de ne pas se mouiller et vint s'asseoir à ses côtés, en surplomb du lac.

Constantin se décala pour lui donner plus d'espace. Elle s'en attendrit.

— De jour en jour tes manières s'affinent. Je ne me souviens pas d'avoir rencontré seigneur plus courtois, prince plus attentif et attentionné… À l'exception de ton père. Tu lui ressembles infiniment, en vérité.

Constantin éclata d'un rire clair qui résonna sous la voûte hautaine.

— Heureusement que cette fourrure le cache bien, sans quoi il me faudrait craindre les Hospitaliers en plus de Marthe !

Algonde se troubla. Avec quelle désinvolture se moquait-il de lui-même, de cette pilosité animale que rien n'enrayait ! Jamais de reproche, de rancœur, de révolte. Constantin devait être, à sa connaissance, la seule personne en ce monde qui s'aimait telle qu'elle était. Elle répugna à le blesser.

— Il est mort, mon enfant. Ton père s'en est allé.

Le rire cessa. Net. Constantin immobilisa ses grands yeux d'azur. Les mêmes que ceux de Djem. Une seconde, Algonde fut fauchée par la similitude de leur existence à tous deux. Exilés pareillement, condamnés au secret.

— Les Borgia ?

Elle hocha la tête. Même dans la plus grande des difficultés, tout était toujours simple avec lui. Son esprit d'analyse évitait les grands discours ; sa sagesse, les débordements. Il n'était rien en lui qui ne forçât le respect.

Il se détourna d'elle pour fixer la sculpture, la fit tourner délicatement entre ses doigts agiles.

— Je me doutais qu'ils ne le laisseraient pas quitter l'Italie. Il était trop important pour eux. Stratégiquement. Et puis, c'eût été un affront à Bayezid. Le pape ne pouvait se le permettre.

Algonde ne sut que répondre à cet argument. Elle l'avait repoussé en son temps, préférant croire au bonheur d'Hélène. À leur bonheur partagé.

— Comment va ma mère ? demanda Constantin, ralliant son idée.

— Elle nous revient. Le ventre gros.

Le visage de Constantin s'éclaira.

— Un frère…

— Ou une sœur.

Il reprit son ciseau à bois, rajusta, de la pointe, un nouveau repli de la fourrure du renard.

— C'est bien. Pour elle.

— Pour toi aussi, non ?

Il suspendit son geste.

— Dans l'idée, oui. Mais seulement dans l'idée. Tu sais comme moi que je ne suis pas appelé à rester près d'elle. Près d'eux.

Algonde redressa légèrement son pied que l'humidité de la pierre avait fait glisser vers l'onde. Elle enroula ses bras autour de ses genoux remontés sur sa poitrine, cala son menton sur ces derniers. Au milieu du lac souterrain, fidèle, un rai de lumière tombé du plafond éclaircissait les eaux couleur d'émeraude. Nombre de fois, Algonde s'y était immobilisée, buste tendu vers sa caresse dans l'attente de la voix d'Elora, des images d'Elora. Et d'Hélène.

— Elle voudra te rencontrer, dit-elle, reprise par le manque de sa fille. Elle en aura besoin.

— C'est inévitable, en effet, lui concéda Constantin. Mais il ne faut pas qu'elle s'attache à moi.

Algonde soupira.

— Qui ne s'attacherait à toi ?

— Les trois quarts des gens de ce monde.

— Au premier regard peut-être, mais il leur suffirait de quelques jours pour t'aimer. Il a suffi d'une seconde à Hélène pour t'aimer. J'étais là, Constantin. Je me souviens de chacun des battements de son cœur déchiré lorsqu'elle t'a confié à moi, lorsqu'elle a accepté de te perdre pour te sauver…

Il recula jusqu'à s'adosser à ses jambes repliées. Elle noua ses bras autour de son cou, mêla son front à son pelage dans un frôlement tendre avant de poursuivre, émue :

— … Personne ne la guérira de la mort de ton père, sinon toi et cet autre enfant à venir. Ne te protège pas de ce qu'elle voudra te donner. L'amour d'une mère est le bien le plus précieux que l'on puisse posséder.

Dans le silence retombé, il fixa le rai lumineux dans lequel des paillettes de poussière en suspension semblaient danser. L'affection qu'Algonde lui avait offerte n'avait jamais tenu Hélène à l'écart. Mais c'était auprès d'Algonde qu'il avait grandi, c'était Algonde qui l'avait bercé. Alors, pour bien lui faire comprendre que rien ne lui manquait, Constantin transgressa la règle. Une règle imposée depuis qu'il avait su parler.

— Je sais, maman… Je sais, dit-il, aussi simplement qu'on dépose un baiser.

8.

Elora leva les yeux vers la haute muraille qui fermait le palais de Topkapi, l'isolant du reste d'Istanbul. Dominant la Corne d'or, le Bosphore et la mer de Marmara, il grouillait d'une vie propre qui, jusque-là, leur avait été interdite.

Près d'elle, Khalil, nerveux, était juché sur un âne grincheux que le noble Nycola tirait au milieu des silhouettes bigarrées.

Contrairement à sa nature, Elora aussi était angoissée.

La première fois qu'elle avait perçu Marthe, c'était peu de temps après avoir sauvé Khalil à Rome. Une pointe de noirceur dans la pureté de son âme. Si Elora l'avait balayée, elle n'en avait pas moins compris que Marthe les surveillait. Qu'elle avait ouvert une brèche dans sa carapace défensive et qu'elle se servait d'elle pour les espionner, tous. Probablement depuis sa naissance. Ce qui signifiait qu'au travers de ses yeux à elle, Marthe avait regardé grandir Constantin, s'ébattre Algonde, se tourmenter Mathieu, faisant planer sur eux sa menace impalpable. Pourquoi n'était-elle pas intervenue ? Mystère.

Mais le jour où Elora avait entendu la voix de Marthe ricaner dans sa tête que, quoi qu'elle tente, elle ne lui échapperait pas, elle avait coupé tout contact avec les siens. Tuant par là la source par laquelle Marthe s'immisçait en elle. Djem s'était éteint et elle s'était hâtée vers Istanbul dans l'espoir de la précéder là-bas.

De sauver Mounia.

L'Égyptienne était primordiale pour Marthe. Car outre le fait qu'elle était en possession d'un deuxième flacon pyramide, elle connaissait chacun des tracés de la table de cristal des Anciens. Selon Enguerrand, après avoir dérobé celle-ci dans les Hautes Terres pour se venger d'un affront du conseil des Anciens, Morlat, un des leurs, s'était embarqué sur un navire commandé par l'aïeul de Mounia. Une tempête avait englouti le bateau, l'équipage, le traître et les objets. Seul l'ancêtre de Mounia avait survécu et commencé une longue quête, après avoir recopié soigneusement la table.

Dès lors, qui mieux que Mounia pouvait guider Marthe vers les Hautes Terres ? Si bonne et généreuse qu'ait pu être l'Égyptienne, elle croyait avoir tout perdu. Son fils, son époux. Marthe n'aurait pas de difficulté à aiguiser sa vengeance, à la lier à elle. Elora connaissait ses manières, Algonde les lui avait bien assez souvent décrites.

Mounia était perdue d'avance. Sauf…

Sauf si Khalil se jetait dans ses bras.

*

* *

Voilà pourquoi, en cette fin d'avril 1495, Elora avait la gorge nouée. Une audience de Bayezid venait enfin de leur être accordée. Tandis que Nycola tenterait d'arracher une lettre de recommandation au sultan, Khalil et elle glaneraient des informations.

Face à eux s'imposa enfin la porte Bâb-i Humayun, avec sa voûte en ogive et son portail en marbre blanc et noir. Ouverte à tous, la première cour bruissait autant du froissement des tissus et des bottes sur le sol que des conversations. S'y croisaient musulmans et chrétiens, les uns empressés vers l'hôtel de la monnaie, les autres vers l'église Sainte-Irène.

Les trois « Bohémiens » avancèrent au pas lent de la mule. Ils contournèrent une charrette emplie de sacs de farine que deux hommes déchargeaient devant les boulangeries, la voix haute et rieuse, puis longèrent les réserves de bois pour gagner la porte du milieu qu'on leur avait indiquée. Nycola se planta devant un des gardes qui, sabre à la ceinture, en protégeaient l'accès et présenta son sauf-conduit.

L'homme s'attarda davantage à dévisager Elora qu'à inspecter le document, avant de les inviter à passer le portique massif orné d'arabesques colorées.

Une atmosphère différente régnait dans cette cour intérieure, fermée à droite par les cuisines, dont le toit était hérissé d'une bonne vingtaine de cheminées, à gauche par l'arrière du harem et face à eux, au centre, par Kubbealti, la salle du divan. C'était là, leur avait-on appris, que se tenaient toutes les cérémonies. Pouvant accueillir quelque dix mille personnes, la bâtisse rectangulaire était surmontée par la tour de justice, considérée comme le siège du Conseil de l'Empire.

L'endroit était calme, presque reposant au regard de la première enceinte. Des eunuques blancs allaient et venaient avec déférence au milieu de serviteurs enturbannés qui entraient et sortaient des bâtisses. D'un côté, celui des cuisines, s'élevait le parfum des épices ; de l'autre, sous les moucharabiehs du harem, celui des roses et des jasmins.

Le mélange des trois donnait à l'endroit une fragrance particulière, presque entêtante mais toute de volupté.

— Nous allons t'attendre ici, décida Elora en récupérant la longe de la mule.

Quatre palmiers formaient un carré, protégeant d'ombre un bassin dans lequel glougloutait une fontaine. Instinctivement, l'animal s'y pencha pour s'abreuver.

Nycola hocha la tête et continua son chemin vers un portique immaculé et ajouré en son cintre, qui s'ouvrait sur le pavillon des audiences où il était attendu.

De nouveau, il dut montrer son autorisation, laquelle, cette fois, disparut dans le gilet d'un eunuque blanc auquel il emboîta le pas.

C'était fait. Il était dans la place.

Ne restait plus à Elora et Khalil qu'à occuper au mieux le temps qu'on lui concéderait.

Craignant sans doute le regard des eunuques qui gardaient les différentes portes, aucun des serviteurs auxquels ils s'adressèrent ne consentit à leur répondre. Tout juste l'un d'eux releva-t-il le nez sur les caprices de la mule qui, agacée par une guêpe, s'était mise à ruer pour la déloger.

Un quart d'heure s'écoula qu'ils n'étaient pas plus avancés.

C'est alors qu'Elora avisa la silhouette courbée d'un jardinier dans l'imposante roseraie qui courait contre le mur du harem. À son visage buriné par le temps, elle devina qu'il officiait là depuis de nombreuses années. *Avec un peu de chance…*, songea-t-elle. Laissant Khalil en garde de la mule, elle s'avança le long des allées. Elle prit soin de caresser les fleurs en boutons, de humer les pétales épanouis sur leurs tiges, avant de s'approcher assez pour que le vieil homme, occupé à cisailler les fleurs fanées, puisse la remarquer. Lorsqu'elle se présenta devant lui, il avait admis son amour des roses et se trouvait enclin à le partager.

— Puis-je en ramasser ? demanda-t-elle dans un sourire enjôleur.

— Les flétries seulement. Les autres sont destinées à la Khanoum. Je serai battu si j'enfreins la règle.

Elora s'accroupit, ramena dans sa paume quelques pétales éparpillés sur le sol, puis se redressa pour mieux les admirer. Leur parfum, puissant encore, s'éleva sous la caresse de son doigt.

— Qui est la Khanoum ?

— La mère du sultan.

Elora hocha la tête avant de la tourner vers le moucharabieh de bois blanc qui couvrait toute la façade du harem, au-dessus d'un mur de mosaïque.

— Elle nous regarde, tu crois ?

— Je l'ignore et c'est là que réside tout le danger. Tu es fille de Bohême, n'est-ce pas ?

— Oui, répondit Elora, agacée de ne pouvoir utiliser ses pouvoirs pour inspecter au-delà de cette barrière ajourée.

— Tu ne devrais pas rester ici. Ta beauté est trop grande. Elle fait injure à celles qui sont enfermées et le sultan ne s'y tromperait pas, lui conseilla le jardinier.

— N'est-ce point un honneur que d'être choisie ?

Une grimace discrète fronça le nez du vieil homme, parcheminant un peu plus son visage ridé. Il baissa la voix.

— D'autres se sont fanées telles ces roses, ou sont mortes d'avoir osé espérer.

Elora se baissa de nouveau vers le sol, le temps de laisser passer un eunuque qui roula des yeux furieux en direction du vieil homme. Elle ne pourrait rester davantage en sa compagnie si elle ne voulait lui causer tort. Stimulé par la menace, il poursuivit sa besogne. Un rosier, deux, dépouillés par ses mains expertes. L'eunuque s'éloignait. Elora attendit qu'il contourne un grenadier pour revenir à la charge, plus directement cette fois.

— En ville on raconte qu'une Égyptienne a ravi le cœur du sultan il y a quelques années…

Le jardinier blêmit sous son teint hâlé, pour autant ses doigts continuèrent de presser la cisaille.

— Une bien triste histoire, en vérité. Un des eunuques du palais a enlevé l'enfant qu'elle venait de mettre au monde pour le donner aux fauves. Lors, du jour au lendemain on a cessé de la voir. Certains prétendent qu'elle s'est donné la mort, d'autres qu'elle a sombré dans la folie, mais en vérité personne ne sait. À part la Khanoum qui l'avait prise en affection. Quoi qu'il en soit, le sultan n'a plus jamais été le même.

L'eunuque revenait. Apercevant Nycola qui repassait la porte, Elora remercia le jardinier puis emporta vitement ses pétales dans sa main ouverte. À eux seuls, ils justifiaient son attardement auprès de lui.

Arc-bouté en arrière pour mieux tirer sur la longe de la mule, Khalil peinait à l'extirper de son asile d'ombre. Il avait besoin d'aide. Elora arracha une épine à un des rosiers puis sortit du dédale. Nycola n'était plus qu'à quelques pas lorsqu'elle se présenta au cul de la bête aussi récalcitrante que criarde.

— Gare à toi, avertit-elle Khalil qui redonna du mou.

L'aiguille produisit l'effet escompté. La mule se rua en avant et sortit du carré de palmiers, pour aussitôt se calmer sous la caresse de Khalil.

— Alors ? demanda-t-il, une pointe d'angoisse dans la voix, dès qu'Elora l'eut rejoint.

Elle attendit que Nycola fût près d'eux pour répondre, navrée.

— Rien de plus que ce que nous savons. À moins d'utiliser mes pouvoirs et de révéler ma présence à

Marthe, seule la Khanoum pourrait me renseigner. Et je ne vois sincèrement pas comment la rencontrer.

Nycola secoua sa belle tête aux longs cheveux poivrés.

— Je crains que rien ne soit aussi facile que nous l'espérions. Le sultan est de méchante humeur. Il m'a signé ma recommandation par égard pour mon défunt père dont il avait apprécié la rencontre, mais ne m'a pas accordé plus de temps. Ses préoccupations le minent.

Un mouvement près de la porte de la Félicité. Nycola se retourna vers elle. Deux cavaliers, richement vêtus sur des montures d'un noir de jais, venaient de la passer.

— Tenez. Le voici qui s'en vient, le front soucieux, accompagné du grand vizir. Mieux vaut ne pas se trouver sur leur chemin.

— Trop tard, s'inquiéta Khalil.

De fait, changeant de trajectoire, le sultan s'avançait vers eux au pas noble de son cheval, les yeux rivés sur Elora. Les traits marqués de stupeur et de ravissement, il s'immobilisa à leur hauteur.

— Je te salue, grand sultan, et te remercie encore de ton infinie générosité, s'inclina Nycola à l'exemple des deux jouvenceaux.

— Est-ce ta fille ? demanda Bayezid.

— Elle l'est, en effet.

Le sultan sauta à bas de sa monture, au désappointement du grand vizir qui le suivait. Elora le laissa venir à elle, puis, dans un geste gracieux, ouvrit ses mains pour lui tendre les pétales multicolores. Bayezid lui referma les doigts avant de les porter à ses lèvres.

— Ils sont aussi délicats que tu l'es, mon enfant. Garde-les.

Il se détourna d'elle à regret. Il ignora Khalil qui avait blêmi de son intérêt pour s'adresser à Nycola.

— Une telle fleur ferait honneur à mon jardin, comte. Songes-y avant de quitter la ville. Tu aurais tout à y gagner.

Nycola s'inclina, content de n'avoir pas à se prononcer. Lorsqu'ils reprirent leur route en silence pour quitter le palais, Khalil, jaloux, boudait et Elora souriait.

Bayezid, remonté en selle, s'était retourné trois fois pour la dévisager. Elle n'aurait aucun mal à présent à obtenir ce qu'elle voulait.

9.

Hélène repoussa la robe de mariée que Luirieux lui avait fait rapporter de Bressieux. Même en se tortillant, elle n'y pourrait entrer. Et moins encore dans deux mois. En quelques jours, son ventre s'était mis à pousser de l'avant, bien plus que lors de sa première grossesse. Était-ce le fruit de son acceptation qui avait nourri l'enfant qu'elle portait, ou la bonne chère qu'on lui donnait, elle n'aurait su le dire. Quoi qu'il en soit, non seulement il lui aurait été impossible de le cacher encore, mais elle ignorait quel serait son tour de taille au moment de son hyménée. Elle se laissa retomber sur sa couche, assise face à la croisée, la main sur le tissu soyeux, abîmé par les années.

Hugues de Luirieux allait devoir convoquer une couturière. Hélène se doutait qu'il tordrait du nez. Non qu'il fût pingre. Du reste, elle paierait de ses propres deniers. Mais les femmes parlent. Et, pour l'heure, personne ne savait encore qu'elle était de retour en Dauphiné.

La délivrer… Qui y songerait ? La plupart des seigneurs en âge de s'y risquer étaient à la guerre auprès du roi Charles. Ses frères, son père aussi. Le temps que ce dernier reçoive sa lettre et apprenne par elle les intentions du prévôt, Hélène serait épousée. Luirieux avait tout calculé. À moins d'un grain de sable. Avant longtemps, il se trouverait bien quelqu'un à Sassenage pour s'inquiéter auprès de Sidonie de ne pas la voir arriver. Si une couturière racontait où elle se trouvait en réalité…

Hélène s'amusa de cette idée. Sidonie. Oui. Sidonie était tout à fait capable d'employer des mercenaires et de faire donner l'assaut à cette minable forteresse.

Elle soupira. Encore fallait-il convaincre Luirieux de ne pas attendre le dernier moment pour la confection.

Un bâillement la rejeta en arrière. Elle s'étira. Les journées étaient interminables dans cette prison. On lui avait porté de la lecture, de la laine et des aiguilles à crocheter, mais elle n'avait le goût de rien. Toutes ses pensées allaient à Djem. Les yeux fermés, elle le revoyait sur son lit de mort. Ouverts, elle songeait à sa captivité à Bourganeuf, dans une tour guère plus grande que celle-ci. Ce que le prince avait supporté dix-sept années durant, ne le pouvait-elle endurer deux mois ? Comme lui alors, elle devait se contenter de souvenirs, d'espoirs avortés. Elle se leva. Marcher. Elle devait marcher pour que ses jambes ne gonflent pas trop. Cela faisait deux semaines qu'elle se trouvait là et elle avait déjà usé le tapis qui recouvrait le plancher. Elle s'arrêta devant la fenêtre. Si encore elle avait pu l'ouvrir, mais Luirieux craignait qu'elle ne se jette dans le vide. À cette heure, les deux jouvenceaux jouaient dans la cour avec leur chiot. Le garçon surtout. Hélène apercevait parfois leur mère, chargée d'un baquet à vider ou d'un panier. À plusieurs reprises aussi, elle avait vu Mathieu. Une seule fois, il avait levé les yeux vers elle. D'un geste de la main, elle l'avait invité à la rejoindre. Il avait tourné les talons. Il ne viendrait pas.

Elle s'était résignée.

Chaque jour un peu plus elle se résignait.

Son seul réconfort lui venait de Constantin. Luirieux lui avait promis de la rendre à Sassenage sitôt leurs épousailles. Hélène se raccrochait à cela pour ne pas sombrer dans une mélancolie morbide. De là-bas, elle pourrait gagner la Rochette en toute discrétion, descendre dans le souterrain comme le lui avait indiqué Elora et enfin serrer son fils dans ses bras. Avec lui, elle passerait des heures à distraire Algonde. Jusqu'à ce qu'Elora les rejoigne après avoir enfin convaincu Mathieu. Tout s'arrangerait. La malédiction cesserait. Le bonheur reviendrait. À défaut de vivre la vie qu'elle souhaitait, Hélène pourrait rendre à Algonde celle qu'elle lui avait volée.

— Où vas-tu, maman ?

— Dans la tour.

— Mais Mathieu…

— Je me moque de ce qu'a dit Mathieu.

Le cœur d'Hélène se pinça. Ce dialogue qu'elle venait de suivre, l'esprit ailleurs, la ramena à sa geôle. En bas, la femme sortit de son champ de vision, ne laissant à Hélène que le regard médusé des jouvenceaux derrière les vitres légèrement teintées. Elle quitta la croisée pour se rapprocher de la porte, le cœur battant. La compagne de Mathieu. La compagne de Mathieu venait la visiter. Hélène allait enfin pouvoir se soulager de la vérité.

*

* *

Sa décision, Celma l'avait prise en voyant arriver la robe d'épousailles. Une colère vive l'avait emportée devant ce tissu rouge mité par endroits. Que l'on se moquât du prévôt l'indifférait, mais elle avait acquis trop de respect pour Hélène, trop d'affection aussi par les yeux d'Algonde pour la laisser se couvrir de ridicule.

Briseur la laissa passer. Comme La Malice ou les enfants, il était attristé du sort que Luirieux réservait à Hélène, mais n'y pouvait rien dire ou faire avant les épousailles. Petit Pierre en aurait probablement perdu la vie. Chacun d'eux était semblablement prisonnier de l'attente, se retenant comme Celma de révéler la vérité à Mathieu au sujet d'Elora et d'Algonde. Si cette dernière ne leur avait pas affirmé que son époux devait venir à elle dans le pardon pour Mélusine, s'il y avait eu un autre moyen de la libérer de sa geôle maléfique, jamais ils n'auraient prêté serment de silence. Jamais.

Mais Celma était lasse des mensonges, lasse des manigances.

Il était temps pour elle d'avoir une conversation avec leur prisonnière. Temps qu'Hélène de Sassenage apprenne qu'elle n'était pas seule et que, le moment venu, elle les trouverait à ses côtés.

*

* *

La porte se referma sur elles, les plaçant face à face dans cette chambre qui sentait le renfermé, nota Celma en même temps que l'arrondi du ventre d'Hélène.

— Je vous ai entendue. Dans la cour. Merci d'être montée, l'accueillit Hélène avec un large sourire.

— Je devais vous parler.

— Moi aussi.

Leurs regards se nouèrent. Un rire léger s'envola. À deux voix. Scellant à l'instant leur complicité. Le doigt de Celma se leva vers la couche.

— Tout d'abord de cette robe, mais l'affaire est entendue, vous ne la passerez jamais.

— Jamais, lui concéda Hélène. Plaiderez-vous pour moi auprès du prévôt ? Il me faut des habiles mains.

— Les miennes sont à votre disposition.

Le voile de déception qui passa sur le visage d'Hélène attrista Celma.

— Vous doutez de mes talents ?

— Non, non, se reprit Hélène.

Celma soupira.

— Je vois. Vous espériez sans doute une aide extérieure pour empêcher ces épousailles.

Hélène gagna un fauteuil et s'y installa. Par moments la lassitude la fauchait comme une ombre douloureuse. Elle passa une main moite sur son front.

— À dire vrai, je ne sais plus vraiment ce que j'espère, sinon parler à Mathieu. Le feriez-vous pour moi ?

Devant sa pâleur, Celma chercha des yeux un pichet. Elle le trouva sur une console. Elle emplit le gobelet posé à côté et le lui apporta. On manquait d'air, dans cette pièce. N'en déplaise à Luirieux, il faudrait qu'elle remédie à cela.

— Tout ce que vous voudriez lui dire, je le sais déjà, affirma-t-elle en tendant le bras.

Hélène la remercia d'un mouvement de tête, but lentement, par petites gorgées. Entre deux, elle ricana.

— Je ne crois pas, non. Ce que vous savez de moi n'est que le reflet qu'il en a et…

Refusant de la laisser s'abîmer davantage, Celma la coupa.

— Le récit d'Algonde et de Constantin me fut bien plus profitable pour cela.

De surprise, Hélène lâcha le récipient, inondant du peu d'eau qu'il contenait encore la proéminence de son ventre. Elle sembla ne pas s'en apercevoir, prise de panique. Celma en fut bouleversée. S'accroupissant devant elle, elle s'empara de ses mains tremblantes.

— Chut, chut. Tout va bien. Je ne suis pas votre ennemie. Écoutez-moi, Hélène… Vous voulez bien ? Écoutez-moi.

Hélène hocha la tête, soumise à sa peur, à cette femme qui détenait son secret comme une arme. Même si elle prétendait le contraire. Elle s'accrocha au mouvement de ses lèvres, à la douceur de sa voix. Et, peu à peu, se détendit.

Celma s'accorda le temps de tout lui raconter. Depuis la naissance de leur communauté de brigands à sa triste fin sur la potence, soulignant le rôle de Fanette, leur rencontre avec Algonde, Constantin et Présine, le chantage de Luirieux à propos de Petit Pierre et les exactions que Mathieu, sous les ordres de Torval, perpétrait pour grossir la fortune du prêvot.

Des larmes s'étaient mises à couler sur les joues d'Hélène. Celma les essuya du bout de son tablier.

— Vous comprenez à présent pourquoi je ne peux rien dire à Mathieu ? La malédiction dont souffre Algonde ne peut être vaincue que par l'amour. L'amener de force devant elle, sous cette forme, ne servira à rien. J'ai essayé, croyez-moi. J'ai essayé de le convaincre de pardonner à Mélusine. De vous pardonner. C'est un bloc ! Un bloc de colère. Vous lui parleriez qu'il n'écouterait pas davantage.

— Alors que puis-je ? Que puis-je pour réparer cela, Celma ?

— Épouser Luirieux. Sitôt que nous aurons récupéré Petit Pierre, Matthieu s'adoucira. Avec un peu de chance, Elora sera rentrée d'Istanbul. Mieux que tout discours, sa lumière le convaincra.

Hélène soupira.

— Et moi, dans tout cela ?

— Accordez à Luirieux le temps de légitimer votre enfant.

— Et ensuite…

L'œil de Celma se fit noir lorsqu'elle se redressa, la bouche cruelle.

— Je ne serai pas loin, ce jour-là. Croyez-moi, dame Hélène. Il paiera…

10.

Malgré la jalousie de Khalil, Elora n'avait pas mis longtemps à prendre la décision d'intégrer le harem. C'était, à son sens, le seul moyen pour toucher la Khanoum et probablement Mounia.

— Et comment tu en ressortiras, si tu ne peux utiliser la magie ? s'était emporté Khalil en moulinant des bras.

— J'improviserai…

— Pff ! avait-il craché, l'œil noir.

Elora n'en avait pas tenu compte. Deux heures seulement après que le sultan avait posé les yeux sur elle et Nycola donné son accord, un eunuque s'était avancé dans leur campement de fortune, derrière l'église Sainte-Sophie, pour les mener tous trois dans un palais attenant à celui de Topkapi. Bayezid leur accordait une soirée d'adieu.

Le faste et l'attention qu'on leur témoigna rendirent Khalil plus hargneux encore. Il fut grincheux, dédaigna les mets succulents qu'on leur servit, la couche moelleuse. Il finit par s'endormir à l'aube sur les marches extérieures, Bouba contre lui, face aux jardins en contrebas. C'est un serviteur qui, marchant sur la queue du petit singe, sonna un réveil strident à ses oreilles.

Comme un fou, craignant qu'Elora ne soit partie déjà, il se précipita vers la chambre qu'on lui avait allouée. L'eunuque qui lui en avait interdit la porte la veille au soir ne s'y trouvait pas. Il la poussa, le cœur écartelé.

Pour s'immobiliser devant une malle ouverte.

Et Nycola.

— Te voilà donc, fils. Il reste quelques fruits dans le compotier, là-bas.

— Pas faim…

Nycola soupira tristement.

— Te laisser mourir n'y changera rien. Elle ira.

Le cœur suspendu de Khalil se remit à battre. Elora était toujours là.

Pour preuve, elle parut dans l'encadrement d'un portique, les yeux cernés, comme il ne les lui avait pas vus depuis longtemps.

Le remords, songea-t-il, vengeur. Pour bien l'accentuer et tenter de la fléchir, il lui tourna le dos, l'œil froid.

Elora passa près de lui et déposa un baiser sur sa tignasse indomptée. Ensuite, silencieuse, elle rangea dans la malle le peu d'effets qu'elle avait choisi d'emporter là-bas.

Quoi qu'ait pu penser Khalil de sa petite mine, il se trompait. Elora ne parvenait pas, depuis le milieu de la nuit, à s'arracher à un puissant sentiment d'urgence. Alors même qu'elle refusait à sa magie toute existence, elle percevait la pression de Marthe pour la provoquer, la forcer à s'ouvrir. La Harpie était tout près et Elora craignait, d'heure en heure, d'arriver trop tard.

Elle repartit dans le petit cabinet de toilette attenant. Dans peu de temps, une servante viendrait l'habiller et la parer, la rendre digne de pénétrer dans le harem. Là-bas, lui avait-on dit, d'autres se chargeraient de l'épurer par des bains et des massages, jusqu'à la juger prête à sa rencontre avec le sultan.

Fi de tout cela, songea Elora. Elle ne se donnait pas plus de deux jours dans cet endroit. Ensuite, elle s'évaderait. Avec ou, hélas, sans Mounia.

Elle s'immobilisa, du petit linge à la main, face à Khalil qui venait de s'asseoir sur le couvercle de la malle. Les bras croisés et les mâchoires serrées de colère, il était d'autant plus attendrissant que Bouba l'imitait sur son épaule.

— Je ne bougerai pas !

Il bougea.

Et Nycola avec lui en voyant Elora lâcher le linge pour porter soudainement les mains à son ventre. La fraction de seconde suivante, elle s'effondrait d'un bloc, à genoux.

Elora tenta de chasser les affres démentes qui lui pénétraient les pores. Ne parvint qu'à relever la tête et à les effrayer plus encore.

— Je reviens, ne la quitte pas ! ordonna Nycola à Khalil avant de partir à la hâte.

Désemparé face à ce visage qui se creusait jusqu'à avaler les yeux dans leurs orbites, Khalil la prit dans ses bras.

*

* *

Une vision toute de violence avait transporté l'esprit d'Elora en un lieu inconnu, une salle immense meublée à l'orientale que la lumière du jour ne traversait pas. À l'intérieur, Mounia, animée de folie, subissait le joug de Marthe. Jouant du poignard autant que du sabre qu'elle avait arraché à une de ses victimes, l'Égyptienne, rendue indestructible, n'épargnait personne. Ni les servantes affolées ni les eunuques, pourtant armés. Chaque coup qu'elle portait avec démence résonnait en Elora comme une défaite. Une défaite dont, elle le sentait, Marthe jouissait.

— Comme elle, tu viendras à moi, entendit-elle la Harpie prononcer lorsque plus aucun être vivant ne resta.

Puis elle entraîna Mounia sur le port, par la porte d'une taverne abandonnée.

Ravagée de larmes, Elora eut un haut-le-cœur, régurgita une bile noire à même la mosaïque du sol, avant de sombrer dans une nuit d'encre, incapable de savoir si ce songe était vérité ou pas.

*
* *

— Reviens. S'il te plaît, reviens, petite fée, suppliait Khalil à son oreille.

Le puis-je encore ? se demanda-t-elle en ouvrant les yeux, moulue.

Elle était à terre, la nuque sur les genoux de Khalil qui lui massait le front, juste entre les deux yeux, tandis que Nycola, les mains enduites d'une huile précieuse, lui pressait savamment la plante des pieds.

Combien de temps était-elle restée inconsciente ?

Suspendant son geste, le petit Bohémien se cassa en deux pour l'embrasser. Le cœur d'Elora s'affola. Intense d'émotion, ce ne fut tout d'abord qu'un baiser chaste et pur. Jusqu'à ce qu'elle entrouvre ses lèvres et qu'il les emporte tous deux loin des ravages de l'instant précédent. Khalil reprit son souffle, darda dans les siens ses yeux de braise, ses yeux brusquement sortis de l'enfance. Il caressa sa joue d'un doigt tendre, désespéré.

— Je t'aime, Elora. Il ne faut pas me quitter.

— Continue de la masser, gronda Nycola.

Khalil recommença à s'appliquer. Cette fois, Elora le perçut à travers ses doigts. Le pouvoir des Anciens. L'âme des géants avait investi le corps de Khalil au moment de sa conception, en Sardaigne[1]. Le garçonnet ne pouvait deviner leur emprise, mais elle était puissante et bénéfique. *Une arme dont Marthe avait sous-estimé l'efficacité*, songea Elora en sentant sa lumière se régénérer.

Bientôt elle put se redresser pour les rassurer.

— C'est passé. Il ne faut plus vous inquiéter.

Le visage de Nycola restait crispé. Il immobilisa ses doigts sur les orteils de la jouvencelle.

— La dernière fois que j'ai vu quelqu'un dans cet état, c'était mon père... Il est mort deux heures après.

Le visage de Khalil s'évida de sang. Elora leur sourit.

— Je vais bien. Croyez-moi, je vais bien. Khalil m'a ramenée. Vous m'avez ramenée.

Nycola reboucha la fiole de sa médication avant de la fixer.

— D'où exactement ?

Elora soupira. Elle ne s'en tirerait pas sans explication, cette fois. Mais n'était-ce pas la meilleure manière de lutter que d'accepter les mains tendues ? Fi de la vanité. La lumière ne peut entrer dans une maison barrée de volets. Il faut accepter parfois de ne pouvoir les ouvrir soi-même. Accepter sa vulnérabilité humaine au cœur même de sa nature de fée.

Alors elle raconta tout ce que jusque-là elle leur avait caché pour ne pas les inquiéter. La menace de Marthe, l'appel sournois du mal que la Harpie avait distillé en elle et contre lequel elle luttait. Jusqu'à cette vision terrifiante.

— J'ignore si c'était réel ou prémonitoire. Un moyen de m'affaiblir ou de me dissuader d'y aller. Quoi qu'il en soit, il faut le vérifier.

1. Voir *Le Chant des sorcières*.

Khalil sursauta.

— Ah non ! Pas le harem !

Elora enroula ses bras autour du cou du garçon. Fouilla ses yeux de braise.

— Rassure-toi. J'ai une autre idée…

11.

Deux mules. Voilà tout ce que comportait leur équipage. Achetées à bon prix à leur arrivée à Istanbul dans le grand bazar de la ville. Khalil se souvenait encore de sa première impression lorsqu'ils étaient descendus du navire qui les avait déposés à la Corne d'or. Le sentiment que cette ville pouvait autant les avaler que les rejeter. Les charmer tels ces hommes enturbannés qui faisaient danser des cobras au-dessus de leurs paniers d'osier, par le seul feulement d'un air de flûte. Les enivrer par la multitude des senteurs qui s'échappaient des jarres colorées de rouge, d'orangé, de jaune éclatant ou de noir profond. Les troubler, comme ces êtres qui, sous les vapeurs des narghilehs, s'avachissaient sur des coussins de sol, à même la rue, dans le prolongement des fumeries. Les perdre aussi, au hasard des ruelles étroites, sinueuses, de la médina, des quartiers bigarrés, des façades blanches ou de mosaïque, des jardins suspendus, des fontaines, des mosquées, des églises, des minarets, des ports. Trop de monde, trop de vie, trop de mouvement. Même à Rome, il ne s'était pas senti si petit. Si étrangement et curieusement aspiré. Il refusait de croire que l'éventuelle proximité de sa mère naturelle, ou celle, impalpable, de cette créature du mal qu'Elora craignait, en était la cause. Non. Dès l'instant où il posa le pied dans cette ville, il sut qu'elle avait été d'importance pour lui. Autrefois. Quand ? Il l'ignorait. Mais c'était avant sa naissance, oui. Nycola lui avait souvent raconté que l'on possédait de nombreuses vies, les unes succédant aux autres dans un ballet presque infini dont Dieu Tout-Puissant était le maître. La survivance de l'âme.

Bien sûr, cela n'avait été qu'une intuition. Mais, tantôt, lorsque Elora avait basculé dans sa nuit, il en avait acquis la certitude. Il était déjà venu dans cette ville. Avec elle. C'est pour cela qu'il avait été certain de pouvoir la délivrer. Il l'avait déjà fait par le passé. Avec le même amour et le même désespoir au cœur. Et la même évidence. Ici, comme hier, ou ailleurs, il sacrifierait sa vie pour la sauver.

Du coup, sa peur, celle qui lui nouait le ventre depuis leur départ de Rome, avait disparu. Il aimait Elora. Savait combien le lien qui les unissait était puissant. « Au-delà du temps, avait-elle dit, à cause du pouvoir des Anciens. » Il s'était abstenu de commentaires. Mais n'en pensait pas moins.

En quelques mois il avait vieilli, changé d'allure, abandonné sa figure pouponne de l'enfance, ses traits réguliers, le duvet soyeux de ses joues. À présent, il sentait sous ses doigts la dureté d'un poil de barbe, ses cheveux étaient plus drus, ses sourcils plus marqués, sa voix était plus grave. Il s'était étiré de plusieurs pouces, manifestait une musculature plus déliée, au point ce jourd'hui d'avoir rattrapé Elora en taille. L'avait-elle vu se transformer ? Avant qu'il l'embrasse ? Non. Sans doute pas. On ne remarque pas l'évidence au quotidien. Il était en train de devenir homme, de manière prématurée, comme elle était devenue femme déjà. À les voir, on ne pouvait les qualifier d'enfants. De jouvenceau et de jouvencelle, à peine.

La vérité était ailleurs. Ils étaient des guerriers. Il était un guerrier. Prêt désormais au combat.

*

* *

— Cesse de rêvasser, mon fils, le temps presse.

La voix de Nycola le ramena à sa tâche. Il serra de toutes ses forces les sangles qui retenaient leurs bagages au dos des mules. Fort peu de choses en vérité dans cette couverture pliée. Quelques rechanges de linge, de chandelles, d'amadou, des ustensiles de cuisine, de l'huile, du savon. Aux flancs de la seconde bête, dans des sacoches de cuir, c'étaient fruits secs, galettes et gourdes qui voisinaient avec les onguents, élixirs et autres médications dont le Bohémien ne se séparait jamais.

La mule racla du sabot. Elle n'appréciait visiblement pas sa charge. Khalil lui gratta les oreilles, se pencha vers celle qui se baissait.

— Allons, ma belle. Sur le bateau, je te déchargerai. Mais là, faut nous mener.

— Iras-tu jusqu'à l'embrasser ?

Il se retourna vers le sourire moqueur d'Elora. La jouvencelle venait de sortir de la bâtisse, après leur avoir recommandé de ne rien laisser transpirer de leurs nouveaux projets. De fait, dans sa vision, Elora se souvenait clairement d'une taverne sur le vieux port, par laquelle Marthe avait emmené Mounia. Il y avait peu de chances que l'Égyptienne y soit gardée, mais, selon elle, un passage secret devait s'y trouver. En l'empruntant, ils sauraient vite si Marthe les avait devancés. De là, ensuite, ils pourraient s'embarquer.

Khalil lui rendit son sourire, assorti d'un œil admiratif.

Elora était vêtue d'un pantalon couleur d'azur, ceinturé aux hanches par un bandeau marine et bouffant aux chevilles. Sa poitrine s'arrondissait sous une tunique courte et cintrée qui dévoilait un nombril parfaitement ourlé. Ses cheveux longs abondamment brossés étaient retenus vers l'arrière par une couronne de fleurs blanches qui libérait une multitude de voiles semi-transparents tels des lambeaux de nuage. Pour finir, une capeline pendait à son bras nu, agrémenté comme l'autre d'un jonc d'or au-dessus du coude.

Elora avait prévu de se couvrir de ce mantel avant de quitter l'endroit. Elle ne tenait pas à attirer davantage l'attention sur eux. Mais voulait jauger, au préalable, de l'effet qu'elle produisait. Elle rosit de le vérifier.

Le petit Bohémien s'écarta de la mule et s'approcha d'elle. Assez pour qu'elle soit seule à l'entendre.

— Je n'embrasse que les fées... Et, ma foi, ne détesterais pas recommencer.

En réponse, elle se pencha sur sa joue, l'effleura de ses lèvres, avant de lui glisser à l'oreille :

— Moi aussi, en vérité... Mais plus tard, si tu veux bien. Le temps nous est compté.

Il s'écarta, se fendit en courbettes, brûlant de cette promesse.

— Votre carrosse est avancé.

Elora se mit à rire. À défaut de voiture, les mules les fixaient d'un œil rancunier et il ne fallut pas moins de dix minutes avant que la seconde consente enfin à l'accepter sur son dos. Les cuisses déportées par les lourdes besaces, Elora se pencha vers le cou de la bête.

— Si tu me jettes à terre, je dépêche Bouba pour me venger.

Les oreilles se couchèrent au nom du petit singe. À lui seul, il constituait une menace que ces bourriques craignaient. La mule cessa de bouger. Nycola venait à son tour de reparaître. Sur le seuil, il remerciait chaleureusement leur hôtesse, insistant sur le fait qu'il reprenait sa route avec son fils sitôt après avoir laissé sa fille au palais. La vieille servante du sultan hocha la tête d'un air satisfait. Elle ne se doutait de rien.

Enfin ils étaient prêts.

Tirées l'une par Khalil et Bouba, sagement posté sur l'épaule de son maître, l'autre par Nycola, les mules se mirent en branle, traversèrent le jardin embaumé de roses multicolores, contournèrent la fontaine au milieu de laquelle deux grâces de pierre s'enlaçaient, avant de parvenir au bout de l'allée pavée.

Avant même qu'ils en aient donné l'ordre, le portail s'ouvrit devant leur équipage.

Ils se durcirent aussitôt, tous trois, avec le même sentiment de fatalité.

Au milieu de la dizaine d'eunuques qui l'escortait, juché sur son destrier tel le conquérant que son père avait été, Bayezid s'avança dans la cour qu'il leur interdisait soudain de quitter.

— Nous sommes faits…, murmura Elora à l'intention de Khalil qui leva vers elle un œil angoissé.

Elle lui sourit avec confiance et ajouta :

— … Pour l'instant… Car je n'ai pas l'intention de demeurer longtemps son invitée.

Khalil se ragaillardit un peu, malgré la colère qu'il sentait renaître en son cœur, piqué de jalousie. L'idée que cet homme s'approche seulement d'Elora lui donnait des envies de cogner.

Déjà le sultan s'immobilisait à leur hauteur. Dédaignant Khalil, il salua Elora d'un sourire carnassier, avant de s'adresser à Nycola qui s'était incliné, la main sur le cœur.

— *Salaam*, mon ami.

— *Salaam*, grand sultan. Votre présence est un honneur pour ma famille.

— Considère mon escorte comme une marque profonde de l'intérêt que j'accorde aux tiens, comte de Petite Égypte.

— Nous en sommes flattés.

Bayezid bomba le torse. Malgré ses quarante-huit ans, il portait beau et sa tunique rebrodée de fils d'or en arabesques mettait en valeur l'éclat de ses yeux noirs et de son teint hâlé. Il claqua des doigts, et un eunuque se détacha du groupe à cheval. Il en apportait un autre, d'un blanc immaculé, à la crinière tressée par des rubans de soie rouge.

Bayezid tendit à Elora une main appesantie de bagues ouvragées.

— Viens. Ta beauté mérite mieux que la grisaille d'un mulet.

Khalil se précipita aussitôt pour lui tendre ses bras. Elle s'y laissa glisser, jusqu'à toucher terre. Chuchota, le visage contre sa joue :

— Va, Khalil. Sois prudent mais va la chercher. Je vous rejoindrai.

Il sentit son cœur se briser lorsqu'elle s'écarta. Il hocha pourtant la tête.

Sans attendre davantage, elle accepta les deux paumes jointes et ouvertes de l'eunuque en guise de marchepied, les écrasa sous ses fines sandales et s'éleva dans les airs pour retomber avec légèreté sur la couverture au dos du cheval. Retrouvant d'instinct cette allure princière qui avait bouleversé le pape à Rome, elle prit le contrôle de la jument, lui fit faire quelques pas au-devant des siens.

— Adieu, mon père. Prends soin de toi, mon frère, dit-elle d'une voix affirmée, percée pourtant de tristesse, avant de se tourner vers Bayezid.

— Je suis vôtre, mon sultan, et fière de m'accorder à votre pas.

Bayezid n'attendit pas davantage pour donner le signal du départ.

Sur l'épaule de Khalil, comprenant soudain qu'Elora les plantait là, le petit singe se mit à pousser de hauts cris et voulut s'élancer derrière elle. Khalil le retint par le bras.

— Ayo Bouba ! Ayo ! Elle reviendra.

Mais, lorsque le portail se referma sur elle et son geôlier, il sentit grandir en lui la pesanteur d'une infinie solitude.

Nycola lui tapa sur l'épaule.

— Allons, mon fils, en route. Au cas où tu ne l'aurais pas remarqué, malgré la mission qu'Elora vient de te confier, tu as passé l'âge de bouder.

12.

Elle s'était rabougrie au fil des années telle une plante rationnée en lumière, maintenue en vie par l'eau et la nourriture épandues à ses pieds. Non qu'elle ait perdu sa beauté. Le front haut sous les boucles d'ébène était le même, le regard ocré constellé de paillettes d'or, identique, mais les joues s'étaient creusées jusqu'à faire saillir l'os des pommettes, l'allure, autrefois élancée et voluptueuse, s'était desséchée, le dos voûté. Plus que son apparence pourtant, c'était sa folie qui témoignait de sa déchéance. Contrairement aux prédictions de la Khanoum qui s'était imaginé la sauver d'elle-même[1], Mounia n'avait pas réussi à se guérir de la perte de son fils.

La mère du sultan et le sultan lui-même avaient tout tenté pour l'arracher à cet ailleurs dont elle avait un matin ouvert la porte. Elle n'était pas revenue dans la réalité.

Depuis, les mots qu'elle prononçait n'appartenaient à aucun langage connu, n'invitaient à aucun dialogue. Elle se sustentait par réflexe, ne réclamait rien, ne voyait rien et passait ses journées depuis dix ans à broder la même phrase incompréhensible.

« *Ouïmaona inemaïchoï.* »

Phrase qui s'étirait en boucle sur un long serpentin de satin. Maintes fois replié sur lui-même, il touchait

1. Voir *Le Chant des Sorcières.*

ce jourd'hui le plafond tel un pilier soyeux et improbable. Les seules fois où ce corps avait semblé reprendre vie, c'était pour empêcher qu'on enlève de la pièce ce travail inutile. La Khanoum se souvenait d'un jour où une servante avait voulu en supprimer une partie, défaisant par là les points entre deux bandes de tissu. Mounia avait bondi de son fauteuil pour lui sauter à la gorge. Sans l'intervention opportune d'un eunuque, la malheureuse aurait fini étranglée.

Dans ce lieu inconnu de tous, situé en plein cœur des vieux remparts d'Istanbul, l'Égyptienne était à l'abri des regards, emmurée dans son silence autant qu'entre les pierres. Elle ne faisait de tort à personne si l'on respectait son ouvrage.

Bayezid l'avait aimée plus que de raison et restait attaché à elle, convaincu que son incohérence avait un lien avec cette histoire qu'elle lui avait autrefois racontée et dont, parfois, dans ses rares moments de lucidité, elle parlait en grec.

Peu avant le drame, Mounia avait déterré de l'oubli plusieurs cartes qui mentionnaient des terres inconnues, des îles de légende. Toutes avaient survécu à l'incendie de l'antique bibliothèque d'Alexandrie. L'Égyptienne lui avait fait croire à l'existence d'un monde abandonné des hommes depuis des temps immémoriaux. Ses yeux brillaient. Bayezid avait emporté leur éclat en voyage. Mais, à son retour, il avait découvert que leur fils avait été assassiné et Mounia mise au secret.

Il avait tenté de la ramener à ses recherches, à la vie. Sans succès. Il avait alors confié les cartes à un de ses amiraux, Kemal Re'is. Aidé de son neveu, ce dernier s'était mis à sillonner les mers pour en vérifier l'exactitude, y ajoutant ses propres commentaires. Et puis Colomb avait affirmé avoir rallié l'Asie par l'ouest, détruisant l'affirmation de Mounia d'un continent inexploré.

À son tour, Bayezid avait renoncé.

Désormais, comme sa mère, il ne la visitait plus que rarement, le cœur abîmé de la contempler plus diaphane de jour en jour, et s'attendant d'autant à la voir s'éteindre.

*
* *

Ce 11 mai de l'an de grâce 1495, il semblait que tout espoir se soit envolé et la Khanoum portait le deuil sur son visage en pénétrant dans cette cache que feu le basileus Manuel Comnène avait imaginée.

Pour la première fois en dix années, Mounia ne s'était pas levée.

La chambre que l'Égyptienne occupait était, à l'image des autres pièces, en enfilade, privée de fenêtres. Seules des meurtrières laissaient filtrer l'air iodé et les bruits du port. Pas la lumière. L'Égyptienne vivait depuis dix années dans la clarté des flambeaux aux murs.

En pénétrant dans ce sanctuaire qui avait autrefois abrité les amours du basileus, la Khanoum fut, pour la première fois, avalée par la noirceur de cette prison dorée. Un doute la glaça. En voulant protéger Mounia d'elle-même et des autres pensionnaires du harem, ne l'avait-elle pas abîmée plus encore ?

L'eunuque qui était venu la quérir avait allumé les chandeliers autour du lit, troublant la pénombre de lueurs ondoyantes. Depuis la porte qu'elle venait de franchir, la Khanoum eut le sentiment que la faucheuse avait déjà accompli son œuvre tant le visage qui dépassait des draps était exsangue et les mains osseuses.

« Elle respire… », lui avait assuré le serviteur d'une voix égale. Soulagement ? Regret ? Elle-même ne savait quel sentiment l'animait encore face à cette vie gâchée, à cette beauté flétrie.

La Khanoum s'approcha de la couche à pas si légers qu'aucun bruit ne troubla le silence. Elle ne voulait pas être dérangée. Sa main droite glissa sous sa manche gauche, extirpa une petite fiole noire. Sa décision était prise. L'idée d'une agonie qui s'éterniserait lui était insupportable. Il y avait trop longtemps déjà que le quotidien de Mounia y ressemblait.

Parvenue près de l'oreiller, elle déboucha le flacon. Son fils ne saurait rien. Il constaterait. Indifférent sans doute, puisque depuis la veille il ne parlait plus que de cette Bohémienne, avec dans la voix et le regard la même ferveur qu'il avait eue pour Mounia. À son arrivée, tout à l'heure, elle, la plus importante des femmes du harem, serait chargée de son éducation. La Khanoum s'était fait le serment de ne pas refaire avec cette Elora la même erreur qu'avec Mounia.

Une erreur que, sans plus attendre, elle allait effacer.

Elle se pencha au-dessus du visage, s'apprêtant à pincer les narines pour forcer la bouche à s'entrouvrir, lorsque les yeux s'écarquillèrent d'un coup, la rejetant en arrière dans un petit cri de surprise.

La voix de Mounia cisailla l'espace de son timbre éraillé.

— Poison ou élixir de vie ? Lequel as-tu choisi pour moi, ma mère ?

Un frisson désagréable parcourut la Khanoum.

— N'as-tu pas choisi toi-même depuis longtemps ?

Elle remisa le bouchon de liège, posa la fiole sur le chevet.

À l'instant de mourir, l'Égyptienne avait retrouvé sa lucidité. Elle venait de se redresser, de chercher l'appui des coussins de couleurs vives.

— Viens près de moi, exigea-t-elle.

La Khanoum s'approcha sans crainte. Combien de temps, cette fois ? Combien de temps avant que sa folie ne lui rejette la nuque en arrière, les yeux dans le vague, à la merci de mots sans suite ? Le dernier échange, se promit la vieille femme en souriant pour masquer sa détermination.

— C'est Amar qui est venu me quérir. Il était inquiet.

Mounia hocha la tête, s'attarda un instant à fixer le néant, avant de planter son œil doré dans celui, noirci de fard, de la Khanoum.

— Je savais qu'il le ferait.

La Khanoum tiqua. Dépourvus de vie l'instant d'avant, les traits venaient de se ranimer. La main gauche de Mounia emprisonna la sienne, la voix se fit douce.

— Il y a fort longtemps de cela, tu m'as promis une vengeance, t'en souviens-tu ?

— …

— Le cœur de celle qui m'enleva Khalil.

La Khanoum sentit grandir en elle un malaise inexpliqué. D'autant que Mounia s'était mise à rire, d'un rire si discret qu'il franchissait à peine la barrière de ses lèvres.

— Je vais partir, ma mère. Mais pas sans régler mes comptes, tu comprends ?

— Je comprends…, lui concéda la vieille femme, comme une dernière volonté.

Elle tapota la main décharnée de l'Égyptienne, faisant tintinnabuler les fins bracelets qui encerclaient son propre poignet.

— … Mais tu es trop faible pour t'en charger toi-même. Laisse-moi agir.

— Comme tu l'as déjà fait par le passé, n'est-ce pas ?

Le ton, durci soudain, alerta la Khanoum. Mounia ajouta, amère :

— Elle est restée libre. Moi enfermée. Laquelle des deux as-tu voulu protéger, en vérité ?

Un voile de peur épaissit les yeux de la Khanoum. Elle chassa son trouble d'un geste aérien.

— Est-on libre dans le harem du sultan ? J'ai respecté mon engagement, Mounia. Bayezid n'a jamais su que Khalil n'était pas son fils. Il n'a jamais su que tu l'avais trompé. En échange de quoi, son amour pour toi est resté profond, chargé de l'espoir de te voir revenir vers lui. C'est à cette seule fin que je n'ai pas accusé sa première épouse. Tu peux m'en croire. Repoussée depuis dix ans, elle n'a pas seulement revu ses enfants. Ce n'est plus aujourd'hui qu'une femme aigrie, oubliée.

Mounia dodelina de la tête un long moment durant lequel la Khanoum s'attendit à la voir basculer dans son monde. Il n'en fut rien. Le regard que l'Égyptienne finit par ramener vers elle était toujours autant acéré.

— À la nuit tombée. Je veux la voir périr à la nuit tombée. Ici.

La Khanoum haussa les épaules.

— Comme tu voudras.

La main droite de Mounia glissa sous le drap. En ressortit un poignard recourbé. La Khanoum blêmit.

— Qui te l'a procuré ?

Mounia ricana.

— Demande-toi plutôt pourquoi il ne t'a pas encore frappée.

La Khanoum se redressa, bouleversée.

— Très bien. Une promesse doit être respectée. À minuit, sa vie sera tienne.

La main serrée sur le manche du poignard, Mounia se laissa glisser dans le lit, les yeux refermés.

— *Ouïmaona inemaïchoï*…

La Khanoum secoua sa tête fardée.

— Il y a si longtemps que tu écris ces mots, mais c'est la première fois que je te les entends prononcer. Me diras-tu enfin ce qu'ils signifient ?

— Il ne peut pas mourir. Khalil ne peut pas mourir, répondit Mounia d'une voix égale en détournant la tête vers le mur opposé.

Des larmes piquèrent les yeux de la Khanoum. Elle s'effaça discrètement. À l'heure de lui accorder sa dernière volonté, elle venait de comprendre ce qui jour après jour avait tué Mounia.

Le refus de la vérité.

13.

Six heures venaient de s'écouler depuis que Bayezid avait, charmeur et enjoué, confié Elora à l'eunuque qui gardait la porte du harem.

La Khanoum ne s'était toujours pas montrée.

Malgré l'eau chaude et parfumée qui glissait sur sa peau au rythme sensuel de l'éponge qu'une métisse y promenait, Elora se sentit gagnée par un frisson d'angoisse. Elle détesta cette sensation, inconnue d'elle jusqu'à ces derniers mois. Elle reflétait sa part humaine. Sa part de vulnérabilité. Elle eut un geste d'humeur qui fit sursauter la femme occupée à la laver.

— Assez, exigea-t-elle, en se redressant, nue, dans le baquet.

Toutes ces ablutions l'indisposaient. À mesure qu'huiles et onguents se succédaient, elle avait la sensation détestable que son corps avait cessé de lui appartenir. Elle ne retrouvait plus le parfum naturel de son être, ni la texture de ses cheveux, alourdis de potions capillaires, ni le goût de sa salive, réchauffée de boissons pimentées.

La métisse ne s'offusqua pas de sa réaction. Replongeant son bras sous la surface, elle ramena une gerbe d'eau de rose citronnée et la pressa contre le mollet fin et galbé d'Elora.

— Il faut te purifier encore, pour lui.

— Je suis assez purifiée, s'emporta la jouvencelle en enjambant le rebord.

Son pied toucha le marbre du sol. De la pièce voisine, des rires et des éclats de voix lui parvenaient. Le sérail. Difficile de se l'imaginer avant d'en goûter la prison. Il avait suffi de quelques minutes à Elora pour comprendre l'allusion du vieux jardinier. Le harem était une ville dans la ville. Un lieu exempt de règles à l'exception de celles imposées par le sultan et la Khanoum qui le gérait. Loin de se soutenir, les trois cents femmes qui vivaient là se haïssaient entre elles. Les anciennes pour avoir vu l'intérêt du sultan se faner, les nouvelles pour se vouloir la préférée. Moqueries, clans, piques verbales, bagarres, tout y passait, lui avait assuré la métisse. Elle était jeune. Une quinzaine d'années à peine. Arrivée l'année précédente. D'un caractère égal, peu enclin aux manigances et à l'exubérance, elle s'était tenue loin du pouvoir. Du coup, elle n'avait pas encore eu les faveurs du sultan et s'était faite à l'idée qu'elle ne les aurait jamais. Appréciant son intégrité, la Khanoum lui avait confié le soin des arrivantes. Les autres la laissaient en paix. Elle avait tout expliqué à Elora, en détail, de ce qui l'attendait.

La jouvencelle n'en avait pas retenu la moitié.

Elle se laissa envelopper dans une serviette. Avança droit devant, vers l'alcôve en plein cintre sur laquelle un banc de pierre invitait à s'étendre. Combien de temps encore devrait-elle se plier à ce rituel ? Les massages, trois depuis son arrivée, s'ils l'avaient détendue la première fois, l'horripilaient à présent, comme si les flux de lumière qui la traversaient supportaient mal d'être contrariés par des pressions inadaptées. Elle n'était pas faite comme les autres. Pouvait attirer ou repousser la foudre, la faire jaillir d'elle en des arcs bleutés. Ou encore étendre le flux d'énergie vitale comme une mer autour d'elle. Prendre. Donner. Recevoir. Transmettre. Comment l'expliquer à cette femme qui mettait tout son cœur à la palper, la malaxer, comme un simple morceau de chair ? Comment lui dire qu'en elle sa puissance réfrénée s'apprêtait à exploser ?

Détachant la serviette, elle s'allongea sur le linge qui recouvrait la pierre. Enfouit son visage dans ses bras repliés. Apaisa en elle la contrariété. Si elle devait passer une journée entière dans cet endroit et dans ces conditions, elle allait devenir enragée.

Une main se posa au creux de ses reins. Instinctivement, elle se durcit sous la pression. Trop ferme, trop posée pour être celle de la métisse. Bayezid ? Ou la Khanoum ? se demanda-t-elle avant qu'un parfum de seringas la fasse opter pour cette seconde possibilité. Délaissant la cambrure de ses fesses, la paume glissa vers ses épaules, emprisonna sa nuque, se referma sous l'abondance de la chevelure. Elora ne bougea pas.

— La rébellion ne sert à rien ici. Moi seule ai pouvoir de juger qui est prête, qui ne l'est pas. Moi seule connais mon fils.

La pression de la Khanoum s'intensifia autour de sa nuque, avant de descendre lentement jusqu'à ses épaules, d'en détacher chaque nervure avec une précision étonnante. Leur tension se relâcha.

— Qui accepte les doigts accepte la loi.

Elora fut sur le point de répondre, mais se ravisa. Soumission, lui avait dit le vieux jardinier. Soumission venait de lui rappeler la Khanoum. Seule option pour s'attacher à ses pas. Elle s'abandonna. Finit par perdre la notion du temps entre ces mains agiles, loin de l'inexpérience de la métisse.

Lorsque le mouvement s'arrêta sur ses pieds, elle le regretta presque, tant une énergie chaleureuse et bénéfique circulait en ses veines.

— Laisse-toi parer, à présent. Je t'attends pour le thé. Nous parlerons. Je déciderai alors si, en dehors de ta grande beauté, tu es digne du vrai regard de mon fils.

Elora la laissa s'éloigner avant de se lever et de s'étirer. Le contact était passé entre elles. Elle le sentait.

Restait à présent l'épreuve de vérité.

*

* *

Une bonne heure s'écoula encore avant qu'elle pénètre dans les appartements de la Khanoum. Avant qu'elle découvre son visage. Altéré par le temps, il gardait une grâce farouche. L'allure de cette femme, debout au milieu de la pièce, rigide de dignité, donna à Elora l'impression d'un if.

Elle s'inclina pour la saluer ainsi que la métisse le lui avait recommandé.

Lorsqu'elle se redressa, la Khanoum souriait. D'un geste léger, elle lui désigna les assises basses des bancs recouverts de coussins colorés.

Elora se posa, sans pour autant la quitter des yeux. Quelque chose d'hypnotique se dégageait d'elle. La Khanoum tapa deux fois dans ses mains. À la troisième, un eunuque se présenta chargé d'un plateau de cuivre. Il le posa sur une table ronde et basse puis disparut derrière un des nombreux voiles de couleur qui égayaient les murs, donnant l'illusion parfaite de les isoler.

La Khanoum s'installa face à elle, puis servit un thé brûlant dans les verres.

— La vapeur ouvre l'âme, expliqua-t-elle en inspirant les parfums poivrés qui s'en dégageaient.

Elora ferma les yeux, laissa les arômes voleter jusqu'à elle. Elle n'obtiendrait ce qu'elle était venue chercher qu'en prenant son temps.

— Parle-moi de toi, à présent, décida la Khanoum.

Elora s'installa confortablement contre les coussins du dossier.

— Je suis fille de Nycola, comte de Petite Égypte sarrasin.

La Khanoum se mit à rire.

— Cela, ma fille, même les eunuques le savent déjà.

Le rire se brisa net. Le regard s'intensifia.

— Non, ce que je veux apprendre, c'est ce que tu complotais avec mon vieux jardinier.

Une fraction de seconde, la question déstabilisa Elora. Adversaire redoutable, nota-t-elle. Plus redoutable qu'il y paraissait.

— Tu nous observais depuis le moucharabieh, n'est-ce pas ?

— Le vieil Houdar m'est entièrement dévoué...

Elora sourit. Elle aurait dû s'en douter.

— Tu voulais qu'on te remarque et tu y es parvenue habilement, je dois l'admettre. Pourquoi ?

— Je te l'ai dit, je suis fille de Bohême et, comme celles de ma race, je sais lire les signes du destin.

La Khanoum la fixa avec un regain de froideur.

— Où veux-tu en venir ?

— J'ai eu une prémonition alors que j'attendais mon père, près de la roseraie. J'ai cherché à savoir si elle pouvait ou non avoir une réalité.

La Khanoum ne cilla pas. Elora se demanda si elle croyait un seul mot de ses arguments. Mais comment parvenir jusqu'à Mounia sans être guidée ? Il faudrait des jours, des semaines, des mois peut-être. Laissant le temps à Marthe de lui voler son âme, si ce n'était déjà fait.

— Mon père ne voulait pas se séparer de moi. Je l'ai convaincu. Pour t'avertir. Le sultan et toi courez un grave danger.

— Je t'écoute.

— Vous gardez une Égyptienne au secret depuis de longues années, n'est-il pas vrai ?

La Khanoum ne répondit pas, forçant Elora à enchaîner.

— Une ombre démoniaque tourne autour d'elle, qui la fera se dresser contre toi, contre lui. J'ai vu un poignard courbe sous son drap.

Le regard de la Khanoum se troubla. Le cœur d'Elora s'en serra d'autant.

— Elle arrachera ton cœur, celui du sultan et de tous ceux qui l'empêcheront de fuir.

Il y eut un long flottement de silence entre elles, puis la Khanoum tendit sa main vers le thé, le porta à ses lèvres et en vida quelques gorgées.

— Tu ne me crois pas, n'est-ce pas ? s'inquiéta Elora.

La Khanoum eut un sourire triste.

— Si, je te crois, mais les visions sont toujours difficiles à interpréter. L'ombre dont tu parles est déjà passée, et, tu as raison, comme mon fils, j'en ai eu le cœur déchiré…

Celui d'Elora suspendit un battement.

— L'Égyptienne est morte tout à l'heure. Malgré tous nos efforts pour la sauver de la folie dans laquelle elle s'était enfermée.

14.

« Une taverne abandonnée sur le vieux port. »

Voilà la seule explication que leur avait donnée Elora. De prime abord, cela leur avait semblé simple. Mais, parvenus devant la troisième bâtisse aux volets barrés, ils durent se rendre à l'évidence que ce ne le serait pas.

Quant à espérer la chance…

Khalil jeta le noyau d'une datte arrachée à Bouba. Les laissant à leurs doutes, le petit singe s'était échappé vers les ballots qui jonchaient les quais, pour en revenir chargé de butin. Personne ne l'ayant coursé, il s'était installé tranquillement au sommet d'un des vingt barils solidement liés les uns aux autres près desquels ses maîtres avaient trouvé refuge avec les mules.

L'endroit, à leurs yeux, était bien choisi. En retrait des anciennes murailles contre lesquelles les bâtisses étaient accolées et à seulement deux toises d'un navire marchand en attente de son chargement, il offrait une vue d'ensemble sur les cinq tavernes. L'une en plein centre, l'autre sur la dextre, entre deux autres de facture à peine moins déglinguée. La dernière sur la gauche semblait avoir été avalée par la muraille elle-même, puisque seule la façade en dépassait. De loin, la plus ancienne de la rangée.

— Je m'imagine mal forcer une de ces portes sous le regard de tous, grommela Nycola, adossé à un des fûts.

Assis à l'ombre d'un autre, Khalil soupira.

— Avec la nuit, l'agitation va décroître…

— Ouvrant le quai aux fripouilles ! Je ne donne pas cher de nos mules et de ce qu'elles portent.

— Que proposes-tu ?

Nycola se frotta la barbe, ennuyé.

— De nous séparer. Il faut que l'un de nous surveille les bêtes dans un lieu moins exposé.

— C'est à moi qu'Elora a confié la tâche de ramener Mounia.

Nycola le fixa longuement avant de se décoller de son support et d'attraper les longes, nouées l'une à l'autre.

— J'emmène Bouba et te le renverrai sitôt que j'aurai pris place. Tu pourras ainsi me retrouver.

Il posa une main ferme sur l'épaule de Khalil, souda son œil d'ébène au sien, de tourbe séchée.

— Sois prudent, fils.

Khalil hocha la tête, la gorge nouée.

— Ici, Bouba ! ordonna le Bohémien avec autorité.

Le petit singe atterrit sur son épaule. Khalil glissa quelques mots à son oreille et Nycola put quitter la place sans que l'animal répugne à le laisser.

L'attente reprit pour Khalil. Suivant le fil de ses pensées qui toutes le ramenaient à Elora, son œil allait de droite à gauche, s'attardant là sur une empoignade entre deux marins, ici sur un rire franc, là encore sur un palan qui s'élevait pour transborder des caisses, un rat qui filait, l'amarrage d'une barcasse de pêcheurs, le déchargement des filets. Un cul-de-jatte installé sur une petite carriole qui se poussait de ses mains sur les pavés. Un vieillard édenté qui pissait au-dessus du flot tranquille, vers le soleil qui déclinait.

Bouba le rejoignit alors que l'astre se posait sur l'horizon tel un fruit coupé de moitié.

— Tu as traîné en chemin, le gronda-t-il en voyant sa bouche dégouliner encore de jus.

Pris de remords, le petit singe fit coulisser ses longs bras sur son visage pour s'essuyer.

Khalil les retira pour les passer autour de son cou.

— Allons, viens ! J'ai besoin de bouger.

Il se releva, Bouba sur son épaule, et s'étira.

— Foutredieu ! je suis melu. Et puis j'ai faim aussi. Quoi que tu aies trouvé, tu aurais pu m'en rapporter, souligna-t-il à l'animal qui baissa le nez.

Il le lui pinça, par jeu, se vit repousser la main sur un petit cri de vexation.

— Donne-moi une bonne raison de ne pas me venger...

Pour toute réponse, le petit singe lui grimpa sur le sommet du crâne.

Khalil épousseta son derrière de deux grandes claques, vérifia que la gaine de son premier poignard était toujours solidement attachée à son mollet et la seconde à sa ceinture, sous son gilet, puis ajusta sa besace à son épaule.

— À ton avis, Bouba, par quelle porte commençons-nous ?

La réponse lui vint d'une silhouette décharnée qui écarta le battant de la bâtisse de gauche. Juste une silhouette baignée de l'ombre des remparts qui surplombaient la jetée. Il sentit tout son être se nouer. Instinctivement, il lui tourna le dos, le cœur tambourinant dans ses veines. Ne pas rester sur son chemin, lui hurla sa raison, redonnant de l'allant à ses jambes molles. Il revint près des fûts, les contourna pour s'y plaquer, de dos.

Il demeura là un long moment sans bouger, dans l'angoisse qu'elle surgisse devant lui. Rien ne vint, sinon une nuit illuminée d'étoiles scintillantes au-dessus de leurs têtes. Bouba recommença à s'agiter. Il l'attira à lui.

— Tu l'as senti toi aussi, n'est-ce pas ?

Le petit singe hocha la tête.

— Elle est partie, tu crois ?

Un nouveau hochement. Khalil se dégagea de sa cache, enveloppa les alentours d'un œil craintif. Une autre vie s'animait lentement sur les quais. D'elle, aucune trace.

— Que ferait Elora, selon toi ?

Le petit singe tendit le doigt vers l'ancienne taverne. Khalil tordit la bouche.

— Évidemment…

Il se mit à siffler pour se donner du courage et avança vers la façade obscure.

*
* *

Il s'attendait à pousser la porte sans difficulté. Elle résista. De la sentir bouclée, un instant il se demanda s'il n'avait pas rêvé cette apparition malfaisante. Il hésita à la forcer. Si la créature revenait sur ses pas et la trouvait défoncée…

Il recula.

— Après toi, Bouba, murmura-t-il en désignant une des trois fenêtres, la plus proche du contrefort rocheux, dont un des volets manquait.

Le petit singe se précipita dans le vide pour se raccrocher à l'angle de la façade. Lui tournant le dos, Khalil observa une ultime fois les alentours. Par chance, les quais se vidaient au profit des bouges. Entre l'ancienne taverne dont l'enseigne pendait au bout d'une chaîne usée et la première habitation, un pan entier de roche formait une courbure naturelle qui les masquait. À croire qu'on avait enclavé la bâtisse dans le roc pour qu'elle s'y fonde.

Personne ne le remarquerait.

Un bruit de carreau brisé au-dessus de sa tête. Khalil ne s'en étonna pas. Bouba avait une propension naturelle à la ruse. Il pénétrait toujours où il le décidait. Khalil cala son pied sur une anfractuosité de roche, à gauche de la bâtisse et grimpa en quelques secondes, presque aussi lestement que son compagnon.

La croisée s'ouvrit pour le laisser entrer.

— Bien joué, Bouba ! le félicita Khalil en le récupérant sur son épaule sitôt avoir refermé.

La seconde d'après il avançait dans la pièce et son genou butait contre un angle acéré. Outre le juron de douleur qu'il poussa, le bruit que fit l'objet en se renversant sur le plancher se répercuta dans toute la maison.

La main sur le manche d'un de ses poignards, Khalil ne bougea plus, ne respira plus. Si quelqu'un d'autre se trouvait là, il n'allait pas tarder à surgir.

Personne ne se montra. Le silence avait repris ses droits. Khalil se relâcha légèrement. Le risque qu'on aperçoive la lueur d'une chandelle depuis l'extérieur était infime, estima-t-il en faisant glisser la bandoulière du sac de son épaule pour y prendre une bougie.

Quelques secondes plus tard, il s'en félicitait. Ce qui avait été une chambre, à l'intérieur même du roc, était ce jourd'hui encombré des objets les plus divers qui formaient un véritable labyrinthe. Outre le banc de bois qu'il venait de faucher, un lit brisé par le mitan, il enjamba de vieux coffres renversés, de la vaisselle ébréchée, un nid de souris, des traverses et des montants, un tapis à demi roulé et, pour finir, deux tonnelets éventrés dont l'un contenait une portée de chatons.

Après avoir évité la mère, hérissée de poils, il gagna le palier qu'il balaya de sa mince flamme.

— À ton avis, Bouba ?

Le petit singe renifla l'air empestant le renfermé, puis tendit un doigt vers le bas. Khalil avait déjà deviné. Une odeur curieuse venait de lui caresser les narines. Entre la moisissure d'une forêt d'automne et la résine d'un pin saigné en plein été. Assombrie d'un relent de charogne.

Mais plus encore de sang frais.

Si détestable que lui soit cette idée, il n'avait plus qu'à suivre la piste que Marthe leur avait laissée.

15.

Étendue sur la couche qu'on lui avait attribuée entre deux tentures, juste à côté des appartements de la Khanoum, les bras croisés sous la nuque, Elora songeait que la mort de Mounia lui ayant enlevé toute raison de s'attarder, elle devait attendre que le harem s'endorme pour s'enfuir. Un sentiment contraire la retenait pourtant, contredisant les affirmations de la mère du sultan. Elle s'employait de toutes ses forces à le faire taire. À quoi bon se raccrocher encore au cauchemar récurrent de Khalil ? Elle l'avait pris pour une prémonition. Elle s'était trompée. Mounia ne les attendrait jamais au pied de la tour sombre d'une île battue par les vents. Elle ne les mènerait jamais à Marthe, pas plus qu'elle n'avait commis d'exactions, ici à Istanbul, sous son joug. Mounia était morte, emportée de chagrin.

Celui d'Elora déborda sur sa joue.

Ses pensées allèrent du petit Bohémien à Enguerrand. Trop tard, devrait-elle leur dire avant de vivre avec ce sentiment de culpabilité. Ce sentiment humain de culpabilité.

N'était-ce pas là sa faille ? sa véritable faille ? celle dont Marthe pourrait se servir pour l'anéantir ? Cette profonde, désespérante et irrationnelle humanité en elle. Elle ferma les paupières. L'endiguer… Devenir un instrument au service des Anciens et des Hautes Terres, rabattre ses sentiments pour Khalil qui la rendaient vulnérable… Hier peut-être. Ce jourd'hui elle s'en sentait incapable. Elle avait besoin de cet amour pour nourrir sa lumière intérieure. Besoin de ce trop-plein d'amour en son âme.

Si elle l'éteignait, les germes maléfiques que Marthe avait plantés en elle durant les premiers mois de son existence ne prendraient-ils pas toute la place ?

En cet instant, elle ne savait pas. Elle ne savait plus. Elle se sentait vide. D'avoir échoué si près du but.

Elle demeura quelques instants en proie à ses tourments, puis jugea qu'il était temps de se ressaisir et de quitter la place.

Elle se redressa sans bruit, ramassa une fine cape de satin sur un tabouret, l'attacha par un crochet à son cou, par-dessus son pantalon et son corsage, puis releva la tenture. La voie était libre.

Seules quelques bougies allumées le long de l'allée centrale balisaient le passage, permettant à ces dames, la nuit, d'atteindre les cabinets d'aisances. Au-delà, c'était le noir complet.

Elora avait passé les cinq dernières heures à se promener dans le harem pour repérer les lieux. Si l'on exceptait la petite porte qui conduisait aux appartements du sultan, il n'en existait qu'une, solidement gardée. Celle par laquelle elle était arrivée au palais. Tout passait par cette entrée, des repas aux toilettes, des servantes aux eunuques.

Elle s'y dirigea sans bruit, pieds nus sur la mosaïque. Si on l'interceptait, elle pourrait prétendre qu'elle s'était égarée, avalée par l'obscurité. Sa crainte était là, d'ailleurs, dans la brume de ses pensées. Elle devait rester concentrée sur un chemin qu'elle avait mémorisé pour ne pas se perdre vraiment.

Repoussant le souvenir de l'Égyptienne, elle laissa derrière elle la dernière lueur repère et avança en comptant ses pas. Elle pénétra ainsi dans la première salle, évita les banquettes et les tables basses, les plantes empotées. Sans encombre. Elle passa dans la suivante, celle des bassins. Une seconde d'inattention, et le bout de son pied droit affleura le vide. Elle recula sur la margelle. Reprit son souffle. Le moindre bruit, elle le savait, compromettrait son échappée. Lors, à moins d'utiliser ses pouvoirs et de signaler sa présence à Marthe, elle resterait prisonnière… Une seconde d'angoisse qu'elle chassa en reprenant une progression discrète.

Inutile d'affronter une armée d'eunuques si elle pouvait disparaître sans les réveiller.

Elle se trouvait à mi-chemin du cloître au bout duquel se découpait la double porte tant espérée, lorsque la lumière d'une lanterne troua l'obscurité dans le jardin attenant.

On s'en venait par le côté.

Elora se rabattit contre le mur du logement des gardes. Son porteur allait-il revenir au cœur du harem ou en sortir ?

Ils étaient deux, découvrit-elle à la faveur d'un rayon de lune. Une silhouette frêle qui ouvrait la marche, son falot en main, et une autre, massive, qui portait un grand sac sur l'épaule. Ce qu'il contenait devait être pesant, car, malgré sa stature impressionnante, l'eunuque pliait l'échine.

Parvenu à quelques pas de la porte, il trébucha.

— Fais donc attention ! Elle mérite toujours ton respect ! gronda le porteur de lanterne.

La Khanoum, la reconnut Elora à son timbre autant qu'à la déférence du garde qui, sans un mot, venait de lui ouvrir la porte vers l'extérieur.

Son cœur bondit, ramenant son instinct à la surface. Qui d'autre que Mounia, vivante, la Khanoum voudrait-elle faire disparaître aussi discrètement de ce lieu ? Restait à savoir si c'était pour la soustraire à sa curiosité ou pour la livrer à Marthe.

Ragaillardie, elle les laissa franchir le seuil puis leur emboîta le pas.

16.

La vue des quatre gardes égorgés sur les chaises qu'ils n'avaient pas eu le temps de quitter, l'un la gueule en arrière, les trois autres le nez sur leur assiettée de soupe débordant à présent d'un sang épais, força Khalil à se rabattre dans le couloir. Une main en appui sur le mur, l'autre soutenant son ventre soulevé de spasmes, il se courba pour régurgiter violemment.

Il lui fallut quelques minutes pour apaiser ses vomissements, brûlant de l'envie de fuir. Ce massacre laissait supposer qu'il y aurait d'autres cadavres sur son chemin. Et au bout, forcément, celui de sa mère puisque Marthe était ressortie seule de la taverne.

Avait-il besoin de le vérifier ? Que représentait en réalité pour lui cette femme qui l'avait fait naître ? Si l'on exceptait le rôle exécrable qu'elle tenait dans ses cauchemars, elle n'était qu'une inconnue. Rien d'autre. Il avait eu une mère. Une mère aimante. Il avait pleuré son trépas aux côtés de Nycola. Fallait-il qu'il se donne de fausses raisons pour recommencer avec Mounia ?

Il remonta deux des marches de l'escalier, avant de s'immobiliser et de s'asseoir lourdement sur la troisième.

À quoi bon se mentir davantage ?

Bien qu'il cherchât le moyen de le nier, il sentait bien que cette femme était importante pour lui. Au-delà des raisons pour lesquelles elle l'avait mis au monde.

Au-delà des raisons qui faisaient battre le cœur d'Elora, les liant toutes deux étroitement.

Il soupira en imaginant la déception de cette dernière.

Elle comptait sur lui.

Que penserait-elle de son renoncement ? de sa couardise ? Elle si prompte à le sauver. À l'aimer et à le croire digne de continuer le combat.

Un frisson d'angoisse le rattrapa qui le dressa de nouveau sur ses pieds. Et si Elora avait été présente, près de Mounia, à l'arrivée de Marthe ?

Privé de souffle soudain, il fixa l'encadrement de la porte retombé dans l'obscurité, en contrebas. De peur, il avait lâché sa chandelle. Comme si de l'éteindre pouvait effacer la réalité ! Sot. Il était sot, se fustigea-t-il.

— Pense plutôt que tu aurais dû, toi, te débarrasser des janissaires, si Marthe ne l'avait fait à ta place. Et comment, hein, comment ?

Sa propre voix dans le silence lui redonna du courage. Il devait se reprendre, aller au but. Quoi qu'il y découvre. Parce que là était le sens de son existence. Dans cette confrontation avec lui-même. Avec son destin.

Il avait bravé les Borgia. Plierait-il devant quelques cadavres ?

Refusant le tremblement de ses mains, il décrocha son sac. Quelques minutes plus tard, la flamme réchauffait les murs de granit et il prit conscience que Bouba n'était plus là.

Il perdit un grand moment à le chercher, l'appelant à voix basse, puis plus forte, s'obligeant à contourner les cadavres, désespérant de sa disparition étrange.

Lorsque le petit singe surgit dans son dos, il cria, de surprise et de saisissement.

Grimacier et chuchotant, Bouba vint aussitôt se suspendre à son cou.

Loin de jouer, tandis que lui se tordait les boyaux, Bouba avait été attiré par une odeur de graminées. Il s'était infiltré dans une brèche, puis une autre, jusqu'à débouler dans un passage qu'il avait compris être celui qu'ils cherchaient. Il l'avait suivi en sens inverse, s'était époumoné devant un mur avant de se décider à pousser, sauter, s'accrocher sur et à toutes les aspérités. Jusqu'à être enfin libéré et revenir fièrement vers son maître.

Du moins est-ce ce que Khalil comprit des explications de son complice. Un doigt tendu vers le fond de la salle troglodyte, à quelques pas de la porte d'entrée, acheva de le convaincre.

— Allons-y ! Nous avons perdu bien assez de temps, décida Khalil en le reposant à terre.

Lui-même contourna la flaque de sang, puis le suivit à grandes enjambées.

Un pan de mur s'était écarté, si discrètement qu'il ne l'avait pas entendu. Derrière s'étirait un couloir obscur qui puait les excréments. Des rats, seulement des rats, identifia-t-il en s'y enfonçant.

Guidé par le petit singe, il remonta une pente abrupte pour atteindre une longue galerie, étroite et maçonnée.

— Je crois bien que nous voilà au cœur des remparts, Bouba.

Un souffle iodé lui caressa la joue, courbant la flamme de sa chandelle. Il s'immobilisa pour coller son nez à l'archère qu'elle lui révéla. Il inspira l'air du large, avant de reprendre sa route, ragaillardi de courage autant que de soulagement.

Il se sentait prêt, cette fois.

La coursive intérieure aurait dû faire le tour des remparts, à son sens. Elle s'arrêtait brutalement au bout de plusieurs toises. Sans hésiter, Khalil enfonça un croissant sculpté que Bouba repéra à portée de soulier. Aussitôt, le mur s'ébranla, sans plus de bruit que celui de la taverne. Khalil moucha sa chandelle en voyant qu'une tenture épaisse avait remplacé la pierre. Il l'écarta pour jeter un œil au-delà. À la lueur des flambeaux piqués au mur, il devina une salle immense et déserte.

Il fit monter le petit singe sur son épaule, lui recommanda la discrétion, puis, le cœur battant, s'y risqua.

Dans les recoins savamment créés par le jeu des éclairages et des paravents de bois ajourés, d'épais coussins damassés assouplissaient l'assise au sol. Devant eux, surplombant maints tapis, des tables basses ouvragées regorgeaient de friandises. Craignant que le petit singe ne lui échappe tôt ou tard pour se jeter dessus, Khalil chaparda une coupe et s'abrita dans un coin d'ombre pour le laisser y piocher.

Plus assoiffé en vérité qu'affamé, il se contenta, lui, d'un peu d'eau de rose qu'il trouva dans une carafe.

Tandis que Bouba se rassasiait de fruits séchés, le regard de Khalil s'attarda sur la configuration de la salle.

Tout en longueur, elle ne possédait aucune fenêtre sinon, sans doute, comme dans la coursive, de fines meurtrières par lesquelles l'air se renouvelait. Khalil sentit son cœur se serrer. L'épaisseur du mur interdisait à la lumière d'y pénétrer. Depuis combien de temps Mounia était-elle emprisonnée dans cet endroit ? Depuis combien de temps avait-elle été privée de l'éclat du jour ?

Il chassa cette pensée. À quoi bon ressasser le passé ? se torturer à sa place ? Mounia était sans doute morte, quelque part dans cet endroit trop calme pour que Marthe ne l'ait pas griffée. Il était venu là pour s'en assurer. Ensuite, il repartirait par le même chemin et tout serait terminé. Fini. L'enfant qu'on avait arraché à Mounia n'existait plus, il était un homme, désormais. Qu'avait-il besoin d'une mère puisque Elora était à ses côtés ?

— Reste là, ordonna-t-il à Bouba dont les joues gonflées trahissaient la gourmandise.

L'animal hocha la tête avant de replonger sa main dans la coupelle. Khalil se demanda une seconde combien il pourrait en enfourner avant de s'étouffer puis le quitta sur la pointe des pieds.

Son œil avait été attiré par une petite pièce, enclavée dans la grande. Un portique, illuminé de part et d'autre par des chandeliers, en délimitait l'entrée, juste au-delà d'un bassin rectangulaire.

Il s'y dirigea sans rencontrer âme qui vive.

Le porche passé, il poussa une porte en plein cintre, s'avança à la lueur des nombreux candélabres qu'on avait installés là.

Il frissonna à l'idée d'une chambre mortuaire.

Mais pas autant qu'en la voyant.

*

* *

Les jambes coupées et le souffle rare, il demeura planté là, à quelques pas du lit, devant ce profil creusé, ces mains osseuses jointes l'une dans l'autre par-dessus les draps. Incapable d'un mouvement, d'un geste. C'était elle, il le savait. Tout au fond de lui, il le savait. Même si elle était plus exsangue, plus décharnée que dans son cauchemar. Mounia. Sa mère. Il avait craint de la découvrir baignant dans son sang comme les hommes en bas, mais cette vision-là le ravageait davantage. Il comprenait soudain que Marthe ne reviendrait pas. Qu'elle était arrivée trop tard, comme lui.

Alors soudain fit rage une tempête dans son ventre, une tempête imprévisible nourrie des mots de Nycola puis d'Elora, fidèles relais de ceux d'Enguerrand pour lui parler d'elle et, sans qu'il s'en rende compte, la lui faire aimer.

Mounia n'était pas une inconnue, une étrangère. Non.

Elle l'avait porté en elle, puis pleuré au point d'effacer toute envie de liberté. Quelle mère était plus digne de respect que celle que la fatalité venait de lui arracher ?

Un sanglot improbable le poussa vers l'avant, éperdu de regrets, pour le jeter sur la couche, la tête sur ces mains dont il pressentait en lui le souvenir des caresses. Anéanti de chagrin quand l'instant d'avant il avait essayé de se convaincre d'en être protégé.

— *Ouïmaona inemaïchoï*, Khalil…

Les mots le saisirent autant que le discret mouvement des doigts pour tenter d'essuyer ses larmes. Il se dressa, incrédule, devant ces paupières relevées, ces prunelles sombres emplies d'un amour si profond qu'il crut rêver. La fraction de seconde d'après, elles se refermaient. Il douta. Jusqu'à voir le visage se défroisser sur un sourire léger. Il chercha alors le pouls. Dans la cambrure des poignets, aux grandes veines, trop saillantes, du cou.

Avant de se rabattre sur sa poitrine et d'y rester, secoué de longs sanglots. Mais plus de détresse, non. Plus de détresse.

D'espoir.

Car tout n'était pas perdu encore.

Mounia l'avait reconnu. Il ne voulait pas savoir comment. Elle l'avait reconnu en sa chair, en son âme.

Alors Khalil joignit ses mains à celles de sa mère, et se mit à prier pour que ce cœur fatigué tienne jusqu'à ce qu'Elora trouve le moyen de le raviver.

17.

En voyant la Khanoum et son cortège pénétrer dans la taverne, une lanterne à la main, Elora fut reprise d'un frisson détestable.

Les suivre avait été plus retors qu'elle ne le pensait.

Si elle était sortie du palais sans difficulté, ç'avait été pour enrager de découvrir la solide escorte qui attendait la Khanoum et son homme de main, hors de la dernière enceinte.

Elle avait failli intervenir sur l'heure, quitte à les faucher tous, mais l'idée de tuer l'avait ramenée aux manières de Marthe. Elle ne voulait concéder aucune place au mal. Sans compter que le lieu n'était guère discret pour user de ses pouvoirs.

Le sac avait été jeté en travers d'une des montures.

— Au pas, je la veux intacte à l'arrivée, avait exigé la Khanoum en se juchant, elle aussi, sur la selle.

Elora en avait été soulagée, avant de découvrir la vie nocturne et mal famée des vieux quartiers. À pied elle offrait une meilleure cible qu'eux. Elle avait fini par les rattraper en courant, repoussant d'un geste lumineux et agacé ceux qui avaient espéré la détrousser ou la violenter.

Cachée dans l'ombre de la façade, elle s'accorda quelques secondes pour reprendre son souffle. Battant le vent sur une chaîne mal scellée du passement de toiture, une enseigne n'affichait plus, au-dessus de sa tête, que quelques lettres illisibles.

Son œil balaya le quai, baigné de clarté lunaire.

La fréquentation du vieux port tendant, d'année en année, à se raréfier, n'y accostaient plus que les pêcheurs et certains équipages de mauvaise réputation. Elle aperçut quelques ombres furtives mais aucun signe de Khalil ni de Nycola. Elle prêta l'oreille. Outre les mâtures qui couinaient sous l'assaut d'un vent coulis, les coques des barcasses qui, par moments, s'éraillaient les unes contre les autres, le cri des oiseaux de mer, les glissements furtifs des vinassiers, le rire de gorge des putains, celui, gras, des matelots qui émergeaient des bouges environnants et la compagnie des rats qui grignotaient les déchets sur les pavés, lui parvinrent des bruits et des voix étouffés de l'intérieur même de la bâtisse.

Décidée à jouer de l'effet de surprise, elle manœuvra le loquet. Ne trouvant aucune résistance, elle ouvrit alors la porte en grand, certaine de ce qu'elle allait rencontrer derrière, dans le halo des lanternes.

Elle se trompait.

La Khanoum avait disparu, un carré de janissaires se vidait de leur sang et une poignée d'eunuques s'avança vers elle cimeterre au poing, l'œil égaré.

Revenue de sa surprise, Elora comprit la situation en une fraction de seconde. Marthe était déjà passée. Dans quel sens ? Difficile à dire. Quoi qu'il en soit, mieux valait ne pas traîner là. Elle rabattit la porte du pied puis tendit ses bras en avant, paumes vers le haut, dans un geste d'apaisement.

— Je ne suis pas responsable de ça et, comme vous le voyez, je n'ai pas d'arme.

Ils n'en semblèrent pas davantage affectés. Les laissant s'approcher, elle balaya l'ensemble de la pièce, accrocha le « paquet », abandonné au sol près d'une flaque de sang.

— C'est elle que je veux. Juste elle. Laissez-moi l'emmener, insista-t-elle dans un mouvement de menton dans sa direction.

Peine perdue.

Déjà l'un d'eux fondait sur elle, le sabre relevé dans un hurlement guerrier. Devant les yeux médusés des autres, il se heurta au halo de lumière qui enveloppa Elora de la tête aux pieds et fracassa l'acier.

Sans leur laisser le temps de réagir, elle écarta ses mains dans un geste brusque, les projetant violemment aux quatre coins de la pièce.

— Ne m'obligez pas à vous tuer ! les menaça-t-elle en espérant que ce coup de semonce suffirait à les décourager.

Sa lumière retomba, ne laissant plus dans la pièce que celle des falots qu'ils avaient apportés. Elle en arracha un de dessus la table, poisseux de sang, et se précipita vers le sac. D'un mouvement vif, elle défit le lien noué au-dessus d'une chevelure d'ébène. Libéra le visage de l'endormie. Blêmit. Elle s'était trompée. Ce n'était pas Mounia. Une seconde, elle perdit pied avant de remarquer d'étranges empreintes au sol.

Bouba.

Khalil s'était-il changé en meurtrier ?

Non, même avec l'aide de Nycola, il aurait été incapable de faucher les janissaires avant même qu'ils se soient levés. Seule Marthe le pouvait.

Une colère froide l'emporta. Elle fondit sur l'eunuque le plus proche. Effrayé, il recula contre le mur en rentrant les épaules.

— La Khanoum est en danger et je suis seule à la pouvoir sauver ! Où est-elle ?

Il tendit un doigt boudiné vers le fond de la salle.

Sans attendre d'autre explication, elle s'y précipita, découvrit le passage et fonça à l'intérieur en courant aussi vite qu'elle le pouvait.

Quelle avance pouvait avoir la Khanoum ? songea-t-elle. Deux minutes ? Trois ? Cinq tout au plus. Elora la supposait effrayée, assez pour détaler sur ses vieilles jambes. Les siennes regagneraient le temps passé. Elle força l'allure, à en avoir le souffle cisaillé, furieuse contre sa nature humaine qui l'emportait parfois sur celle de la fée. Il fallait qu'elle la rattrape, qu'elle sache la vérité, à propos de cette femme empaquetée, à propos de Mounia. Savoir ce qui l'attendait à l'autre bout de cette coursive.

Elle y parvint sans avoir obtenu de réponses. Chercha le mécanisme d'ouverture du passage, l'enfonça. Les battements du cœur désordonnés, elle se faufila sous la courtine. Enfin elle la vit qui pénétrait sous un portique illuminé.

*

* *

Renonçant à l'interpeller, elle reprit sa course.

Bien que la porte restée ouverte l'ait incitée à la méfiance, la Khanoum eut un discret mouvement de recul en apercevant cette silhouette à genoux près de l'Égyptienne, le front courbé au-dessus de ses mains jointes, des sanglots plein la gorge.

Les vêtements qu'elle portait ne lui évoquèrent rien de familier.

Un instant, sa douleur si poignante lui pénétra le cœur, mais la vision d'horreur qui l'avait saisie dans la taverne la ramena à sa propre sécurité. Cet inconnu avait tué et elle serait la prochaine à périr, si elle devait en croire la vision de la Bohémienne.

Par chance, il ne l'avait pas remarquée.

Son pied glissa en silence derrière ce dos voûté. Retenant sa respiration, elle leva le poignard emprunté à son eunuque.

— Reste-moi, maman, s'il te plaît, reste-moi, entendit-elle gémir à l'instant de frapper.

Sa main trembla, indécise.

La fraction de seconde suivante, elle était désarmée. Par une boule de poils qui lui sauta sur les épaules, les gencives en avant. Autant que par le nom que, derrière elle, on venait de prononcer.

Khalil se retourna à l'appel d'Elora et du cri de guerre de Bouba. Il ne se rendit pas compte à quoi il venait d'échapper. Il s'étonna seulement de voir une femme retenue par les épaules, le poignet en sang. Une femme qui le fixait avec de grands yeux hébétés.

Là n'était pas sa priorité.

Il se contenta de gémir.

— Elle m'a reconnu. Moi. Elle m'a reconnu, Elora. S'il te plaît, sauve-la !

La Khanoum porta la main à sa bouche pour étouffer un petit cri. Relâchant sa tenaille, Elora se pencha à son oreille.

— Vous n'avez rien à craindre de nous, vous le comprenez, n'est-ce pas ?

La Khanoum hocha la tête. Bouleversée par la ressemblance qui, de la mère au fils, venait d'emporter ses derniers doutes.

— Vous pouvez rester si vous le souhaitez, lui accorda encore Elora avant de rejoindre la couche et d'examiner Mounia.

Rassuré par sa présence, certain de ses miracles, Khalil récupéra Bouba à son cou pour lui arracher le poignard qu'il tenait en main.

— Où as-tu pris ça ? le gronda-t-il en reniflant.

Le petit singe tendit un doigt accusateur vers la Khanoum, les yeux humides d'une émotion qu'elle ne cherchait plus à refouler. Il mit quelques secondes à comprendre.

— Vous vouliez me tuer ? Pourquoi ?

Elle chercha à répondre mais aucun son ne franchit ses lèvres. Elle se racla la gorge, gargouilla :

— Les janissaires… en bas…

Khalil soutint l'accusation avec tristesse. Le front soucieux, Elora se redressa pour répondre à sa place :

— Ce n'est pas lui, mais la créature que j'ai évoquée tantôt. Vous l'avez déjà vue ici, n'est-ce pas ?

— Est-ce bien le moment ? s'inquiéta Khalil en entendant le souffle de Mounia s'accélérer.

Elle se tourna vers lui.

— Ma magie est sans effet, Khalil. Il faut que je sache ce que Marthe lui a fait, tu comprends ?

Le sang quitta ses joues. Il baissa le nez sur son angoisse revenue.

La Khanoum les fixa tous deux avec gravité. Beaucoup d'éléments lui échappaient, mais rien ne l'empêcherait ce jourd'hui de réparer le tort qu'elle avait causé en enfermant Mounia, en refusant son instinct de mère, en la laissant se consumer.

— Elle s'est présentée au palais il y a quelques jours pour me remettre une fiole, semblable à celle que possédait Mounia, en me recommandant de lui en faire boire le contenu si son état venait à s'aggraver.

Le visage d'Elora exprima tant de perplexité qu'elle crut bon d'ajouter, rattrapée par la culpabilité :

— Je l'aurais fait si mon fils ne t'avait remarquée… Elle souffrait depuis si longtemps… et lui aussi de la voir s'étioler. Quand on m'a prévenue qu'elle était mourante, ce matin, mon choix, en vérité, s'est rabattu sur un poison de ma composition.

L'œil de Khalil s'embruma de colère. Elle secoua la tête.

— Non, non, je ne le lui ai pas administré. Elle avait repris connaissance et m'a réclamé sa vengeance. La mort de la première femme du sultan qui avait commandité ton assassinat, Khalil.

— C'est elle, dans le sac, en bas ? demanda encore Elora, troublée par l'attitude incompréhensible de Marthe.

— Oui. La mort les aurait emportées toutes deux, l'une après l'autre, cette nuit.

— Ce flacon… Où est-il ?

Derrière eux, la respiration de Mounia s'amenuisait de seconde en seconde. La Khanoum ouvrit le petit sac de satin qui pendait à sa ceinture et le lui tendit. Aucun doute, nota Elora. Il s'agissait bien d'un des flacons pyramides. Elle le fixa en transparence. Il ne restait que quelques gouttes, au fond.

— Malgré l'apparence répugnante de cette sorcière, je n'ai pas douté du pouvoir de son élixir. J'ai vu les effets de celui-ci dans une semblable fiole, au moment de ta naissance, Khalil.

Il tiqua.

— Vous y étiez ?

Elle lui sourit avec tendresse.

— Je te croyais de mon sang. La vérité n'a rien changé à ma tristesse de te perdre, crois-moi.

La voix affaiblie de Mounia brisa leur échange entre deux violentes quintes de toux. Elle réclamait son fils. Il se précipita à son chevet.

— Le flacon, celui que possédait Mounia. Savez-vous où elle aurait pu le conserver ? demanda Elora, bouleversée par son impuissance.

— Non, hélas, mais quand bien même, de ce que je m'en souviens, elle l'a vidé au moment de ses couches.

Une goutte pour guérir, deux pour ramener à la vie, la totalité pour atteindre l'immortalité, se souvint Elora. Or à en juger par le râle qui franchissait les lèvres crispées de Mounia et son teint cireux, la vie la quittait. Combien de temps encore ? Quelques minutes ? Quelques secondes ? Son cœur se broya. Elle hésita pourtant à souscrire aux ordres de Marthe, certaine de la perversion de l'élixir. Avait-elle d'autres choix pourtant pour tenter de la sauver ?

Elle avait essayé, sa lumière ne traversait pas le corps de Mounia. Comme si l'Égyptienne refusait sa guérison.

— *Ouïmaona inemaïchoï*, éructa faiblement la mourante dans une plainte désespérée, achevant de bouleverser Khalil…

Alors Elora comprit.

Mounia n'était plus dans cette réalité, mais dans une autre. Celle d'une mort espérée, attendue trop longtemps, dont les prémices lui donnaient à retrouver enfin son fils. Elle n'avait pas conscience de la véritable présence de Khalil.

— L'élixir, vite, trembla celui-ci, ravagé, en tendant une main vers elle, l'autre enserrant les doigts de sa mère qui s'amollissaient.

Loin de le lui donner, Elora le subtilisa dans sa manche.

— C'est un leurre. Toi seul peux la sauver, affirma-t-elle en lui pressant l'épaule.

Elle insista devant son incompréhension :

— Toi seul, Khalil. Je dois passer à travers toi.

Il hocha la tête, soumis. Elle ne s'était jamais trompée. Pourquoi cette fois ?

— Comment ? se tourmenta-t-il à l'instant même où Mounia cherchait un dernier souffle.

Elle ne le trouva pas. Écarquilla des yeux angoissés. Se tendit jusqu'aux extrémités.

Maintenant. Ou jamais, décida Elora.

Aussi vive que l'éclair, elle récupéra le poignard que l'Égyptienne cachait encore sous le drap et, sans hésitation, le planta dans la poitrine de Khalil.

Il n'eut qu'un seul hoquet sanglant avant, repoussé par Elora, de tomber en arrière, au pied du lit, le visage contre la cuisse de Bouba qui resta de marbre.

Perdant toute contenance, la Khanoum hurla.

— Ne vous fiez pas aux apparences et venez m'aider, le temps presse, la fit taire Elora en entaillant de la même manière la poitrine devenue inerte de Mounia.

L'œil de la Khanoum accrocha le geste de tendresse du petit singe au front de Khalil. Quelques minutes plus tôt, il l'avait mordue au sang pour protéger son maître. Là, non seulement il n'avait pas bougé, mais il ne paraissait pas même inquiet. Ce fut cela, curieusement, qui redonna confiance à la Khanoum. L'instinct de cette bête.

Elle se ressaisit.

— Que dois-je faire ?

— Le relever pour le basculer sur elle. Il faut que leurs sangs se mêlent.

Elles s'activèrent. Quelques secondes plus tard, mère et fils ne faisaient plus qu'un dans la couche rougissante. Elora voila le visage de Mounia des paumes ouvertes de son fils avant de les recouvrir des siennes.

— Tu peux y arriver, mon aimé. Tu peux y arriver, affirma-t-elle à son oreille.

En retrait pour ne pas la gêner, la Khanoum vit une lumière bleutée grandir doucement sous les doigts puis sous le corps de Khalil avant, peu à peu, d'emporter celui de Mounia, les enveloppant tous deux d'une douceur ineffable.

— Une seconde naissance, murmura-t-elle, fascinée par ce prodige.

Il lui parut plus grand encore lorsqu'ils hurlèrent quelques minutes plus tard, d'un même cri, baptisés par cet amour sans âge qui irradiait Elora.

18.

Ils reprirent connaissance, les yeux dans les yeux.

— Je suis là, maman, tout va bien, je suis là, murmura Khalil en collant sa joue à la sienne.

Mounia ne trouva pas les mots pour répondre. Elle savait. Elle avait toujours su, nourrie d'un instinct plus fort que les faits, cet instinct que les Anciens avaient distillé en elle à l'instant de ses couches, lorsqu'elle avait dû boire une goutte de l'élixir. C'était l'impuissance qui l'avait tuée. Le doute et l'impuissance, face à cette vérité interdite, refoulée.

Elle noua ses bras à ce corps qui l'écrasait de son poids, s'en imprégna plus encore en le sentant battre contre elle. Elle reconnaissait l'odeur de sa peau, malgré celle de la sueur, du sang, des larmes et d'une vie qui l'avait entraîné loin d'elle. Elle s'en rassasia longuement, le souffle coupé, avant de murmurer enfin son nom comme un chant de lumière dans sa trop longue nuit.

— Khalil. Mon fils. Mon tout-petit…

Alors il s'écarta, des larmes plein le rire, tel qu'il était ce jourd'hui.

— Non, pas petit, maman. Lourd. Trop lourd ! Je le sens. Manquerait plus que je t'étouffe à présent !

Il roula sur le côté pour revenir aussitôt contre elle. Aimant. Rassurant. Remarquant à peine qu'Elora venait d'entraîner Bouba et la Khanoum hors de la pièce.

— Là ! Pas d'inquiétude. Je ne te quitte plus. On ne se quitte plus…

D'un doigt tremblant, Mounia caressa les contours du visage, suivit le tracé de la bouche, du nez, des sourcils. Pour bien le connaître dans ses traits comme elle l'avait reconnu dans sa chair. Il avait sa finesse, son menton, ses yeux, mais tout en lui…

— Tu ressembles à ton père, murmura-t-elle, entre la joie de ce constat et la douleur, réveillée, du souvenir d'Enguerrand.

Il faudrait qu'elle lui dise. Qu'elle lui raconte tout. Mais pas maintenant. Non, pas maintenant. Ne pas gâcher ce moment avec le malheur d'hier. Elle l'avait retrouvé. Il l'avait retrouvée. Les explications, de part et d'autre, viendraient plus tard. Lorsqu'elle aurait reconquis ses forces, sa vitalité, son allant. Elle se sentait si fatiguée encore.

Khalil lui sourit, du bonheur plein les yeux.

Il savait qu'il devait tout lui rendre. Pour la guérir du temps perdu. Pour l'ancrer dans le présent.

— À ce propos… Enguerrand… il est vivant, lui aussi.

Une seconde, il craignit que la folie ne la reprenne, tant son regard bascula soudainement dans le vide, tant sa main retomba. Il chercha le secours d'Elora. Ne le trouva pas. Appela. Il s'affola de n'obtenir aucune réponse.

Il la secoua.

— Reste avec moi, s'il te plaît. L'eunuque ne m'a pas jeté aux tigres, il m'a vendu à des Bohémiens. C'est comme ça que j'ai croisé la route d'Elora. Elle n'est pas comme les autres, tu l'as senti, n'est-ce pas ? C'est une fée. Elle sait pour les Anc…

S'arrachant à son saisissement, Mounia le fit taire d'un doigt sur ses lèvres. Son regard était redevenu habité, mais de détresse cette fois. Elle murmura, d'une voix hachée, plaintive :

— Enguerrand… mon époux… ton père… Tu es bien sûr ?… Vivant ?…

— Des fellahs l'ont recueilli et soigné à Héliopolis. Enfin, c'est ce que m'a dit Elora. Je ne l'ai pas vu encore. Il nous racontera.

Peu importait à Mounia qu'on lui raconte, maintenant, plus tard. Peu lui importait même qui était cette Elora… Au fond d'elle, écrasant son bonheur, un sentiment de trahison l'aspirait. Dans la tourmente sordide de ces années de mensonges, de souffrance et d'emmurement. Il était vivant et il l'avait abandonnée. L'homme qu'elle aimait, son époux l'avait abandonnée. Un cri de détresse jaillit d'elle, arrachant le cœur de Khalil.

— Il n'est pas venu me chercher. Il n'est pas venu, Khalil. Pourquoi ?

Khalil embrassa une larme sur sa joue avant de lui broyer la main dans la sienne.

— Il t'a crue morte longtemps avant de découvrir la vérité à travers moi, il y a quelques semaines. Elora dit qu'il n'a jamais cessé de t'aimer. Jamais…

Mounia s'en rasséréna à peine. Le doute, celui qui tant de jours, tant de nuits avait tordu son ventre, était de nouveau là, en elle. Puissant. Elle attira son fils contre elle. Se raccrocher à lui. À lui seulement. À lui qui l'avait délivrée. Elle inspira son odeur de nouveau, comme un animal. Avant d'éclater en sanglots et de n'entendre plus rien d'autre que ces mots, comme une promesse de recommencement.

— Si on avait su, lui et moi, crois-moi maman, on aurait arraché le cœur du sultan, défait son armée et abattu les murailles, mais on t'aurait ramenée à nous. Comme je le fais maintenant… Pardonne-lui… Pardonne-moi.

Elle finit par s'assoupir, épuisée de trop d'émotions. Il resta près d'elle quelques longues minutes encore à se rassasier de son souffle régulier puis s'arracha à son étreinte.

*
* *

Il trouva Elora avec la Khanoum, au fond de la grande salle, attablées devant des mets succulents que Bouba enfournait à pleine bouche.

Son arrivée fit taire leur conversation.

— Elle dort, les rassura-t-il en se laissant choir à côté d'Elora, face à la mère du sultan.

Le petit singe n'ayant pas seulement levé le nez de son plat, Khalil s'indigna :

— Ayo Bouba ! Foutredieu ! tu es un véritable gouffre !

L'animal lui sauta aussitôt sur les genoux pour lui présenter ses mains peu ragoûtantes et lui offrir les fèves qu'il y avait écrasées. La Khanoum éclata d'un rire clair en voyant la grimace de Khalil.

— Elles seront meilleures dans le plat, je crois…

— Je crois aussi, approuva Khalil en repoussant le petit singe.

Pas vexé, ce dernier les emboucha avant de lorgner avec gourmandise sur des dattes fourrées qu'un eunuque venait de poser sur la table.

La Khanoum reprit un air sérieux.

— À moins que tu ne sois affamé, Khalil, j'aurais plaisir à te voir rafraîchi et changé pour partager notre repas.

Khalil prit soudain conscience de sa mine ensanglantée, toucha l'entaille que le poignard avait laissée à hauteur de son cœur.

— Cela s'impose, en effet, madame, lui accorda-t-il avant d'offrir une moue boudeuse à Elora.

— J'espère que tu n'auras pas d'autre raison de me percer le cœur…

— Aucune qui ne soit de nécessité absolue, je le jure, lui promit-elle en souriant.

Il se leva, prêt à suivre l'eunuque qui s'était avancé sur l'ordre de la Khanoum. Se ravisa pour se tourner vers elle.

— Le noble Nycola s'est isolé à quelques rues d'ici, pour garder nos mules. Si vous le permettez, j'irai le chercher ensuite, avec Bouba qui me guidera.

— Tu es ici chez toi, Khalil. Comme je viens de le dire à Elora, vous y serez mes invités jusqu'à ce que Mounia soit apte à reprendre la route.

Il tiqua.

— Et le sultan ?

— Tranquillise-toi. Mon fils part à l'aube pour un voyage de plusieurs semaines. Il ne saura rien. À son retour, je lui annoncerai la mort de Mounia et l'échappée d'Elora. Il se consolera de l'une comme de l'autre dans la guerre qu'il prépare contre des tribus rebelles d'Anatolie. Vous irez en paix. C'est le moins que je puisse faire pour elle. Pour vous.

— Les janissaires en bas ? demanda-t-il encore, soulagé.

— Tout est réglé. J'ai donné mes ordres. À l'heure où nous parlons, plus aucune trace n'en subsiste. Quant à la première épouse, elle a été reconduite au harem. Endormie elle était là-bas, là-bas elle se réveillera.

— Plus de sang versé, en somme…

— Non, Khalil. Plus de sang versé, confirma Elora.

— Il est grand temps alors que j'aille me nettoyer de celui-là, décida-t-il avec entrain, avant de leur offrir une révérence, que, la bouche en cœur, Bouba lui renvoya.

19.

Durant les trois semaines qui furent nécessaires au rétablissement de Mounia, la Khanoum se montra parfaite d'attentions et de générosité. Elle s'en voulait amèrement de n'avoir pas cherché au-delà des apparences. Ce jourd'hui, elle admettait sa négligence au moment du drame, dix années plus tôt. Elle aurait dû entendre le cri de Mounia au lieu de celui de l'eunuque. Chercher des ossements dans la cage des tigres, autres que ceux des petits animaux qu'on leur jetait. Elle aurait dû s'interroger sur le départ précipité des Bohémiens.

Mounia avait balayé ses remords d'un geste agacé de la main. À quoi bon ?

L'Égyptienne avait entendu Nycola évoquer ce sentiment puissant qui l'avait poussé à sacrifier le pécule des Bohémiens pour racheter Khalil, sa quête de la reine de lumière. La rencontre entre Elora et Khalil. Elle avait écouté Elora lui raconter sa lignée, le tourment des siens si intimement liés à Enguerrand, la prophétie des Hautes Terres, sa propre mission de réunir la communauté destinée à y rapporter la carte et les flacons pyramides, Mélusine, Présine, Marthe…

Marthe dont Mounia gardait un vague souvenir. Celui d'une ombre penchée au-dessus d'elle alors qu'elle était à l'agonie. Une ombre qui lui avait demandé de vivre, l'assurant que son fils approchait.

Une ombre dont l'attitude généreuse et d'autant plus incompréhensible tourmentait Elora.

Oui, Mounia s'était tant imprégnée de leur histoire qui donnait un prolongement à la sienne qu'elle avait compris, admis, que ce qui devait être avait été. Bien au-delà des désirs, des espérances ou des renoncements de chacun. Elle avait pardonné, renoncé à sa vengeance. La liberté promise lui suffisait. Retrouver Enguerrand comme elle avait retrouvé Khalil lui suffisait.

Autant que de savoir qu'ensemble, tous ensemble, ils allaient s'acheminer vers les réponses que son père et sa mère, défunts, avaient espérées.

Lors, chaque jour qui passait était une victoire sur hier.

Bouba la distrayait par ses grimaces, Khalil par le récit itinérant de son enfance. Le lien qui s'était noué entre eux aux portes de la mort avait renforcé celui, instinctif, de la naissance.

Le temps du bonheur avait succédé aux larmes à Istanbul.

Lorsque vint le moment pour eux de quitter la ville, la Khanoum jura d'emporter leur secret dans la tombe. Ensuite, ajoutant aux lettres de change signées du baron Jacques qu'Elora n'avait pas encore utilisées, elle leur remit une belle somme pour mener à bien leur équipée.

Mounia la serra sur son cœur, Khalil de même, puis Elora et Nycola, d'un même élan.

Tous savaient qu'ils ne se reverraient pas.

*

* *

Ils s'embarquèrent pour l'Égypte ce 26 mai. Mounia avait insisté pour se rendre à Héliopolis, avant qu'ils ne remontent le Nil jusqu'aux portes du désert où Elora devait trouver le secret de la clef que Nycola lui avait remise.

Elora le lui avait accordé. Mounia voulait revoir la tombe d'Osiris que son père avait découverte, mais plus encore, faire le deuil des siens à l'endroit même où Hugues de Luirieux les avait fauchés.

Une autre raison l'y poussait. Quoi que lui ait assuré Elora des sentiments d'Enguerrand à son sujet, elle voulait comprendre pourquoi Enguerrand ne l'avait pas recherchée.

Si elle avait pu le voir, en cet instant où le navire quittait le quai, elle n'aurait pas douté une seule seconde de l'amour, immense, qu'il lui portait. Et du désir de vengeance qui le rongeait.

*

* *

L'inquiétude de Gersende étant allée grandissant, elle avait fini par la confier à Enguerrand et à Algonde. Hélène tardait à arriver et Sidonie n'avait pas davantage de nouvelles. Lors, n'écoutant que sa propre intuition, Enguerrand s'était mis en branle pour se renseigner auprès des auberges et relais qui jalonnaient la grand-route vers l'Italie. Il ne fut pas long à apprendre qu'une dame de belle prestance s'était arrêtée dans plusieurs d'entre eux. À peine un mois plus tôt. N'ayant jamais vu de carrosse avant celui qui la menait, les tenanciers en avaient tous gardé un fort souvenir. Enguerrand reconstitua sans peine l'itinéraire d'Hélène jusqu'aux abords de Bressieux, où l'intendant, quant à lui, affirma n'avoir rien vu venir. Commença alors pour le chevalier une longue quête durant laquelle il interrogea autant les paysans que les hommes d'Église. Pour tomber finalement sur une publication de bans.

Le sang d'Enguerrand n'avait fait qu'un tour. Luirieux. Encore et toujours Luirieux ! Se remettant en selle, il avait chevauché à bride abattue jusqu'à Romans. On le renvoya. Le prévôt était chez lui, à préparer ses épousailles. On refusa de lui donner tout autre renseignement. Il pensa l'obtenir ailleurs, auprès des notables ou des bourgeois dont Luirieux n'avait de cesse de se recommander. Rien n'y fit. On ignorait où se situait le fief de la Vallière dont le prévôt était le petit seigneur. Il se trouva même une bonne âme pour prétendre que la maison forte avait brûlé de nombreuses années auparavant, calcinant l'épouse qu'il avait laissée dedans. Cette supposition affecta plus encore Enguerrand. Il poussa jusqu'à la Bâtie, certain qu'Hélène avait été enlevée.

Il trouva sa mère dans le même état d'esprit. La veille, cette dernière avait reçu une lettre de la damoiselle qui lui annonçait sa grossesse et sa décision, prise durant le trajet, de donner un père à son enfant. Durant le temps qu'il l'avait escortée, sur les recommandations du baron Jacques, la délicatesse d'Hugues de Luirieux l'avait séduite. Et ses arguments plus encore, prétendait Hélène. De sorte qu'elle avait consenti sur-le-champ à sa proposition, ne doutant pas que son père ne manquerait pas de lui donner son assentiment.

Ses arguments ! Enguerrand les connaissait bien ses arguments ! Un poignard sous la gorge ! Voilà quels ils avaient dû être !

Pour s'en convaincre, il suffisait d'interpréter les dernières phrases du message. Fatiguée par la route, son embonpoint et les préparatifs, Hélène ne voulait voir personne avant le jour du mariage, et espérait sincèrement que les siens se réjouiraient alors avec elle de cet heureux moment.

Aucune adresse bien évidemment pour pouvoir lui retourner le compliment !

Enguerrand avait repris la route, furieux. Chevauché de-ci de-là dans l'espoir de dénicher un indice. Il n'en avait trouvé aucun. À croire que ce diable s'était évaporé. Et avec lui Mathieu qu'il avait espéré ramener à sa cause en lui révélant la vérité.

Finalement, le chevalier avait décidé de revenir ventre à terre à la Rochette pour informer Algonde de ce qui se tramait et de la décision qu'il avait prise.

Puisque Luirieux refusait de lui donner une occasion de sauver Hélène de ses griffes, tant pis. Il la prendrait au moment des noces, dût-il les baigner de sang.

*

* *

Lorsque Enguerrand mit pied à terre dans la cour du manoir, Algonde se précipita pour l'accueillir. Elle savait déjà. La nouvelle était arrivée à Sassenage et Gersende était, sans plus attendre, venue la prévenir. Algonde avait espéré que le chevalier y avait trouvé parade.

Elle trembla de découvrir le contraire.

— Rentrons, l'entraîna-t-il par le bras. Je suis affamé, épuisé, et dégoulinant.

Alors qu'il disparaissait dans leur antichambre, Algonde passa ses ordres pour qu'on lui prépare un bain et une collation. Puis elle s'en fut le rejoindre.

Lorsqu'elle referma la porte derrière eux, il achevait de retirer ses bottes. Si l'heure n'avait été si grave, Algonde se serait moquée de ses manières qui, depuis l'enfance, le rapprochaient davantage d'un paysan que d'un seigneur. Au lieu de cela, elle tordit le nez et s'en fut ouvrir la fenêtre.

Avachi sur un tabouret, Enguerrand suivit son geste.

— Tu dois me prendre pour un rustre. Je ne t'ai pas même bisée en arrivant…

Elle se retourna vers lui.
— Est-ce bien l'essentiel ? Nous sommes dans un même tourment. Depuis que ma mère m'a annoncé cet hyménée, je ne vis plus. S'il n'y avait eu Présine pour me ramener à la raison, je t'aurais rejoint à Romans depuis longtemps.
Enguerrand tiqua. Sa voix se fit dure, davantage qu'il ne l'aurait voulu.
— Tu m'aurais gêné plus qu'autre chose.
Algonde se sentit piquée au vif. Elle se tourna vers l'extérieur, s'attarda sur le pigeonnier dans lequel roucoulait une flopée de volatiles. La netteté de son regard n'était plus à mettre en cause ce jourd'hui. Elle l'affirma.
— Mes yeux sont guéris.
— Ils restent fragiles... Une rechute serait sans espoir cette fois.
Elle fit volte-face.
— Me prends-tu pour une enfant ?
Il s'adoucit devant ses sourcils froncés de colère.
— Non, tu le sais bien, Algonde. Mais hier encore tu ne pouvais aller qu'en te cognant. Et puis, trêve d'arguments, si tu as mené combat bien plus grand, par le passé, ce jourd'hui m'appartient. Je me refuse à voir Luirieux abîmer Hélène comme il tortura Mounia.
Elle s'inclina devant cet argument.
— Je l'entends. Mais pour l'affronter tu es seul. Si encore tu n'avais pas délégué tes mercenaires à d'autres tâches...
Il releva le menton avec détermination, donnant plus de relief encore à son visage anguleux.
— Crois-moi, ma condition m'ouvrira passage bien mieux qu'une armée en ce jour de feste. J'approcherai Luirieux et s'il ne veut céder, je lui ferai rendre gorge, affirma-t-il alors qu'on toquait à la porte.
Enguerrand invita à entrer.

— Votre bain est prêt, messire, annonça le valet qui parut sur le seuil.

Il se leva.

— Accompagne-moi, nous n'en avons pas terminé.

Troublée, Algonde lui emboîta le pas jusqu'à la chambre voisine. Dos à lui tandis que le valet l'aidait à se dévêtir, elle demeura silencieuse. Ils ne s'étaient aimés qu'une seule fois, dans la grotte. Pas depuis, malgré leur attachement. Ils n'avaient pas eu besoin d'en parler. Ce qui avait été spontané, ce jour-là, s'était avéré compliqué ensuite. Enguerrand aimait Mounia et attendait son retour dans le sillage d'Elora. Algonde aimait Mathieu et s'enrageait de voir passer les semaines sans pouvoir ne serait-ce que chevaucher vers lui.

Ils étaient mariés, l'un comme l'autre, devant Dieu, à deux êtres qui les croyaient défunts. L'un comme l'autre, ils devaient renaître.

Le mouvement de l'eau, puis le claquement discret de la porte la décidèrent à s'avancer vers un tabouret. Elle s'y installa à quelques pas de lui qui gémit de contentement.

Algonde noua ses doigts pour contenir son angoisse.

— As-tu vu Mathieu ?

Il releva la nuque, un instant abandonnée sur le rebord.

— Non. Introuvable. Comme Luirieux. Il n'y a pas eu d'autre pendaison depuis l'hiver et j'en suis venu à me demander s'il n'était pas devenu l'ombre du prévôt.

— Pour assouvir sa vengeance contre Hélène ?

— C'est possible. Celma ne t'a rien caché des sentiments qu'il nourrissait à son égard. Et je doute que Luirieux soit assez stupide pour mêler sa soldatesque à un enlèvement.

Si détestable que lui soit cette idée, Algonde dut l'admettre. Cela supposait que Celma avait tenu parole la concernant. Mathieu ne savait toujours pas qu'elles étaient vivantes, Elora et elle. Elle soupira. Si seulement Présine n'avait pas été si sûre d'elle en prétendant que la malédiction serait brisée par l'acceptation de la femme serpent qu'elle était devenue au détriment de la bécaroïlle d'hier.

— Je sais à quoi tu penses, Algonde, la faucha Enguerrand. Cesse de te torturer. Nous serons bien assez nombreux pour le convaincre le moment venu. Pour l'heure, tu dois me promettre de rester à m'attendre. À nous attendre. Inutile d'attirer sur toi les peurs irraisonnées des gens que tu as fréquentés par le passé. Je ne veux pas d'une chasse à la sorcière. Luirieux en tirerait parti, Hélène en pâtirait et alors Mathieu…

Elle frémit.

— Mathieu serait perdu à jamais, oui, je sais…

Il récupéra le savon, la brosse, et se pencha en avant pour se récurer le dos.

— Je ne veux pas que tu te reproches le départ de mes hommes. Nous en avons convenu ensemble avec Présine. Il nous faut un navire pour gagner les Hautes Terres et ils sont à même de nous en procurer un.

Il se redressa pour se frotter. Elle détourna les yeux.

— Je t'ai connue moins prude, s'amusa-t-il.

Elle rougit.

— Je ne le suis pas. C'est juste que…

Il la coupa en plein embarras.

— … Moi aussi j'y songe quelquefois.

Un silence.

Elle se leva, gênée.

— Je vais te faire porter de l'eau propre pour te rincer.

Il la laissa se diriger vers la porte. L'arrêta sur le seuil.

— Je t'ai toujours aimée, Algonde, mais comme tu es destinée à Mathieu, je le suis à Mounia. Je ne supporterais pas de te perdre. Alors tu dois me faire confiance. Malgré sa charge, Hugues de Luirieux n'est qu'un petit seigneur, déprécié des grands, j'ai pu en juger. Je le ferai tomber, crois-moi.

Elle appuya sur le loquet.

— Tu partiras demain, je suppose...

— À l'aube..., lui confirma-t-il en se rasseyant dans l'eau noire.

*
* *

Au petit jour, Algonde plaqua son nez à la fenêtre pour regarder le ciel s'embraser. Il se nimbait de sang lorsque la herse se releva. Parvenu devant, Enguerrand se retourna pour lui adresser un signe de la main. Elle le lui renvoya. Mais, lorsqu'il s'élança au galop dans un nuage de poussière, Algonde sentit monter en elle un poignant sentiment d'abandon.

Elle se rabattit contre le mur, la gorge nouée. La pierre avait remplacé l'eau. D'une certaine manière, elle était toujours prisonnière.

Face à elle, sculptée au manteau de la cheminée, Mélusine semblait s'en amuser.

Alors monta en elle une rage oubliée. Celle de la petite Algonde d'autrefois qui avait bravé la fée dans le Furon. Elle s'approcha, enfonça l'œil de pierre. Elle venait d'entrevoir un moyen. Un moyen d'agir. D'exister de nouveau.

Elle ne le laisserait pas s'envoler, cette fois.

20.

— Vos fourberies et mensonges ont perdu Philibert de Montoison dans le plus habile des traquenards. Je ne commettrai pas la même erreur. Une couturière viendra puisque cela s'avère nécessaire, mais elle logera au castel et sous ma surveillance. Comptez-y bien, Hélène, à partir de ce jour, je ne vous quitte pas, lui avait assené Luirieux, averti par Celma.

Hélène s'y était résolue. Elle serait épousée, ne ferait pas scandale et donnerait l'illusion, ainsi que Luirieux l'exigeait, d'un transport de sentiment ayant rendu cette issue inéluctable.

Pour le reste, son futur époux avait tout organisé.

Les rapines de ces dernières semaines sous le commandement discret de Mathieu avaient grossi son trésor et, pour ce qui manquait, il avait sans scrupule exigé d'Hélène une lettre de change.

Sitôt reçue la bénédiction de l'évêque, ils sortiraient sur la grand-place de Romans, y seraient accueillis par des lancers de pétales de rose et un lâcher de colombes. Ensuite, tout ce que la contrée comptait de gens d'importance trouverait assise autour d'une gigantesque tablée, isolée par des ballots de foin du reste de la population qui se verrait distribuer ripaille.

Le prévôt voulait faire date, implanter des rires en place des potences.

Et changer en musique le râle des exécutés.

*
* *

Ce 27 mai, dans cette chambre que la couturière avait enfin quittée et face à son miroir, Hélène était prête.

Habillée d'une robe vermillon, sa grossesse soulignée par une ceinture d'or enchâssée de rubis, la chevelure tressée de rubans et ramenée en chignon bas, une couronne de diamants au front qui retenait une traîne vaporeuse, elle correspondait en tous points à l'exigence du prévôt.

Mais, sous le fard, elle était pâle.

Ses doigts tremblaient, ses yeux brillaient.

Elle pensait à Djem.

Aux serments qu'ils avaient échangés.

À la promesse qu'elle lui avait donnée de demeurer sa sultane. Pour l'éternité.

La porte s'ouvrit derrière elle, brisant le reflet.

— Le carrosse vous attend.

Elle se retourna sur Briseur.

Depuis la visite de Celma, n'ayant plus besoin de feindre hors la présence de Mathieu, il s'était adouci avec elle. Hélène avait même pu l'entraîner dans quelques discussions sitôt le couvre-feu instauré. Elle avait ainsi pu compléter le tableau que la devineresse lui avait peint de leur communauté de brigands, appris à le connaître, à apprécier ses manières un peu rustres mais teintées de vraie générosité à l'égard des siens. D'affection pour Mathieu. Elle savait désormais pouvoir compter sur eux. Faire partie du clan.

Bien évidemment, Mathieu l'ignorait.

Luirieux de même.

Briseur s'approcha d'elle, la mine triste.

— Faut pas vous en faire. On vous en débarrassera bientôt…

Hélène essuya une larme qui avait glissé sur sa joue.

— Je ne m'en inquiète pas, Briseur. Je songe juste à mes illusions perdues… À mon amour perdu.

Un silence, dans lequel Hélène lissa les pans de sa jupe. Puis, un raclement en la gorge du colosse, empêtré dans ses nouveaux habits.

— Je comprends, vous savez… (Il rougit.) Celma…

— Oh ! fit Hélène.

Gêné d'avoir osé l'avouer, il ramassa le bouquet posé sur un tabouret. Le lui tendit.

— J'me dis qu'un jour… quand Mathieu aura récupéré son Algonde… faudra bien qu'elle s'en console, vous croyez pas ?

Hélène approuva. Déchirée par cette part d'elle qui savait que certaines blessures ne se referment pas.

— Faut descendre, maintenant, dit-il en s'inclinant pour la laisser sortir.

Hélène inspira largement l'air de cette pièce qu'elle renouvelait à la nuit tombée, grâce aux bons soins de ses nouveaux amis.

Aller au combat. Voilà ce qu'elle devait se dire.

Aller à ce mariage comme Djem allait au combat.

Elle accrocha un sourire à sa détermination nouvelle.

— Tu as raison, Briseur. Plus vite nous en aurons terminé, plus vite vous récupérerez Petit Pierre.

Il baissa le ton.

— Et plus vite j'écraserai ce scélérat.

*
* *

En bas, dans la cour, Hugues de Luirieux l'attendait au pied de la voiture, entouré d'une solide escorte parmi laquelle elle reconnut Ronan de Balastre, Torval, La Malice. Mathieu ne s'y trouvait pas. Hélène ne s'en troubla plus. Elle se doutait qu'il les rejoindrait sitôt leur équipage ébranlé. Pour n'avoir pas à croiser son regard de nouveau.

Celma le lui avait avoué, la mine basse et triste. Le jour de son enlèvement, Mathieu avait dû se faire violence pour s'empêcher de la pourfendre. Craignant d'y céder, il avait préféré tourner bride, laisser à ses compagnons le soin de la mener. Hélène l'avait entendue. Mieux vaudrait, au jour de la confrontation, qu'ils soient tous à ses côtés.

Tandis que Briseur enfourchait sa monture, elle répondit au compliment de Luirieux d'un léger mouvement de tête.

Si son futur époux n'avait été si ignoble, elle aurait pu le lui retourner. Ainsi mis dans son costume d'épousailles, la barbe taillée, les cheveux domptés et parfumés, il possédait quelque charme.

Celui du serpent, nota-t-elle pourtant, devant son regard rétréci de convoitise.

— Des nouvelles de mon père ? demanda-t-elle en acceptant l'aide de son bras pour gravir le marchepied.

— Une lettre qui nous assure de sa venue prochaine.

Elle tiqua.

— Quand est-elle arrivée ?

Il referma sur eux la porte du carrosse.

— Hier.

Hélène retint un mouvement d'exaspération.

— Ne m'était-elle pas adressée ?

Il prit place à côté d'elle, affichant ce sourire de condescendance qu'elle détestait.

— Si. Mais je tenais à m'assurer de ses félicitations avant de vous la donner.

— J'en déduis qu'il refuse cet hyménée…

Luirieux ricana, la main sur le pommeau de son épée.

— Quelle importance ? Vous ne le lui direz jamais, ni à quiconque, qu'elle est arrivée assez tôt pour l'empêcher, n'est-ce pas ?

Hélène se durcit, les mâchoires crispées sur le souvenir du contrat qu'ils avaient passé.

— Non. Évidemment non…

— Vous voyez bien que cette discussion est sans objet, conclut Luirieux avec satisfaction.

Réagissant à son signal, la voiture s'ébranla dans un à-coup qui jeta Hélène au fond de son siège. Elle y resta, rongée de colère.

Son œil accrocha la silhouette de Celma à la porte du castel.

« Courage ! Vous volez vers la liberté », semblait-elle lui murmurer.

Hélène s'en rasséréna. La devineresse disparut, laissant place à Mathieu qui enfourchait sa monture.

Bientôt, songea-t-elle. *Bientôt je te donnerai la paix. C'est le moins que je puisse faire pour toi.*

Elle le fixa jusqu'à ce qu'Hugues de Luirieux rabatte les volets, les plongeant tous deux dans la pénombre.

Le mouvement s'accéléra. Ils avaient passé la herse.

Hélène noua ses mains sous son ventre pour protéger l'enfant des soubresauts du voyage, puis ferma les yeux.

Autant qu'elle se repose.

Les heures à venir seraient, de son avis, bien assez pénibles à supporter.

21.

Parvenu devant l'église collégiale sous les acclamations de la population, le carrosse contourna la bâtisse pour se garer à l'angle de la chapelle du Saint-Sacrement, près des autres équipages.

— Tout est calme, annonça Ronan de Balastre en ouvrant la portière.

Luirieux se retourna vers Hélène qui n'avait pas bougé.

— N'oubliez pas de sourire…

— Comment le pourrais-je ? Le bonheur me transporte, le nargua-t-elle, faussement énamourée.

Il ne répondit pas et quitta la place.

Quelques minutes s'écoulèrent, portant à Hélène la voix des hommes de Luirieux autour de la voiture. Celle de Mathieu aussi. Ils veillaient. Quiconque se présenterait pour la délivrer n'aurait guère de chances d'y parvenir, ricana-t-elle entre la déception et la résignation, avant de caresser son ventre.

— Mieux vaut que ce soit moi qui affronte les quolibets que toi, plus tard, murmura-t-elle pour se remotiver.

Dans quelques mois, le deuil ferait taire les ragots et achèverait de la rendre respectable. Jusque-là, elle ferait ce qu'elle devait.

Enfin, on déplia le marchepied.

La lumière revint dans l'habitacle.

Torval lui tendit la main pour l'aider à en descendre. Elle ne prit pas la peine de le remercier.

Cernée d'hommes d'armes, elle s'accorda à son pas, passa sous une porte latérale, traversa la chapelle, gravit une volée de marches, longea le triforium pour redescendre tout à l'autre bout, au départ de la travée principale.

La nef était bondée. Lorsque Hélène s'y présenta, le ventre entravé de cinq mois et demi de grossesse, la surprise remplaça la joie festive des invités qui n'avaient plus trouvé de banc pour s'y installer.

Un murmure flotta qu'elle affronta, le front haut et le sourire aux lèvres en fixant le chœur où Hugues de Luirieux l'avait précédée.

Un pas. Dix. Vingt. Dans sa direction.

La limite était franchie.

Elle ne pouvait plus désormais revenir en arrière sans subir un déshonneur marqué. Le bruit de l'annulation de son mariage étant allé bien plus vite que celui de ses épousailles, on n'était pas loin d'imaginer dans l'assistance qu'Aymar de Grolée l'avait répudiée pour ne pas avoir à s'embarrasser de l'enfant d'un autre.

C'était toujours ainsi que les choses arrivaient, songea Hélène sans s'en affecter.

Hugues de Luirieux l'attendait en haut de trois marches, devant l'autel. L'œil de velours, le prévôt s'était vêtu avec une sobriété qui mettait en valeur son physique scélérat. Beaucoup de femmes mariées y avaient succombé. Certaines même se trouvaient là. Il avait tenu à les inviter, elles comme les autres, pour couper court aux rumeurs concernant sa virilité. S'il n'honorait plus ces dames, c'était qu'il était amoureux et non émasculé. Hélène leur en donnait la meilleure preuve qui soit, il le voyait à leurs visages pincés.

Il s'en réjouit. Dès le lendemain, la rumeur laverait son orgueil bafoué, ajoutant un argument de plus à ce mariage vers lequel, jouant parfaitement le jeu qu'il lui avait imposé, Hélène s'approchait.

Il lui tendit la main pour l'aider à monter.

Elle l'accepta.

Pris entre un gigantesque Christ en croix et l'autel, l'évêque toussota avant d'entonner un chant repris par les enfants de chœur, dans l'abside.

On y est, songea Hélène… *Plus qu'à laisser faire.*

Même si en elle une voix s'était réveillée de nouveau. Celle de Djem.

Durant le quart d'heure qui suivit, elle la laissa parler, ranimant en elle la douceur, la tendresse, la lumière afin qu'Hugues de Luirieux puisse se les approprier et les invités s'en tromper.

Ils étaient sur le point d'échanger leurs serments lorsque la porte grinça sur ses gonds, ramenant quelques regards vers l'arrière.

Pas celui d'Hélène pour qui rien, au fond, n'importait.

Le front suant encore de sa chevauchée, Enguerrand embrassa la situation en un éclair. La main de l'évêque se levait pour consacrer l'union. Dans quelques secondes, Hélène serait mariée. Sans réfléchir plus avant, il arracha la lame à sa ceinture, poussa un hurlement guerrier et s'élança à toutes jambes vers l'autel, terrifiant les invités.

— Doux Jésus ! s'étrangla l'évêque, le geste en suspens.

Hélène tourna la tête, mit quelques secondes à reconnaître son cousin.

Le temps pour Hugues de Luirieux de pivoter et de s'emplir de rage autant que de plaisir. Face à cette agression sauvage, il était dans son droit. Aurait-il jamais meilleure occasion de se débarrasser une fois pour toutes du chevalier ?

D'un geste, il empêcha l'intervention de ses hommes, refoula Mathieu dans l'ombre d'un pilier de la travée la plus à droite, sous le triforium. Puis il poussa Hélène dans les bras de l'évêque qui, jouant de courage, avait descendu les marches pour s'interposer.

— Rengainez vos discours, monseigneur, et menez-la en sécurité, lui ordonna-t-il en arrachant son épée du fourreau.

Connaissant la réputation du prévôt, l'évêque n'osa pas ergoter. Il noua son bras autour des épaules d'Hélène et l'attira vers l'abside.

Elle se laissa faire, le cœur impatient. Une part d'elle se réjouissait, l'autre s'inquiétait. Elle accrocha le regard de Sidonie au premier rang. Un clignement de paupières. Complices. Fort bien, s'en accommoda Hélène. Si Luirieux tombait, là, avant leurs épousailles et devant ce parterre, on songerait davantage à la plaindre qu'à la juger. Quant à Enguerrand, sa notoriété ne ferait pas un instant douter des raisons qu'il donnerait. Elle n'en vit qu'une pour sa part. Avant qu'il ne quitte la région dix ans plus tôt, Enguerrand et elle s'étaient beaucoup rapprochés. S'il se battait pour elle ce jourd'hui, c'était qu'il la voulait encore. Et Luirieux le savait. Jacques de Sassenage annonçait-il leurs proches fiançailles dans cette lettre que le prévôt avait refusé de lui donner ?

Malgré sa pâleur, le sourire confiant de Sidonie revint la conforter.

Lors, Hélène repoussa l'évêque. Son devenir allait se jouer et elle n'en voulait rien rater.

Un silence glacial emplit l'église qu'un grand nombre d'invités des premières rangées quittait. Les notables voulaient bien festoyer, pas succomber sous un coup mal porté.

Chargés d'une même haine, les deux hommes se firent face à la croisée du transept, solidement campés sur leurs jambes fléchies.

Enguerrand avait compris que Luirieux avait refusé le secours de ses hommes, parce qu'il escomptait vaincre. Si Enguerrand prenait le dessus, tous s'élanceraient pour se saisir de lui. Il n'avait d'autre choix que frapper vite. Mortellement de surcroît.

Ensuite, il s'expliquerait.

— Tu n'étais pas invité, Sassenage, grinça Luirieux en renforçant sa poigne autour du pommeau.

— Toi non plus, à Héliopolis…

Luirieux eut un sourire mauvais. Il ne le laisserait pas ressortir ici, devant tous, cette vieille histoire.

Il se jeta de l'avant.

Les aciers s'entrechoquèrent sous la voûte d'ogive.

Durant quelques minutes, les coups se succédèrent avec une telle violence que personne ne put juger qui des deux hommes avait l'avantage. Ils s'échinaient l'un contre l'autre, attaque, parade, de face, de revers, tantôt s'accroupissant, tantôt bondissant, bousculant une chaire, intercalant un banc, faisant reculer l'assistance entre la peur et l'intérêt, les murs latéraux et le fond de l'église.

Lentement mais sûrement, Enguerrand voyait se resserrer autour de lui le cercle des soldats. Il leva l'épaule, para à l'horizontale et à hauteur du front le coup que Luirieux venait de porter en réponse aux siens. Accrocha son regard, sa grimace. Le nargua, haut et fort.

— Elle non plus, tu ne l'auras pas.

Puis se fendit vers l'avant. Luirieux ne fut pas assez rapide cette fois pour empêcher la lame d'abîmer l'extérieur de son épaule et d'emporter un morceau du pourpoint. Déjà le chevalier revenait à la charge, ragaillardi par son toucher. Il piqua de nouveau, cette fois à l'intérieur, ragea d'avoir buté sur une côte quand il visait le cœur.

Qu'importe. Il avait affaibli la main qui serrait l'épée. La sentit trembler. Vit le regard fulminer.

— À moi la garde ! hurla Luirieux en gravissant les marches, le chevalier sur les talons.

Pour Enguerrand, c'était maintenant ou jamais.

22.

Il le savait, dans quelques secondes – le temps qu'il fallait à la soldatesque pour les rejoindre – Enguerrand serait vaincu par le nombre.

Le jeune homme s'enragea de plus belle, endiablé par la présence d'Hélène à moins d'une toise. Affaibli, Luirieux se retrancha derrière deux de ses hommes. Les autres, aussitôt, renforcèrent le rempart.

— Tu es fait ! Rends-toi ! semonça le prévôt.

— Plutôt mourir, cracha Enguerrand en réponse.

Il arracha son poignard, et, dans un hurlement de rage, comme au temps où il s'élançait à l'abordage, il entama le bloc humain. Il toqua à droite, pointa devant, cisailla à gauche. Mais, sitôt qu'il ouvrait une brèche, elle était comblée. Luirieux avait rejoint Hélène près de la porte d'une des chapelles latérales, prêt, si besoin était, à s'y engouffrer. Enguerrand comprit : on le laissait gagner du terrain pour mieux l'isoler et lui offrir une mise à mort discrète au fond de l'abside.

Sa seule chance d'atteindre encore le prévôt était de rebrousser chemin, de sortir de l'église et, sous le prétexte de fuir, de le prendre à revers. Il fit volte-face, écarta un jouvenceau boutonneux d'une pique au poignet, pour se retrouver aussitôt face à deux autres, plus âgés et mieux aguerris au combat.

Devant leur expérience, cerné à présent de toutes parts, Enguerrand comprit qu'il était perdu. Dans la nef, sa mère, affolée, cherchait parmi les invités, tordus d'angoisse, une aide qu'elle ne trouvait pas. La crainte prévalant sur le mépris, pas un n'interviendrait en sa faveur. Enguerrand avait eu tort de sous-estimer l'influence de Luirieux sur les bourgeois.

C'est à cet instant qu'il aperçut Mathieu. Adossé à un des piliers de la travée transversale, ce dernier affichait un sourire indéchiffrable. Tout en accusant une entaille à la cuisse, Enguerrand l'interpella.

— Hardi, compère ! sors-moi de là !

Mathieu ne bougea pas. Enguerrand explosa.

— Foutredieu, Mathieu ! S'il épouse Hélène, il aura tous droits sur Elora !

Mathieu sursauta. Que voulait-il dire par là ? Détournés une seconde de la bataille, les regards des témoins se braquaient sur lui à présent. Lui que Luirieux avait tenu dans l'ombre.

Il ne gagnerait rien de bon à se faire remarquer davantage.

Abandonnant Enguerrand, il se défaussa derrière un saint Antoine de marbre. Pour aussitôt être alerté par Briseur à ses côtés. L'œil dans leur direction, Luirieux venait de glisser quelques mots à l'oreille de Torval. Le cœur de Mathieu se pinça dans sa poitrine. Il connaissait bien assez les manières du prévôt pour l'imaginer tirer parti de la situation et se débarrasser d'eux.

— Sortons de là, glissa-t-il à ses compagnons, pris des mêmes craintes.

Sans plus attendre, il se fraya un passage parmi ceux des invités qui s'étaient retranchés sous le triforium.

Acculé au pied de la croix, blessé en plusieurs endroits, rendu à l'évidence qu'il resterait seul dans sa tourmente, Enguerrand luttait encore, mais de moins en moins vivement. Bousculant ses pairs et ne comptant plus que sur elle-même, Sidonie s'était élancée vers lui en réclamant pitié.

Le temps qu'elle soit entendue, Enguerrand aurait rendu l'âme, comprit Hélène, épouvantée.

Elle était la plus à même d'intervenir. De faire cesser la curée.

Elle profita d'une seconde d'inattention de Luirieux pour lui fausser compagnie. Avant qu'il ait pu réagir, elle se jeta dans le rempart humain, jouant des coudes et du ventre dans le dos de ses hommes pour les forcer à s'écarter.

— Assez ! Assez de sang pour aujourd'hui ! gueula-t-elle en écho à Sidonie.

Les soldats hésitèrent, cherchèrent l'approbation du prévôt.

S'il n'avait tenu qu'à lui, il aurait laissé faire. Mais achever le chevalier de cette manière n'aurait pas servi son image.

Pris d'une bien meilleure idée, il ordonna la tombée des armes.

Libéré de ses chiens, Enguerrand abdiqua. Épuisé par ses multiples plaies, il se laissa glisser contre le bois de la croix pour accueillir sa mère, en larmes. Tandis qu'il tentait de la rassurer, l'épée qu'il abandonna tinta cruellement sur le marbre rougi, ramenant en lui le souvenir d'une autre bataille.

Un argument de plus à sa vengeance, songea-t-il, aux portes de l'inconscience, en cherchant Hélène des yeux. Des soldats la lui masquèrent. *Demain*, se promit-il. Il la délivrerait demain.

Le premier réflexe d'Hélène avait été de se précipiter au chevet du chevalier. Elle se contint, en voyant Sidonie se pencher sur lui et les hommes de Luirieux s'intercaler. Elle n'insista pas.

En haut des marches, les bras ballants, elle laissa un œil amer et désemparé courir sur l'assistance qui, comme une houle apaisée, revenait vers la croisée du transept dans un silence coupable. Son regard tomba sur Mathieu, Briseur et La Malice, qui jouaient des coudes vers la sortie, Torval et Ronan de Balastre visiblement dans leur sillage.

Elle comprit aussitôt les intentions de Luirieux. En avait-il jamais eu d'autres ? Sitôt passée la porte, Mathieu et les siens seraient pris. Il fallait les avertir. Mais comment sans se mettre, elle, en danger ? Elle tourna la tête. Luirieux revenait vers elle, un sourire de satisfaction aux lèvres malgré sa figure blême et son pourpoint ensanglanté. Le fourbe, il jubilait.

Reprise de fébrilité, elle se souvint des paroles d'Enguerrand à propos d'Elora. Mathieu les avait-il entendues ? Elle devait le forcer à se retourner. À découvrir de lui-même l'escorte qu'on lui offrait.

Couvrant les murmures qui progressivement renaissaient, elle hurla :

— Que tous ici l'entendent en réponse à cet acte sanglant. J'épouse Hugues de Luirieux de mon plein gré, mais l'enfant qu'on m'a confiée autrefois continuera de vivre là où elle a grandi, sous la protection d'Aymar de Grolée.

Fouetté brutalement, le sang de Mathieu lui monta aux joues. En une fraction de seconde, il revit le visage d'Hélène lorsqu'il l'avait interceptée dans la forêt, aux abords de Bressieux, son angoisse, incompréhensible alors, à propos d'Elora. Et ces dernières semaines, son insistance à vouloir lui parler.

Il fit volte-face, ahuri par le doute qu'Enguerrand avait fait naître. Par l'espoir qu'Hélène réveillait.

Elle lui sourit. C'était tout ce qu'elle pouvait faire. Déjà Luirieux s'interposait.

Mathieu le vit tendre un index, gueuler.

— Gardes, arrêtez ces hommes !

— Le chien ! grinça Briseur en regrettant sa bourlette.

— Hardi, compagnons ! les entraîna Mathieu, ramené à l'urgence par la vision de Torval et Ronan de Balastre qui se précipitaient en bousculant les invités.

Les trois compères profitèrent de ce mince rempart humain pour passer le portail. D'un même élan, ils dévalèrent les marches du parvis en direction de la foule compacte.

— Celma, les enfants ? demanda Mathieu, indifférent aux cris des hommes de main du prévôt qui, pour les courser, requéraient l'aide des hallebardiers.

— Je m'en charge, assura Briseur. Filez à Bressieux.

— On se retrouve à la Chesnue, gueula encore Mathieu tandis qu'ils se laissaient avaler par le nombre.

Derrière eux, La Malice venait de crocheter du pied le mollet d'une dame imposante. Elle perdit l'équilibre, voulut se raccrocher à son voisin trop chétif, l'entraîna sous son poids, tomba en piétinant une autre femme qui, de vengeance, se mit à la grêler de coups furieux.

En une fraction de seconde, l'échauffourée faisait diversion et barrait la route à leurs poursuivants.

Briseur obliqua vers la droite. La Malice et Mathieu vers la gauche, certains dès à présent qu'on ne les prendrait pas.

23.

À l'intérieur de l'église, Hélène priait. Autant pour le salut de ses amis que dans l'espoir d'un châtiment pour leur tourmenteur.

Fort de sa totale maîtrise de la situation, le prévôt avait accepté que le frère médecin examine le blessé, immobile et sanguinolent. Le frère, qui n'en finissait plus de compter les coups de dague, réclama que Sidonie s'écarte un peu pour lui donner plus d'aisance. Indifférent à son estafilade qu'on avait bandée en priorité, Hugues de Luirieux en profita pour la prendre par le coude et l'attirer en retrait.

— Eu égard à son rang et au vôtre, j'attendrai que votre fils se remette pour l'arrêter. Jusque-là, je vous le confie, mais sachez que je vous tiendrais pour personnellement responsable s'il se soustrayait à la justice.

Sidonie se dégagea de sa tenaille un peu trop marquée pour le toiser avec mépris.

— Pavoisez aujourd'hui, prévôt. Demain vous mettra face à vos propres crimes. J'y veillerai.

Haussant les épaules, Luirieux interpella un des soldats, demeuré en faction près d'Enguerrand, et le chargea de rappeler l'évêque.

Sidonie blêmit.

— Vous n'allez tout de même pas…

Il prit la main glacée d'Hélène, parvenue à leurs côtés, la porta à ses lèvres, avant de couler un œil cynique à Sidonie, effarée.

— Épouser votre bru ? N'est-ce point pour cela que nous sommes rassemblés ?

Sidonie fouilla les traits tirés d'Hélène. Cette lueur de soumission derrière la colère. Quel chantage opérait-il donc sur elle ? Elle serra les poings, détourna son œil attristé pour le ramener vers le pourpoint ensanglanté de Luirieux.

— Votre état…

— … ne m'empêchera pas de festoyer, répondit-il froidement.

Hélène posa sur le bras de Sidonie ses doigts tremblants. Apaiser la situation. Mentir. Elle le devait. Sidonie saurait lire entre ses mots. Elle se força à sourire.

— Nous avons ce jourd'hui suffisamment donné à nos pairs l'occasion de médire des Sassenage, ne croyez-vous pas ? Mon terme approche. Il est temps d'y remédier.

Sidonie l'embrassa tendrement.

— Si c'est ce que tu souhaites.

— Ne vous souciez que d'Enguerrand, s'il vous plaît.

Sidonie comprit qu'il serait vain d'insister. Tout en elle pourtant appelait la vengeance. Pas plus qu'Enguerrand, Jacques de Sassenage ne laisserait Hélène s'user dans sa prison, songea-t-elle en fourbissant déjà ses propres armes. Lors, foi de Sidonie de La Tour-Sassenage, Luirieux paierait.

Elle n'avait, pourtant, d'autre choix que d'abdiquer.

— Prends soin de toi, ma fille. Ton père sera de retour bientôt. Nous viendrons te visiter, promit-elle en la serrant dans ses bras.

Puis, voyant qu'on emportait son fils inconscient dans la chapelle adjacente, elle se détourna d'eux pour emboîter le pas aux soldats.

Luirieux attendit qu'elle disparaisse avant de toiser Hélène, livide.

— Préparez-vous, ma mie. Et faites bonne figure. J'ai prévu de vous épouser, et, comme vous l'avez pu voir, rien ni personne ne pourra m'en détourner.

Elle baissa la tête, consciente que, depuis la nef, si on ne pouvait entendre leurs propos, on les regardait.

— Je ne suis pas responsable de ce qui vient de se passer.

— En ce cas, ne me donnez pas d'autres raisons d'en douter, ajouta-t-il avant, d'un doigt léger, de lui frôler la joue.

Hélène prit cette caresse pour ce qu'elle était en réalité. Une gifle refoulée.

Encadré par deux soldats, l'évêque revenait, la mine renfrognée.

— De mémoire je n'ai assisté à semblable hyménée et crains pour vous, mon fils, son augure sanglant. Ne vaudrait-il pas mieux renoncer ? l'attaqua le saint homme, ainsi que Luirieux s'en doutait.

— Mêlez-vous de vos affaires, monseigneur, et n'oubliez pas qu'elles intéresseraient grand-monde en cette assemblée s'il me prenait l'envie de les divulguer, lui rétorqua-t-il d'un ton cassant.

L'évêque dégoulina sous son habit. Il écarta son col, soudain trop serré, et accrocha un sourire au milieu de la sueur qui lui baignait le visage.

— Certes, certes. Ce n'était qu'un conseil, rien de plus, et j'officierai puisque telle est votre volonté.

— En ce cas, pendant que vous me ramènerez ma promise, j'éclaircirai le fond de cette affaire auprès de mes invités, lui concéda Luirieux avant de lui tourner le dos.

Il était temps pour lui de conclure cet épisode désagréable de la journée et d'entériner définitivement la situation à son avantage.

Dans la nef, tout danger ayant été écarté, chacun avait regagné sa place, et les conversations allaient à présent de commentaires en consternation, de questions en dissensions.

Drapé dans une dignité d'autant plus imposante que grave, Luirieux leur fit face depuis la deuxième des marches qui rehaussaient le chœur.

Tous les regards convergèrent aussitôt vers lui, empesés d'un brutal silence.

Il releva fièrement le menton.

— Je regrette que vous ayez été les témoins d'un si fâcheux complot. Il y a quelques mois, vous vous en souvenez tous, cette même place a vu pendre les dangereux brigands qui écumaient la contrée.

La houle des approbations gagna l'autel. Luirieux la laissa s'atténuer avant de poursuivre.

— Enguerrand de Sassenage, alors revenu du Nouveau Monde, s'était porté volontaire pour m'aider à leur capture. Ce fut le cas, à l'exception d'un des meneurs qui, selon les dires du chevalier, avait péri. Je n'avais alors aucune raison d'en douter. Mais la fin de l'hiver a vu de nouveau les rapines et les assassinats se multiplier. Une autre bande, ai-je tout d'abord pensé, avant de m'apercevoir que celle-ci usait des mêmes procédés. Mathieu, leur meneur prétendument occis par Enguerrand de Sassenage, était toujours aussi frais. Pourquoi ce mensonge ? me suis-je demandé. J'avais convoqué le sire de Sassenage pour qu'il m'éclaire. Vous avez pu juger de sa réponse !

On s'indignait à présent ouvertement dans l'assistance. Revenue aux côtés du prévôt, Hélène se sentit exsangue. Avant longtemps, elle n'en pouvait douter, par crainte de voir le déshonneur des Sassenage les atteindre comme une vilaine maladie, ceux qui s'étaient rengorgés de leur amitié leur tourneraient le dos. Mieux, on louerait la générosité du prévôt qui, malgré cette boue, avait accepté de l'épouser.

Luirieux tempéra la foule en levant ses paumes.

— Nul n'est à l'abri d'une brebis galeuse… N'est-il pas, monseigneur ? ajouta-t-il en pivotant de quart vers l'évêque, revenu devant l'autel.

Ce dernier entendit la menace.

Il hocha la tête.

— En effet, mon fils. En effet.

— Puis-je en ce cas suggérer une prière à l'intention de dame Sidonie qui a vu disparaître ce fils pendant dix années et le découvre ce jour, bien différent de ce qu'il était ?…

Allégé de ses craintes, l'évêque ne put qu'approuver.

Hugues de Luirieux croisa le regard effaré d'Hélène. Elle était soumise, vaincue comme tous ceux et celles qui s'étaient dressés contre lui. Son triomphe était complet, jubila-t-il. Refoulant la douleur de sa blessure, il redressa le buste et sourit à ces notables qu'il tenait à sa botte de la même manière que le clergé.

— … Ensuite, si vous le voulez bien, chers amis, nous finirons ce que nous avons commencé.

24.

Alertée par la violence de la prémonition qui lui avait coupé bras et jambes un long moment, Bertille fondit dans la cuisine où sa mère était occupée à filtrer une décoction de simples.

— Ils arrivent, les soldats du prévôt, ils arrivent pour nous prendre, annonça-t-elle, livide et essoufflée.

À l'autre bout de la table qui les séparait, Celma lui sourit tristement.

— Je sais. Mais nous avons de longues minutes encore. J'ai besoin de ces médications.

La fillette la regarda tordre le petit ballot de tissu. Un jus noir, né de la macération de racines, tomba dans le récipient de terre cuite, au-dessus de la pâte qu'il contenait déjà.

— Aide-moi, réclama Celma.

Enlevant une cuillère de bois d'un vieux broc qui trônait sur un billot, la fillette la plongea dans la mixture. Celma retourna au feu derrière elle, récupéra un second ballotin dans le pot suspendu dans l'âtre. Elle recommença l'opération, délayant le mélange noirâtre et nauséabond que sa fille malaxait. Pour les foulures, reconnut Bertille à l'odeur, avant de poursuivre, plus sereine cette fois.

— Il existe un souterrain, dans la cave. C'est par là que nous pourrons nous enfuir.

Celma hocha la tête.

— Je l'ai vu aussi. Tranquillise-toi et occupe-toi de Jean.

Bertille lui sourit. Même dans le confort de ce castel, sa mère n'avait rien perdu de ses dons. Toutes deux étaient plus complices que jamais.

Elle lui tendit la cuillère, fit quelques pas, puis crut nécessaire d'ajouter :

— Je n'ai pas tiré les runes, tu sais, c'est venu comme ça.

Celma releva la tête de son mélange. Accrocha son regard troublé.

— Je sais, ma fille. Ce fut pareil pour moi.

— Ce n'est pas bon signe, n'est-ce pas ?

Refoulant l'angoisse qui lui étreignait le cœur, Celma secoua la tête. À quoi bon mentir quand on possédait ces facultés-là ? Le sang avait brouillé sa prémonition, l'assurant d'une perte en leurs rangs. La camarde pourtant lui avait refusé son visage et c'était bien la première fois.

— Va, maintenant, lui dit-elle, la gorge nouée, avant de reporter son attention sur sa pommade.

Elle en avait deux autres à terminer avant de pouvoir quitter la place, abandonnant Hélène entre les mains de ce scélérat.

Le cœur serré, Bertille traversa le corridor pour gagner la cour intérieure du castel. Jean s'y trouvait avec son chiot. Ces deux-là étaient inséparables et, pour l'heure, Noiraud tirait de toute la force de ses mâchoires sur le bout d'un bâton que Jean refusait de lâcher. L'un grognait, l'autre riait. Bertille s'immobilisa sur le seuil pour les regarder jouer, furieuse soudain contre le prévôt qui n'avait pas de parole et qui allait, de nouveau, gâcher leur tranquillité.

Comprenant qu'il ne gagnerait pas, Noiraud lâcha le morceau de bois, s'aplatit sur les pattes avant, la queue frémissante, et se mit à aboyer. Le bâton s'envola des mains de Jean, déclenchant un démarrage sur les graviers. Noiraud sauta, récupéra le jouet avant même qu'il ne retombe à terre et s'enragea dessus en secouant la tête.

Bertille jugea que c'était le moment.

— Apporte, Noiraud, apporte ! exigeait le garçonnet, accroupi.

Il se retourna en sentant la petite main s'abattre sur son épaule. Sa gaieté retomba devant l'air grave de Bertille.

— Quoi ?

— Faut partir.

Il blêmit, serra les poings.

— Maintenant, ajouta la fillette.

Jean se redressa. Depuis l'attaque surprise dans la grotte de Choranche, il ne discutait plus les ordres de son aînée.

— On emmène Noiraud.

— Si tu veux.

Jean se retourna, siffla deux coups brefs. Le chiot hésita entre le bâton déchiqueté par ses jeunes canines, et l'appel de son maître. Il s'acharna une seconde encore, puis sauta par le travers, comme si le jouet était devenu serpent, avant de s'élancer à la course pour s'arrêter net devant le garçonnet.

— Bon chien, le félicita Jean en lui caressant la tête.

Déjà Bertille avait regagné l'intérieur.

Jean contempla un instant la cour déserte. Ces derniers jours, il n'avait vécu que par l'idée de partager son chien, ses jeux, sa chasse avec Petit Pierre revenu parmi eux. Bien qu'il refusât de le montrer, son frère lui manquait douloureusement. Il douta soudain de le revoir un jour. S'ils devaient fuir, c'était que Luirieux avait repris sa parole.

Les épaules de Jean se voûtèrent sous le poids de ce constat.

La fenêtre des cuisines s'ouvrit, lui livrant la tête de Celma par l'ouverture.

— Abaisse la grille, ordonna-t-elle.

Il faillit demander comment ils allaient s'enfuir s'ils s'enfermaient, avant de hocher la tête. Sa mère adoptive savait toujours ce qu'elle faisait.

— Viens, Noiraud, dit-il en traversant la place.

Derrière lui, dans un grincement sinistre, Celma rabattait les volets, comme Bertille de l'autre côté.

*

* *

Sans chevaux, rien n'était possible, avaient, d'une même réflexion, compris Briseur et Mathieu. Fort heureusement pour eux, la ville tout entière ne vibrant que des perspectives festives du mariage, les ruelles s'étaient vidées à mesure que la grand-place s'encombrait. Et tout ce joli monde était pour la plupart à pied.

La Malice ayant estimé très vite que les meilleures bêtes étaient celles des soldats, ils étaient revenus en bordure de l'Isère, à l'angle de la chapelle du Saint-Sacrement. Les escortes des différents seigneurs déplacés pour la circonstance y avaient laissé leurs montures. Quelques minutes avaient suffi à une putain recrutée par Mathieu pour entraîner l'unique garde à l'écart et leur laisser le champ libre.

Alors même qu'on continuait de les chercher dans la foule, ils quittaient la ville au grand galop.

Briseur, lui, avait, sans le moindre scrupule, forcé l'écurie d'une auberge, assommé le palefrenier, et sauté sur le destrier le plus fringant.

Puis, de même, il s'était élancé d'abord sur le vieux pont et sur la grand-route.

Il venait de traverser la forêt et se trouvait en vue du château lorsqu'il se découvrit talonné. Il força l'allure. Jura de voir la herse se rabaisser alors qu'il approchait, mais tout à la fois s'en rassura. Celma avait dû anticiper l'attaque. Il acheva d'épuiser sa monture. Au moment où il parvint devant la grille, elle n'était plus qu'à un quart de toise du sol. Il tira violemment sur le mors, sauta à terre avant même que le cheval se soit immobilisé, puis roula sous les épieux. Lorsqu'ils s'enfoncèrent dans la terre battue, il était de l'autre côté. Il voulut se relever, mais demeura prisonnier d'une des pointes d'acier.

Enragé, il retira de sa botte le poignard qu'il y cachait toujours et entailla le coin de son bliaud, l'œil rivé sur le nuage de poussière qui approchait. *Quelques minutes*, songea-t-il. *S'ils arment un arc, je suis fait.*

Il se dégagea enfin. Prenant la course, il s'élança vers le corps de logis et tambourina au bois massif de la porte, barrée de l'intérieur.

Elle s'ouvrit sur Celma comme les soldats du prévôt arrivaient. Soulagé, Briseur la rejoignit à l'abri, les laissant piétiner devant les fers solidement ancrés.

25.

C'était fait.

Devant le parterre rasséréné de leurs invités, Hélène de Sassenage et Hugues de Luirieux venaient d'échanger des serments d'amour et de fidélité, les souliers gluants encore du sang versé.

Tandis que l'évêque les bénissait, Hélène songeait à d'autres épousailles. Celles qu'Aymar de Grolée lui avait offertes dix ans plus tôt. Ce jour-là aussi, elle était enceinte de Djem. Ce jour-là aussi, elle le pleurait.

Là pourtant s'arrêtait la comparaison.

Chaque jour passé aux côtés d'Aymar avait été de respect et de tendresse. Quelques semaines auparavant, en Italie, alors même que leur mariage avait été annulé, il s'était proposé de veiller la sépulture itinérante du prince jusqu'à son enfouissement. Comment réagirait-il en apprenant de Jacques de Sassenage les fourberies du prévôt ? Elle l'imaginait vitupérer puis se morfondre au souvenir de sa promesse. Hélène savait qu'au final, il la tiendrait. Qu'il resterait dans l'ombre du roi pour veiller sur l'homme qu'elle continuait d'aimer dans la mort, laissant à son père le soin de battre campagne pour la sauver.

Elle savait aussi que ces deux hommes ne seraient pas les seuls à s'inquiéter d'elle là-bas.

La veille de son départ, Jacques de Montbel, comte d'Entremont, était venu la trouver.

— Vous vous rongez à penser au sacrifice du prince Djem à votre égard, entachant de rancœur l'amour sans faille que vous lui portez. Je suis venu vous livrer la vérité. Ce n'est pas lui mais moi, sur sa supplique, qui vous ai administré l'antidote au poison des Borgia.

Elle se souvenait encore de son incompréhension. Par cet aveu, le comte reconnaissait avoir trahi le roi de France, aux yeux de qui la vie de Djem était infiniment précieuse. Pour seule excuse, Jacques de Montbel avait tendu vers elle des yeux brûlants.

— Djem l'a toujours su, dès le premier regard que je vous ai porté : je vous aime, Hélène. Qui mieux que moi pouvait comprendre ce qu'il ressentait et, par là même, devenir cette main que la faiblesse lui volait ?

En guise de réponse, elle l'avait chassé.

Le lendemain, il s'était annoncé de nouveau, alors qu'elle achevait de boucler ses malles. Une nuit de réflexion et de larmes avait adouci sa hargne. Elle l'avait reçu, pour le regretter sitôt qu'il était tombé à ses genoux.

— Le nom que je porte s'est illustré de nombreuses fois par le passé, ce jourd'hui il me ferait honte si je ne vous l'offrais à vous et à l'enfant du prince. Épousez-moi, et je jure devant Dieu d'avoir pour vous les mêmes égards, patience et retenue qu'eut le sire de Grolée par le passé.

Hélène avait refusé. Elle n'était alors que douleur et renoncement. Dans le déni total de cette vie qui s'éveillait en elle.

La rappelant au présent, le prévôt lui offrait sa main pour descendre les marches sous les acclamations de gaieté des invités.

Elle l'accepta, soumise.

Jacques de Montbel. Enguerrand de Sassenage.

Tous deux portaient beau et jeune.

Tous deux la chérissaient.

L'un comme l'autre, ce jourd'hui, elle les aurait préférés cent fois à cet être sans scrupule qui l'obligeait à remonter, sourire aux lèvres, la longue travée centrale de l'église collégiale.

Passant le portail, Hélène s'accorda à donner le ton des festivités en saluant de la main la foule en liesse. À ses côtés, Hugues de Luirieux luttait contre la douleur de plus en plus poignante de ses blessures. Trop fier pour lâcher du terrain, il offrit son bras valide à sa femme et descendit avec elle les marches de l'église. Derrière eux, suivant le mouvement, les invités cancanaient.

Les mariés enfilèrent l'arche de hallebardes que la garde leur avait dressée. À l'autre bout, simiesque, un bouffon les attendait, le ventre en avant et les joues volontairement gonflées. Hélène comprit qu'il la singeait, mais puisque Luirieux en riait…

Escortés par les quolibets, ils le suivirent jusqu'à la table d'honneur dressée en plein centre, sous un dais coloré de jaune et d'orangé. D'autres nains entraînaient les invités, amplifiant le joyeux vacarme du tintement des grelots de leurs bonnets.

Hélène prit place aux côtés de son époux puis accepta d'une fillette l'hommage d'un bouquet de roses, d'une autre un pain tressé d'où des épis, verts encore, dépassaient.

Gage de bonheur et de félicité, songea-t-elle amèrement en englobant du regard ces gens, connus ou inconnus, qui gesticulaient, le verbe haut, la mise chatoyante, soignée ou modeste, selon qu'ils étaient petits, bourgeois ou grands seigneurs, assis sur des ballots, des bancs ou des chaises, debout aux balcons, contre les barrières, sur les marches de l'église.

Tous, elle en était convaincue, tous l'imaginaient telle qu'elle paraissait sur les ordres du prévôt.

Heureuse.

Comblée.

Grosse.

Elle posa la main sur son ventre pour le caresser. C'était à l'enfant, à lui seul, qu'elle devait penser.

— Vous souffrez ? lui demanda Luirieux en se penchant vers elle.

Elle remarqua ses traits tirés, son visage creusé derrière sa jubilation. Il savourait sa victoire, plus grande encore qu'il n'en avait rêvé. Elle envisagea de le cingler, de profiter de sa faiblesse. Se ravisa à la dernière seconde. Cet homme détenait tout pouvoir sur elle, elle allait devoir jouer de finesse.

— Moins que vous, mais d'une autre manière.

Il se mit à rire.

— Comme moi, vous vous y ferez, croyez-moi.

Hélène ne répondit pas.

La musique s'éleva, entraînant les habitants dans une farandole tandis que les invités achevaient de s'attabler.

Cette fin de journée promettait d'être joliment animée.

Un échanson s'avança pour verser à Hélène de l'hydromel, modeste remède à sa peine. Elle leva son hanap, se rasséréna du piquant des épices derrière la douceur du miel.

Elle le reposait lorsque Luirieux revint à son oreille.

— Vous suscitez beaucoup d'intérêt, mon épousée. Votre beauté en est la cause première, mais je gage que vos secrets intriguent aussi. Cette Elora, par exemple…

Elle frémit derrière son sourire de circonstance.

— Il faut qu'elle soit importante pour avoir provoqué de si nobles envolées…

Il s'empara de la main qu'elle avait reposée sur la nappe.

— … Mais je suis certain que vous n'auriez pas oublié de m'en parler. Dès demain, bien entendu, puisque ce jourd'hui nous nous devons à nos invités.

Hélène hocha la tête, accepta avec déplaisir le frémissement des lèvres gourmandes dans sa paume, à la recherche déjà d'un mensonge. Non qu'Elora ait besoin de quiconque pour la protéger. Au contraire. Mais elle refusait qu'il se serve d'elle auprès de Mathieu comme il s'était servi de Petit Pierre. Soudain, elle prit conscience de la fausse promesse. Qu'était devenu l'enfant, en vérité ? Gardé dans un cachot ? Assassiné…

Elle frissonna. Mathieu avait-il réussi sa fuite ? Et Celma, les enfants, Briseur, La Malice ? Son cœur se serra. À cet instant elle eût voulu se lever, fuir cette foule insupportable, cet homme abject retourné déjà vers le gouverneur pour lui assurer que la justice, bien entendu, tiendrait compte de la renommée des Sassenage, qu'il veillerait à la rendre en toute équité.

Fourberies, mensonges.

Voilà à quoi on l'exposait. Voilà ce qu'elle devrait subir des heures durant, sans se plaindre.

Seule.

Seule, martela-t-elle, résignée.

Mais les certitudes ne sont pas toujours faites de raison. Celle qui, en cet instant de profond désarroi, vint frapper Hélène, fut aussi inattendue que limpide, lui arrachant un petit cri.

Luirieux le mit sur le compte du montreur d'ours qui venait de s'avancer au milieu de la place, sa bête dressée sur ses pattes arrière. Un autre animal suivait, debout lui aussi, grotesque, habillé et chapeauté à la façon d'un homme. C'était lui qui déclenchait les rires.

Lui qu'Hélène avait aperçu en premier, le cœur bondissant. Elle avait reconnu les yeux au milieu de cette face grimacière mangée de pilosité. Les yeux d'un bleu d'azur. Lorsque la petite créature s'inclina devant elle dans un grognement, présentée par son maître aux traits efféminés comme un enfant-loup capturé en Sibérie, Hélène s'embrasa d'un amour puissant et entier qui lui fit battre des mains telle une enfant émerveillée, réduisant au néant tout ce qui avait précédé.

— Cette chose vous plaît ? s'étonna Hugues de Luirieux.

Elle ne chercha pas à dissimuler.

— Beaucoup, oui. N'est-ce pas étonnant et délicieusement attendrissant ?

Une moue circonspecte tordit la bouche de Luirieux.

— Est-il dangereux ? demanda-t-il au dresseur.

— Bien moins que l'ours, votre seigneurie. Il est d'un moindre entretien aussi.

Cette voix ! se réjouit de nouveau Hélène. Non. Malgré le maquillage qui déformait les traits du personnage, elle ne s'était pas trompée.

— Combien veux-tu pour me le vendre ?

Hélène sursauta, ramena vers son époux un regard étonné.

— Beaucoup moins qu'il ne vaut si vous me gardez à ses côtés pour m'en occuper, plaida le dresseur.

— Considère donc que l'affaire est faite si l'ours est relâché.

— Il le sera, messire. Que le ciel vous bénisse pour votre bonté.

— Remercie donc mon épouse, dame Hélène, pour son élan singulier.

Tandis que le dresseur s'inclinait à son tour devant elle, Luirieux sourit chaleureusement à Hélène.

— Vos yeux, éteints jusque-là, se sont remis à briller. Quoi que vous pensiez de moi, sachez que j'en suis troublé. Acceptez donc ce présent, en gage de ma bonne volonté à vous vouloir désormais comblée.

Le dresseur et ses créatures avaient repris leur tour de tablée pour divertir les convives. Délaissant la carrure massive de l'ours, Hélène s'attarda encore un instant sur leurs épaules chétives avant de revenir vers le prévôt.

— J'en accepte l'augure, mon époux, et vous veux voir d'un autre œil en effet, puisque, en ouvrant votre porte à la pitié, c'est celle de mon cœur que vous découvrez.

— Faisons table rase du passé, voulez-vous ?

Elle leva son hanap, du rouge de nouveau aux joues.

— Je le veux. En toute sincérité, et promets de ne rien vous cacher de ce que vous appelez mes secrets.

Il s'y laissa prendre. Parce que l'orgueil des hommes est ainsi fait. Il les empêche de voir plus loin que le bout de leur nez. Et celui d'Hugues de Luirieux était empâté.

Mais pour soupçonner quelque manigance, il aurait fallu déjà qu'il connaisse la vérité.

Hélène s'en délecta comme d'une eau de jouvence.

Constantin, son fils perdu, venait, en compagnie d'Algonde libérée de ses fers, de lui manifester leur présence à ses côtés.

26.

Briseur ne demanda pas comment Celma avait eu vent du souterrain. Il s'inquiéta davantage de ne pas pouvoir y pénétrer. Les anciens serviteurs de la maisonnée ayant été chassés par Luirieux à leur arrivée, la clef leur resta introuvable. Or, sans cette issue providentielle, ils étaient faits comme des rats. Certes, la herse les protégeait pour l'instant, mais il ne doutait pas de l'habileté des soldats à escalader les murs d'enceinte pour choir de l'autre côté et la lever.

Bertille avait décidé de les en dissuader, pendant qu'il ouvrirait la serrure sans la forcer, seule condition pour bloquer par la suite leurs poursuivants dans la cave.

Accompagnée de Jean et du chiot, la fillette avait gravi à la hâte les escaliers qui menaient au dernier étage de la bâtisse. Se séparant en haut du palier, les deux enfants avaient gagné les extrémités du bâtiment et s'étaient rabattus derrière deux volets percés d'archères pour couvrir intégralement du regard la cour intérieure.

Ce fut Jean qui faucha le premier homme du prévôt à risquer l'escalade, d'une flèche bien ajustée qui lui décrocha un sourire de fierté. Les assaillants s'inquiétaient : difficile de voir d'où la flèche avait été envoyée, encore plus de déloger le tireur.

Depuis une bonne demi-heure déjà, ils étaient tenus en respect, mais Briseur savait que cette situation ne pourrait durer. Un des soldats avait déjà dû enfourcher son cheval pour quérir du renfort à Romans. Quand il reviendrait, la donne changerait.

La porte du souterrain céda enfin sous le crochet qu'il s'ingéniait à agiter dans la vieille serrure. Il ouvrit le battant, renifla l'air rance du passage avec satisfaction, puis, le laissant béer, enfila les marches quatre à quatre pour prévenir les enfants.

Ensuite de quoi il poursuivit sa montée jusqu'au grenier. Un quart d'heure plus tôt, Celma avait décidé de prêter main-forte aux tireurs, par l'autre face de la bâtisse. Il était peu vraisemblable que leurs poursuivants aient trouvé alentour une échelle assez grande pour grimper le haut mur aveugle du bâtiment, de là, écraser les tuiles de leurs bottes, et les prendre à revers. Elle n'avait pourtant pas voulu courir de risque. D'autant qu'en la cave elle ne servait à rien.

Utilisant l'escabeau par lequel elle avait gagné le toit, Briseur passa ses épaules larges et massives par la trappe à ciel ouvert. Un coup d'œil circulaire lui révéla deux moitiés de jambes derrière un conduit de cheminée. Allongée de tout son long, Celma avait rampé pour s'offrir le meilleur angle de tir tout en surveillant la grand-route au-delà du front boisé.

Briseur porta ses mains à sa bouche pour imiter le cri d'une hulotte. Instantanément, les pieds reculèrent. Il repassa dans le grenier, les attrapa de ses mains épaisses et aida la devineresse à redescendre.

Lorsqu'ils rabattirent sur eux la porte tant convoitée dans le fond de la cave, dix minutes à peine s'étaient écoulées. Pour autant elles étaient précieuses, car Celma venait de confirmer les craintes de Briseur. Une troupe de soldats arrivait de Romans.

Si l'on comptait le temps qu'il faudrait à ces derniers pour se rendre compte que les archers avaient quitté leur poste, escalader le mur d'enceinte, relever la herse, forcer l'entrée, fouiller la bâtisse de haut en bas avant de découvrir cette issue, les fugitifs pouvaient se prévaloir tout au plus d'une heure d'avance.

Aux yeux de Briseur, ce n'était pas assez.

Tandis qu'à la faveur de sa torche Celma entraînait déjà les enfants dans les profondeurs du souterrain, il s'activa à reboucler la serrure, puis à entreposer contre le battant les imposants barils de bière qu'il venait de déplacer. Le passage fut bientôt complètement obstrué et la porte bloquée. Désormais, à moins d'ouvrir une brèche dans le mur lui-même, leurs poursuivants étaient arrêtés.

Allégé par cette certitude, Briseur rejoignit les autres à grandes enjambées, l'œil soudé, dans la nuit retombée, à la petite lueur d'espoir que le falot de Celma dessinait.

Durant un long moment, ils marchèrent en silence, le pas vif, l'oreille aux aguets, dans un silence troublé des seuls halètements du chiot.

Jean sentit bien sa cheville se tordre, sans doute sur une pierre que l'obscurité lui avait masquée, mais il n'y prêta pas attention. Un quart de lieue plus loin, la douleur lui remontait jusqu'à l'aine. Pour rien au monde, cependant, il n'aurait voulu se plaindre. Encore moins ralentir l'allure. Il était effrayé. Il ne savait trop si c'était d'imaginer la potence ou le souvenir de leur dernier voyage dans la neige et la tourmente. Il serrait les dents comme il avait vu Bertille le faire des jours durant alors qu'ils avançaient au milieu des congères, les sourcils et les cheveux congelés malgré l'écharpe et le bonnet, le souffle embuant l'air glacé. Il ne voulait plus ressentir ces aiguilles de glace dans ses orteils, plus jamais ôter ses souliers et frotter ses pieds au sang pour les ramener à la vie. Jusqu'au moment où, malgré toutes ces précautions et comme ce fut le cas pour Bertille, l'os gela sous les crevasses. Le souvenir du coustel de La Malice chauffé sur la braise, hantait encore ses nuits. Il le revoyait s'abattre sans pitié, sectionner les orteils noirauds de la fillette qui pleurait de les voir rouler, insensible pourtant à toute douleur. Inquiète de gangrène.

Non. À présent qu'il avait goûté à l'abri de murs épais, à la quiétude de repas fournis et à la chaleur d'un foyer, Jean ne voulait plus de cette vie de misère et de rapine. D'errance et d'insécurité. Il voulait jouer avec Noiraud, partager sa pitance avec lui.

Il chercha la tête de son chien qui avançait à ses côtés, calé sur sa démarche rapide mais de plus en plus claudicante. Devinant sa difficulté, Noiraud la releva pour lui permettre de prendre appui dans son pelage épais.

— Bon chien, murmura Jean, essoufflé par la course et la douleur.

Noiraud se pressa contre sa jambe pour alléger encore son pas. Déjà fort pour son jeune âge, l'animal arrivait à la hanche de son maître. Coupé de loup, il en avait l'allure malgré son naturel facétieux. Avant longtemps, Jean en était convaincu, il serait à même de le protéger. Contre Luirieux qui le lui avait offert, peut-être. Contre d'autres, sauvages. Des larmes lui piquèrent les yeux.

Le découragement le saisit. Il manqua un pas. Se retrouva tout de même propulsé en avant par la détermination de la bête. Et buta contre Bertille qui venait, elle, de s'immobiliser brusquement.

— Eh bien ? s'étonna-t-il.

La fillette ne bougea pas. Le cœur de Jean s'emballa dans sa poitrine. Il détestait lorsqu'elle se figeait ainsi sous le coup d'une prémonition. Qu'allait-elle leur annoncer cette fois ? Il avait son content de mauvaises nouvelles. Il ne voulait plus de mauvaises nouvelles. Il était désespéré de mauvaises nouvelles.

La torche changea de côté. Celma revenait vers eux. Sans doute alertée elle aussi par quelque intuition. *Peste soit de la mère et de la fille !* songea Jean l'espace d'une seconde et de méchante humeur, avant de se reprendre. C'était grâce à elles qu'il était en vie. Il ne devait pas oublier cela. Tout au contraire, profiter de ce moment de répit.

Il pouvait durer quelques secondes, ou plusieurs minutes, selon le cas. Briseur l'avait bien compris qui soupira derrière eux.

Lâchant Noiraud, Jean s'assit contre la paroi et ramena son mollet dans sa main pour jauger de l'état de sa cheville. Les élancements n'auguraient rien de bon. Il le vérifia au toucher. Le pourtour était gonflé. Il desserra les lacets de son soulier pour soulager la pression, des larmes au coin des yeux. Quand bien même il y mettrait tout son courage, il n'irait plus bien loin.

Comme pour entériner ce constat, et malgré la distance qu'ils avaient déjà couverte, un bruit sourd emplit le tunnel. Suivi aussitôt d'un autre. Puis d'un autre.

Jean se mordit la lèvre d'angoisse, leva les yeux vers Briseur qui, lui, venait d'accrocher ceux de Celma.

— Ils attaquent le mur, constata le colosse.

Celma hocha la tête d'un air entendu. Ils ne pouvaient se permettre d'attendre. Et, tout à la fois, il lui était impossible d'interrompre le flux magique. Jean perçut leur angoisse. Elle répondait à la sienne. Il se racla la gorge. Il fallait qu'il les prévienne pour sa cheville.

— Me suis fait mal…

Celma s'accroupit, posa la lanterne à côté de lui, repoussa la tête de Noiraud qui s'était mis à lécher l'oreille de son maître et fit bouger le pied, arrachant à Jean un gémissement de douleur.

Le visage de Celma reflétait la gravité du moment, pourtant elle eut un sourire rassurant à l'instant où elle lui tapota la joue.

— Rien de sérieux, fils. Juste une petite entorse. Briseur va te porter.

Elle se releva. Devant eux, Bertille venait de tressaillir, à l'instar d'un bourgeon qui, soudain, voit sa coque se fissurer. Celma se précipita pour la prendre aux épaules, anticipant le vertige qui suivait chacune de ses visions. Jean s'agrippa à la main tendue de Briseur. Il ne pourrait pas se jucher sur son dos, la voûte du plafond était bien trop basse, déjà le colosse devait avancer courbé. L'idée d'être ballotté comme un enfançon rebuta Jean, mais il n'avait d'autre solution. Le simple fait de reposer le pied par terre lui vrilla le mollet.

En arrière, les coups redoublaient. Les soldats de Luirieux ne seraient plus très longs à ouvrir une brèche et à se précipiter.

Bertille respirait de nouveau normalement. Le bruit acheva de la ramener au présent. Elle se retourna vers Jean que les mains puissantes de Briseur venaient d'enlever du sol.

— Il est vivant, murmura-t-elle, un franc sourire aux lèvres. Tu entends, Jean, Petit Pierre est vivant !

Le garçonnet fut traversé par une bouffée intense de chaleur.

— Vrai ?

— Vrai, affirma-t-elle. Je l'ai capté. Il est passé par là.

— Quand ? demanda Celma.

— Il y a quelques mois. Mais je l'ai vu, mère. En compagnie d'un autre de son âge. Bossu.

Celma sentit revenir en elle une bouffée d'espoir.

— Alors, nous savons où mène ce souterrain.

— Où ? demanda Jean, assis sur l'avant-bras replié de Briseur comme sur une branche basse. La musculature de l'homme était d'un bois plus solide encore.

— Au château de Bressieux. Souvenez-vous de ce que nous a raconté Algonde. Le petit bossu est le compagnon d'Elora. Pressons-nous, ajouta-t-elle en allongeant le pas, la route est encore longue et Mathieu ne devrait pas tarder là-bas.

27.

Vivante ! Ma fille est vivante ! ne cessait de se répéter Mathieu tout en cinglant l'encolure de son cheval. Il ne voulait entendre que cette certitude, et ne pas penser à Petit Pierre, sans doute condamné au moment même de la trahison du prévôt. Depuis le premier jour il s'était douté du mensonge, mais il n'avait pas trouvé en lui la force de l'affronter. Il ne voulait pas croire que son fils soit passé. Malgré la rumeur qui circulait dans les rangs des soldats. Peu de temps avant son arrivée, dans les bois qui ceinturaient Romans et qu'il avait traversés ventre à terre, on avait retrouvé le corps d'un garçonnet, visiblement pris par le froid et achevé par les loups. Briseur et La Malice avaient tordu le nez, accablés de fatalité, Celma avait fait rouler ses runes, puis, haussant les épaules, s'était accordée à sa fille pour affirmer que Petit Pierre ne s'était jamais mieux porté. Pour ne pas laisser le doute le ronger, Mathieu avait, servilement, accepté le contrat de Luirieux. Ne voulait-il pas se venger des Sassenage ? N'en avait-il pas rêvé dix années durant ? Hugues de Luirieux avait su cultiver sa part d'ombre, et utiliser à ses fins l'amour qu'il portait aux siens. Savoir Bertille, Jean et Celma en sécurité, Briseur et La Malice réhabilités avait mis du baume sur ses plaies. Mais pas autant en vérité que de mettre la main sur Hélène, de lire la peur sur son visage.

La Malice dans son sillage, il passa l'endroit où il l'avait enlevée.

Il s'en voulait à présent. De n'avoir pas compris qu'elle avait seulement craint de perdre l'enfant qu'elle avait élevé. Pas compris qu'elle avait quitté Bressieux après le drame de la mort d'Algonde pour protéger Elora contre Marthe avant d'y revenir et de tenir la fillette loin des mondanités.

Mathieu s'en voulait, oui, d'avoir laissé la haine l'envahir, le rendre aveugle toutes ces années. Et d'être passé du coup à côté de l'essentiel.

Mais il n'était pas trop tard. Non, se rengorgeait-il dans le halo de poussière qu'il soulevait du chemin forestier. Pas trop tard. Il ne laisserait pas Luirieux mettre la main sur Elora. User d'elle peut-être. Un instant il se demanda comment Enguerrand avait pu savoir, pourquoi il avait risqué son nom et sa renommée pour empêcher ces épousailles. Il avait plus à perdre à le prévenir qu'à se taire. Une fois encore il s'en voulut de n'avoir pas accepté sa main tendue, son amitié. Mais quoi ! n'était-il pas dans un monde où les vilains doivent obéissance, où les seigneurs les utilisent mais ne les côtoient jamais ?

Un pincement de cœur le reprit à la vue d'un épervier qui tournoyait. Algonde. C'était son Algonde qui avait changé la donne. Parce qu'elle était née de féerie, elle les avait élevés tous deux au regard de leurs maîtres. Et lui, sottement, par désespoir autant que par jalousie, il avait tout gâché. Il ne devrait plus jamais laisser la haine l'emporter. Il n'était pas fait pour ça en vérité. Non. Il n'était pas fait pour ça.

— Elora, murmura-t-il avec tendresse.

Elle était si petiote la dernière fois qu'il l'avait embrassée. À peine un nourrisson, mais si puissante déjà. Cette magie en laquelle il refusait alors de croire, c'était ce petit corps de lumière qui la lui avait révélée. Possédait-elle les pouvoirs de sa mère ? Si c'était le cas, alors elle savait depuis toujours qu'il ne l'avait pas abandonnée. Elle savait qu'il valait mieux que ce qu'il était.

Les hautes tours apparurent dans une trouée.

Il leva le nez au vent qui s'était mis à souffler, courbant les branches verdies par le printemps, hurla :

— Je te reviens, petite fée !

Comme un défi à tout ce temps gâché.

Un défi qu'il était prêt à relever.

*
* *

Quelques minutes plus tard, alors qu'ils quittaient le couvert des bois, le château de Bressieux se dévoila dans son entier, en tous points semblable au souvenir que Mathieu en avait gardé. Il craignit un instant d'être refoulé à la porte comme un vulgaire mendiant avant de se rappeler qu'ils montaient, La Malice et lui, des chevaux habillés aux couleurs du comte de Clermont. Le meilleur des laissez-passer.

Il tira sur le mors pour ralentir son allure, indiquant d'un geste à son complice d'en faire autant.

Lorsqu'ils parvinrent au trot devant le corps de garde, ils avaient la dignité de deux émissaires.

— Nous avons une lettre à remettre, déclara Mathieu, par-dessus les battements désordonnés de son cœur.

— Leurs seigneuries sont en voyage, répondit l'homme en bâillant.

— Il se trouvera bien quelqu'un pour la lire. Le sire de Clermont qui l'a rédigée attend réponse urgente.

L'homme s'attarda sur leurs mines, puis sur leurs destriers avant de dégager sa guisarme et de leur autoriser le passage sous la voûte de pierre.

Ils pénétrèrent dans la première cour, puis dans la seconde, mirent pied à terre devant les écuries. Rien n'avait changé en dix ans, pas même ces rires qui leur parvenaient depuis l'arrière de la bâtisse, entrecoupés des cris d'un petit goret. Une pique de plus dans la cuirasse en friche de Mathieu. Combien de fois avait-il entendu pareille envolée dans la bouche de son fils lorsque ce dernier coursait les cochons de lait à Choranche. Son jeu préféré. Malgré le danger de la truie en colère.

Refusant de se laisser gâter cet instant si précieux, Mathieu confia sa monture à un palefrenier, puis tapota l'épaule de La Malice qui avait fait de même.

— Trois coups longs si danger.

Son complice hocha la tête. L'un comme l'autre avaient bien conscience que le temps leur était compté.

— À dextre, à dextre ! gueula une petite voix haut perchée encanaillée par le jeu.

Invisible de là où ils se trouvaient.

Mathieu sourit malgré lui. Fouilla du regard la longueur du bâtiment principal, troué de fenêtres à meneaux, qui s'ouvrait en fond de cour. Une image. Celle d'une petite fille à la longue chevelure châtaine qui n'aimait rien autant que s'amuser dans la boue. Elora pouvait-elle être semblable à celle que sa mère avait été, malgré l'éducation qu'on lui avait donnée ? Dédaignant le corps de logis, il fit volte-face, s'attarda une seconde sur la silhouette de La Malice qui, prestement, sitôt le palefrenier disparu en son écurie, escaladait le tronc imposant d'une glycine. Le temps qu'il ait lui-même fait le tour du bâtiment, nota Mathieu, La Malice serait sur le toit, à la meilleure place pour surveiller les alentours.

Les cris de la bête redoublaient. Les rires aussi. Il n'avait pas besoin de voir. Il devinait. Les dérapages dans la fange, pattes et pieds. Deux enfants au moins. Fils ou filles de valets. La sienne peut-être. Son cœur s'emballa. Il connaissait l'endroit. La disposition de la porcherie. Contourna l'angle de l'écurie. Reconnut le portique de pierre qui la reliait à l'armurerie.

— Tu l'as, tu l'as, plus viiiiiiiite !

L'excitation était à son comble dans l'enclos. Un recoin de mur le lui cachait encore. Quelques pas.

— Harooooooooo !

Il se figea. Ce cri. Ce timbre.

— À moi, à moi Mayeul ! implora la petite voix.

Mathieu leva les yeux vers le faîte de l'écurie. Alerté de même, La Malice regardait en direction de la porcherie, les sourcils froncés. Mathieu le vit porter son pouce et son index à ses lèvres. Il savait déjà quel serait le signal. Deux courts, un long, deux courts. Le ralliement.

— Je glisse, bougre de bougre ! Je glisse…

— Attends, je… gnnnnn… hahaha…

Mathieu s'était mis à courir. Comme un forcené. Il ne voulait pas comprendre. Il se moquait de comprendre. Il déboula devant l'enclos à l'instant où les sifflements stridulaient l'espace, et où deux garnements, assis le cul dans la gadoue, ruisselant jusqu'aux oreilles, sous l'œil goguenard du cochon de lait qu'ils n'avaient pu retenir, levaient les yeux vers le ciel.

— La Malice ! C'est La Malice ! Ohé !

Le petit bras s'agitait. Mais Mathieu l'avait déjà reconnu, malgré sa crasse puante. Il enjamba les rondins qui formaient clôture, un nom en bouche.

Il n'eut pas besoin de le hurler. Son fils venait de le voir.

— Papa !

Petit Pierre bondit, dérapa, se retint sur la bosse qui arrondissait le dos de son camarade de jeu, arrachant un nouveau rire à ce dernier et un grognement de satisfaction au petit goret, ravi d'être enfin oublié.

Père et fils se rejoignirent dans un même élan. Lorsque Mathieu s'accroupit pour le serrer dans ses bras, il n'était que bonheur, un bonheur qui lui coulait par les yeux, comme il avait depuis longtemps cessé d'en rêver.

28.

Petit Pierre riait. Mathieu riait. Mayeul riait. Et La Malice, perché sur son toit, qui les voyait aussi débordants de bonheur que dégoulinants de purin, était distrait de sa surveillance. Le petit homme se rengorgea quelques secondes du plaisir inattendu de ces retrouvailles avant de se détourner et de plisser ses yeux délavés en direction de la grand-route.

Pas oublier que les soldats les coursaient, foutredieu !

Mathieu n'y songeait plus quant à lui. Il ne se rendait pas seulement compte qu'à force de presser son fils contre son paletot, il se maculait de fange. Les mots lui manquaient. Il brûlait de questions, mais ne parvenait à les formuler, rendu muet par ce miracle. Son fils n'était ni mort de froid dans la forêt, ni prisonnier du prévôt. Il était ici. Tout ce temps. Avec Elora.

Ce fut Petit Pierre qui parla le premier, en s'arrachant à ces bras qui l'étouffaient.

— Je savais que tu viendrais me chercher. Je savais.

Il tourna d'un quart la tête vers son compère.

— Pas vrai Mayeul ?

— Pour sûr qu'on vous attendait !

Mathieu hocha la tête, sonda ce visage noirci, ces cheveux que la gadoue collait avec l'envie de retrouver le teint rosé, les boucles souples de son fils. Il se déplia et, avant même que Petit Pierre ait deviné son geste, le faucha sous son bras gauche à la musculature sèche mais puissante.

— Hééééé ! se défendit Petit Pierre.

— Mordius, qu'as-tu donc avalé ces derniers mois ? s'affola Mathieu sous le poids.

Il allongea pourtant un pas glissant en direction de la mare, alimentée par une source naturelle, que des canards disputaient depuis toujours aux gorets.

Petit Pierre était reparti à rire, répondant à Mayeul qui se tenait les côtes. Tous deux avaient bien compris le sort qui l'attendait.

— C'est la faute à Malissinde !

— Elle est toujours en vie, cette vieille grincheuse ?

Petit Pierre ne put répondre. Se débarrassant de lui comme d'un boulet, Mathieu le projeta dans l'eau verte, affolant une grenouille tranquillement installée sur un nénuphar et une cane qui plongeait du bec sous la surface. Petit Pierre disparut sous la surface, ressortit juste à temps pour voir Mayeul prendre son élan. Pour rien au monde il n'eût prévenu son père. À l'instant où le bossu percuta Mathieu, l'entraînant avec lui dans la mare, il s'étrangla de rire et d'une goulée avalée.

Ils se retrouvèrent tous trois, pataugeant de même, se nettoyant dans une bataille qui les faisait disparaître tour à tour sous l'onde, pour mieux se venger l'instant d'après. Quelques minutes, songeait Mathieu, quelques minutes d'insouciance. Pour effacer les heures, les jours, les mois qui avaient précédé.

Il s'en accorda une poignée, avant de réclamer une trêve. Petit Pierre se mit sur le dos et se laissa porter par le léger courant que provoquait la source vers le dévidoir. Mathieu le rejoignit d'un mouvement de brasse et l'immobilisa par le bouffant de sa chemise.

— La feste est finie, fiston. Luirieux est à nos trousses. Faut filer…

Il ajouta d'une voix soudain plus fébrile :

— Avec Elora… ta sœur.

Petit Pierre se laissa couler une seconde pour reparaître à la verticale. Si son père avait de l'eau jusqu'à la poitrine, lui devait agiter pieds et mains pour rester debout.

— Je sais qui elle est, papa. Mais t'es arrivé le premier.

Mathieu sonda avec incompréhension son regard navré, forçant Petit Pierre à ajouter :

— Elora est partie avec leurs seigneuries en Italie. Ils sont pas encore rentrés.

La déception et la surprise altérèrent les traits de Mathieu.

— Tu en es sûr ?

— Certain. J'suis la première personne qu'elle aurait bisée, sauf votre respect.

Mathieu se retourna vers Mayeul qui venait de les rejoindre et de parler. À cet instant seulement il prit conscience de la bosse qui, accompagnant le mouvement du garçonnet, flottait sur le côté.

Il fronça les sourcils, rattrapé par un souvenir.

— Je te reconnais. Tu es le fils de Marie de Dreux.

Mayeul blêmit. Il connaissait cette dame, même si on lui avait interdit de la croiser, pour qu'elle ne soit pas indisposée par sa difformité. C'était l'amie d'Hélène de Sassenage, l'épouse de Laurent de Beaumont, le seigneur de Saint-Quentin. L'enfant trouva un rocher sous ses pieds, se jucha dessus, secoua sa tête qui, seule, dépassait de l'onde.

— Vous devez vous tromper m'sieur. Je suis né de Malissinde.

Mathieu haussa les épaules.

— Cette vieille chouette n'était déjà plus en âge d'enfanter quand je l'ai rencontrée.

Il se reprit aussitôt devant la mine blessée de l'enfant. Se souvint des circonstances étranges de sa naissance, du refus de Marie de seulement l'embrasser.

— Pardon de t'avoir blessé, petit. J'avais oublié.

— Oublié quoi, papa ?

— Oui, oublié quoi ? renchérit Mayeul, la voix raffermie soudain.

Pas le temps de tout expliquer, songea Mathieu. Mais il en avait trop dit. Ou pas assez.

— Tu es l'enfant d'un secret. Forcée par un misérable, Marie était enceinte de toi avant ses épousailles avec Laurent de Beaumont[1]. Elle a eu recours à une faiseuse d'anges pour te faire passer, mais ça n'a pas marché.

Mayeul fronça ses sourcils fournis et en brosse. Il comprenait mieux soudain l'attention dont on le couvrait depuis sa naissance. De beaux habits, l'éducation de monsieur le curé. Puis soudain, l'aiguille. Oui, il savait comment les faiseuses d'ange officiaient. L'une d'elles était venue au château l'hiver dernier pour la Janisse, qu'avait le cul grêlé. Il le savait. Il avait regardé sous la tenture avant d'aller vomir son déjeuner.

— Alors, c'est à cause de ça, ma bosse…

Mathieu sentit sa gorge se nouer. *Pas le temps*, répéta la voix dans sa tête. Pas le temps de s'apitoyer. Il la fit taire. À cause d'Elora et du lien qu'elle avait tissé avec Mayeul dès son premier souffle.

— Non. Non. Ta naissance a été difficile. Mauvaise posture. Ton épaule bloquait. Elle s'est déformée dans l'effort. Mais ça n'a pas suffi. Marie était épuisée, toi aussi. C'est Elora qui vous a sauvés.

Le bossu écarquilla les yeux.

1. Voir *Le Chant des sorcières*.

— Elora ?

— Tu sais, la lumière bleue. Tu l'as déjà vue, n'est-ce pas ?

Mayeul hocha la tête d'un air entendu.

— Oui. Quand elle parle avec sa mère.

Mathieu tressaillit face à cette incongruité.

— Avec dame Hélène ?

Petit Pierre fit les gros yeux à Mayeul pour l'empêcher de répondre, puis bomba le torse, malgré sa posture incertaine. Cette annonce, il l'avait bien souvent répétée et il y tenait, bougre de bougre. Il y tenait.

— Non p'pa, avec Algonde. Elle est pas morte. C'est Mélusine que Marthe a tuée.

Mathieu eut l'impression que le sol de vase l'aspirait tout entier. Il clappa de la bouche, comme ce poisson qui, entre deux eaux, s'approchait.

— C'est la vérité vraie, m'sieur, renchérit Mayeul. Même qu'Algonde est restée prisonnière du Furon à la place de Mélusine. Mais ça a rien empêché. Elora l'a toujours su.

Dans la tête soudain vide de Mathieu, la voix de Petit Pierre, en écho :

— Oui. Toujours su. Même pour moi, elle savait. Et pour toi aussi et pour Fanette et pour….

— Ça suffit ! J'ai compris, l'arrêta Mathieu en dressant ses mains ouvertes comme un rempart devant l'impensable.

Petit Pierre se laissa avaler par l'eau verte, avant de ressurgir, comme il avait vu Algonde le faire dans le lac de Choranche.

— Elle est pas morte p'pa. C'est ce qu'elle voulait nous dire là-bas.

Mathieu ne répondit pas. Il était atterré, brisé, écartelé. Impossible, hurlait sa raison, sa méfiance. C'est une manœuvre de cette démone. Elle les a tous manipulés. Elora. Petit Pierre. Et Celma, bien sûr, qui voulait le ramener à elle. Tous. La tête lui tournait. Il se mit à grelotter.

Froide. L'eau est froide. Je sais ce que j'ai vu. Je le sais. C'est moi qui ai tenu Algonde dans mes bras. Elle avait le cœur arraché. C'est moi qui lui ai fermé les yeux. J'ai…

Il eut l'impression soudain qu'un voile se déchirait. Les yeux. Il lui avait fermé les yeux. Pour ne pas voir à quel point ils étaient vitreux, comme délavés. Son sang se mit à cogner à ses tempes. Les yeux d'Algonde. Ce n'étaient pas les yeux d'Algonde qu'il avait fermés. Qu'avait-il pensé alors en les voyant ? Qu'en lui volant son cœur la Harpie lui avait arraché l'âme, qu'elle avait aspiré la couleur de mousse qu'il avait si souvent admirée.

Brelot ! Il n'était qu'un brelot !

Un petit cri, aigu, bref, intense, comme un gargouillis de condamné, jaillit de sa gorge et déchira le silence qui s'était fait autour de lui.

Les yeux d'Algonde. Voilà ce qu'il avait fui à Choranche. Ses yeux, sa voix. Il lui sembla l'entendre de nouveau, comme un appel qui avait hanté ses nuits pendant dix années.

« Il ne faut pas avoir peur de moi, Mathieu. Je t'ai toujours aimé. »

— Faut pas pleurer, m'sieur, s'apitoya Mayeul, oublieux déjà de sa propre identité.

Pleurait-il ? Mathieu l'ignorait. Il ne voyait, ne sentait plus que les larmes d'Algonde en réponse à son écœurante stupidité.

D'un mouvement de bras et de jambes, Petit Pierre rejoignit son père. S'accrochant à son cou, il lui bisa les joues avec tendresse.

— Il a raison, p'pa. Faut pas pleurer. Elle va bien, notre Algonde. Faut juste qu'on aille vite, très vite la délivrer.

Mathieu acquiesça, par réflexe. Il ne parvenait encore à arracher de son cœur le fardeau de son aveuglement. Petit Pierre lui tira le lobe d'une oreille, puis l'autre. Il parvint ainsi à lui arracher une grimace, puis un sourire. Mayeul prit de l'élan sur son rocher et se propulsa. Il s'abattit sur les épaules massives de Mathieu au moment où Petit Pierre le tirait vers l'avant dans un gigantesque éclat de rire. Mathieu plongea avec eux. Relâché aussitôt par les deux garçons, Mathieu ouvrit son œil unique dans l'eau verte, aperçut des bras et des jambes qui gesticulaient près de lui.

Un frisson le gagna. Voilà quel avait été le monde d'Algonde. Celui qu'il lui avait imposé. Celui d'où il allait l'arracher. Une joie incommensurable chassa alors sa culpabilité pour emporter tout son être.

Il en était certain soudain. Ce qui avait été défait serait renoué.

— Je viens, mon amour, je viens, hurla-t-il, comme si le gargouillis de sa voix avait pouvoir de franchir la distance jusqu'au Furon.

Il avala une goulée de liquide par le nez, la bouche, se remit sur ses pieds, émergea enfin, toussant, crachant, riant.

Pour replonger aussitôt dans la triste réalité.

Depuis le toit, La Malice s'était mis à siffler.

Les soldats du prévôt arrivaient.

29.

Impossible de quitter le château, constata Mathieu sitôt arraché à grand-peine des eaux qui gonflaient ses vêtements. Il se précipita vers les écuries. Les signaux de La Malice étaient explicites. Les soldats s'en venaient nombreux. Alors, débouler sur la grand-route et sous leur nez, il n'y fallait pas songer. Ils n'avaient d'autre recours que se battre. Ici. Maintenant. S'ils se plaçaient en hauteur et à couvert, ils pouvaient espérer en faucher plusieurs de leurs flèches. Ensuite…

Les deux enfants sur ses talons, aussi rapides à le suivre qu'ils l'avaient été à s'extirper du parc à gorets, il rejoignit son compère pour s'entendre avec lui sur le meilleur angle de tir. La Malice achevait de descendre du toit sous l'œil réprobateur du palefrenier, agacé autant que ses bêtes par ces sifflements dont il avait eu du mal à trouver l'origine.

Anticipant ses vociférations, Mathieu s'excusa et le repoussa à l'intérieur de l'écurie. La Malice sauta à terre, devant Petit Pierre qui, aussitôt, se jeta contre lui. Ils ne s'accordèrent que le temps d'une accolade affectueuse avant que La Malice ne se retourne vers Mathieu.

— On s'embusque ?

— Vaille que vaille.

— Les archères du grenier, jaugea La Malice qui avait déjà évalué leurs chances.

— J'en suis, décida Petit Pierre.

Légèrement en retrait, Mayeul se mordait l'intérieur de la joue droite, les sourcils froncés sur une réflexion intense.

La gorge nouée, Mathieu s'accroupit devant son fils, froissa la tignasse dégoulinante. Quelques restes de boue s'y accrochaient encore, mais le temps n'était plus à la toilette.

— Je ne crois pas, non. Il vaut mieux pour nous tous que Luirieux continue d'ignorer que tu es en vie. Cours te cacher et ne te montre pas. Même si je suis pris.

C'est à cet instant que, se décidant, Mayeul s'interposa, la voix basse.

— Ça n'arrivera pas. Je connais un autre moyen de sortir de là.

Une bouffée d'espoir regagna les deux brigands.

— Mène-nous, décida avant eux Petit Pierre.

Ils s'élancèrent derrière la silhouette difforme. S'il était vrai que les bossus portaient chance, alors ils auraient peut-être celle de s'échapper.

La vieille Malissinde manqua s'étrangler de surprise en découvrant Mathieu derrière les deux garçons.

— Pas le temps de goûter à ta cuisine, vieille chouette, mais tu m'as manqué, la salua le brigand en bisant son chignon d'un blanc jaunâtre.

Elle retrouva aussitôt l'élan de tendresse bougonne qu'il avait toujours éveillé en elle, avant de s'indigner en voyant La Malice décrocher un jambon du clou qui pendait à la poutre maîtresse et Petit Pierre s'emparer d'une gourde de vin.

— Holà ! vauriens ! Que croyez-vous faire avec ça ?

— Faut qu'on parte, mamie.

Malissinde opéra une volte-face étonnante au vu de son vieil âge et de ses rhumatismes, s'immobilisa en chancelant devant Mayeul qui venait de parler d'une voix aussi troublée que déterminée. De la besace qu'il avait jetée sur sa bosse dépassaient quelques vêtements.

— Où ça ? Où ça faut que tu partes, chenapan ? Alors quoi ? Qu'est-ce qui se passe dans cette maison ?

Mathieu s'intercala pour la prendre aux épaules. Accrocha le regard inquiet.

— Je te le renvoie dès qu'il nous aura ouvert le chemin. Dès que les soldats du prévôt seront repartis.

— Des soldats ? Où ça ? Pourquoi ?

Pour toute réponse, Mathieu la bisa de nouveau, sur le front. Elle rougit, comme autrefois lorsqu'il faisait de même avant d'aller enfourner le pain de la maisonnée. Quand elle se ressaisit, ils n'étaient plus là.

Prenant la petite porte de communication entre la cuisine et le reste du corps de logis, Mayeul s'était élancé le premier pour amoindrir sa peine à quitter celle qui l'avait élevé. Il avait bien entendu le discours de Mathieu mais n'avait pas l'intention de revenir au château. Il s'était trop attaché à Petit Pierre et ne songeait plus, à ses côtés, qu'à retrouver Elora.

Les autres sur ses talons, il traversa deux grandes salles de réception, s'engouffra dans une tourelle et gravit les marches vers les étages.

Au premier palier, à travers la petite fenêtre à meneaux, Mathieu avisa une quinzaine de soldats qui mettait pied à terre dans la cour, devant la bâtisse. Laissant les autres continuer leur montée, il s'immobilisa.

Torval se détacha du groupe et, peu amène, apostropha le palefrenier qui s'était précipité.

— Dix minutes. Tu n'as pas davantage pour nous donner des chevaux frais.

— C'est que… messire…

Le valet ne put finir sa phrase. Accompagnant un rire gras, un long fouet de cocher claqua près de lui, le faisant sursauter et se barrer le visage de son bras replié. Ronan de Balastre. Mathieu l'avait vu plus d'une fois ces derniers temps abattre la lanière à contre-emploi.

— Plus que neuf ! compta Torval.

Mathieu serra les dents. Luirieux avait poussé le cynisme jusqu'à envoyer à ses trousses ceux qu'il avait commis en brigandage à ses côtés. Ils ne feraient pas de quartier. Déjà, le regard dur, Torval se retournait vers ses hommes, oublieux du palefrenier qui s'était mis à courir pour s'exécuter.

— Trouvez-moi cette Elora ! Où qu'elle soit cachée !

Le sang de Mathieu se figea dans ses veines.

— Papa ?

La voix, inquiète, de Petit Pierre, dans le colimaçon. Mathieu le rejoignit en cinq enjambées. Parvenu au second étage, déserté par la valetaille, il reconnut le long corridor qui lui faisait face. L'image de Marthe les malmenant lui et Marie de Dreux au sujet d'Algonde le renvoya dix ans en arrière[1]. C'était là, à cet endroit même, que tout avait basculé. Combien de questions restaient encore en suspens dans sa mémoire ?

Petit Pierre l'attendait au seuil d'une des chambres.

— Par là. Y a un passage secret.

Le cœur de Mathieu bondit dans sa poitrine. Un passage secret. Voilà comment Elora fut, ce jour-là, soustraite à Marthe. *Pourquoi Algonde n'en avait-elle pas fait autant ?* songea-t-il avec amertume. Il pénétra dans la pièce aux volets à demi clos, sommairement

1. Voir *Le Chant des sorcières*.

meublée d'un lit et d'un coffre. Là encore, identique à son souvenir.

Du rez-de-chaussée, des éclats de voix et des cris retentirent. Mathieu connaissait les manières de ces soudards. Il eut un pincement au cœur pour la vieille Malissinde qu'ils brutaliseraient peut-être. Il referma la porte. C'était à la soldatesque du lieu d'intervenir. Pas à lui. Pas à eux.

Le fond de la cheminée avait glissé, révélant une coursive entre les murs. Mathieu s'y enfonça derrière son fils, avisa, dans un halo de lumière douce, la volée imposante de marches étroites. Descendu de quatre, La Malice avait déjà allumé sa lanterne et récupéré Petit Pierre. Mathieu les rejoignit, laissant Mayeul actionner le mécanisme de fermeture. Tandis qu'il revenait vers eux, Mathieu tempéra leur impatience.

— Luirieux les a envoyés pour Elora. Pas pour nous. Ils ne savent pas que nous sommes là.

— Pas encore, rectifia La Malice, tu oublies nos chevaux. Je doute qu'ils soient longs à comprendre qui les montait.

Petit Pierre glissa sa main dans celle de son père.

— Elora est en danger p'pa ?

Mayeul se mit à rire.

— En danger ? Elora ? Quand bien même elle reviendrait ces jours-ci, il ne faut pas s'inquiéter pour elle. Une armée entière ne la briserait pas.

Mathieu s'apaisa.

— Où mène ce passage ? demanda-t-il au petit bossu.

— À un autre château qui appartient aussi au sire de Grolée. Et de là, dans la forêt de Chambarran.

— Hâtons-nous, décida La Malice.

Mais, une fois encore, se rengorgeant d'importance, Mayeul les rassura.

— Rien ne presse, maintenant. Les seules personnes en dehors de nous à connaître l'existence du souterrain ne sont pas là. Même moi, je devrais pas.

De nouveau, un rire léger sur ses lèvres.

— Faut croire qu'Elora savait qu'on devrait un jour passer par là, vous et moi…

30.

Ils se trouvaient tous quatre devant une issue. La porte était verrouillée par une serrure identique à celle qu'ils avaient dû forcer dans le cellier de la maison forte. Au-delà, le souterrain continuait dans sa nuit d'encre.

— Que faisons-nous ? demanda Celma à Briseur qui examinait les gonds, rouillés.

— L'ouvrir nous prendrait beaucoup de temps, grimaça-t-il.

Jean, qu'il avait déposé à terre, chercha l'appui de la paroi et s'y adossa aux côtés de Bertille, essoufflée. S'ils avaient perdu la notion des heures, la faim et la fatigue les tiraillaient d'autant plus qu'ils avaient, depuis la blessure du garçonnet, couru autant que possible.

— Combien, Briseur ? insista Celma.

Il secoua la tête, impuissant à répondre. La devineresse se mit à arpenter l'étroit corridor de pierre. Combien d'avance possédaient-ils ? Deux heures ? Moins peut-être. Ils n'entendaient plus rien depuis un moment. Aucun bruit de cavalcade comme ils l'avaient imaginé. Les soldats de Luirieux prenaient-ils leur temps, certains de les cueillir au bout ? En surface ? Ou de l'intérieur si, par malchance, la sortie était murée ? Bertille n'avait pas eu d'autre vision et Celma s'était refusée à les retarder davantage en jetant ses runes. Il fallait se décider. Un regard sur les deux enfants que Noiraud veillait avec bienveillance. Ils ne tiendraient guère plus la cadence. Sans compter qu'à l'extérieur ils ne seraient pas moins vulnérables. Non. Leur seule chance, peut-être, résidait en la sottise de la soldatesque.

— Force-moi ce battant, décida-t-elle.

Briseur cracha dans ses mains, les frotta l'une contre l'autre puis enfonça dans la serrure le stylet qui ne le quittait jamais.

De son côté, Celma ouvrit la besace dans laquelle elle avait rangé ses médications. Elle en extirpa l'onguent qu'elle achevait de préparer lorsque Bertille l'avait alertée. Il faisait merveille sur les foulures et entorses. Elle en avait soigné plus d'une avec, à Choranche.

— Déchausse-toi, Jean. Quant à toi, ma fille, tranche du lard et du pain. Puisque nous ne pouvons rien faire d'autre, autant récupérer nos forces.

Et, sans plus attendre, tandis que Briseur et Bertille s'activaient chacun de leur côté, elle se mit à masser la cheville gonflée.

Pour avoir manœuvré longuement la précédente serrure, Briseur ne mit qu'une dizaine de minutes à faire céder celle-ci.

Le pied de Jean remis et bandé, la devineresse venait tout juste de reboucher son pot. Elle se sentit aussitôt soulagée. La chance était de leur côté. Elle tendit une petite fiole à Jean dont les larmes avaient coulé en silence pendant qu'elle le soignait.

— Trois gouttes sous ta langue. Pas davantage ou tu t'endormirais.

Ainsi fut fait. Celma récupéra sa médecine, tapota affectueusement la joue de Jean, avant de se redresser.

— Restez ici. Nous ne serons pas longs.

— Nous ne sortons pas ? s'étonna Bertille qui avait déjà commencé à rassembler leurs affaires.

— Non, j'ai une meilleure idée, lui lança sa mère avant de disparaître par le battant, derrière Briseur qui, déjà, s'y était risqué.

Au bout de quelques toises d'un nouveau boyau, ils rencontrèrent une autre porte qui pendait lamentablement sur une charnière. Un rai de lumière poussiéreuse les invita à la franchir dans un silence épais que troublait le roucoulement, lointain, de pigeons. La petite pièce baignée de lumière dans laquelle ils pénétrèrent leur indiqua aussitôt qu'ils se trouvaient dans une sacristie. À en juger par les toiles d'araignées qui pendaient aux murs, elle n'avait pas été utilisée depuis longtemps.

Ils relâchèrent leur tension, traversèrent la salle. À l'instant de franchir un autre battant, Celma remarqua une longue traînée écarlate qu'un rai de lumière descendu d'un vitrail éclairait de son regard oblique.

— Je sais où nous sommes, s'exclama-t-elle, faisant sursauter Briseur. La chapelle de saint Antoine de Padoue.

— Celle qui a été fermée il y a une dizaine d'années ?

Celma hocha la tête. Elle se souvenait de cette histoire qui avait fait le tour du comté. D'autant plus que c'était à leur bande qu'on avait imputé le meurtre sauvage d'un abbé. Quelques jours avant le grand tournoi pour les épousailles d'Antoine de Montchenu à Romans.

Les fidèles ayant ensuite déserté l'endroit, jugé trop isolé, au profit d'une autre église, ils ne couraient ce jourd'hui aucun risque d'être importunés.

Elle rangea sa rapière au côté, passa dans le chœur. La désolation y régnait malgré la bienveillance d'un saint Antoine de bois peint qui répondait au Christ sur sa croix. Des bancs étaient renversés, les solives peuplées de volatiles. Le regard de Celma s'arrêta sur un vitrail bas.

— Éclate-le, ordonna-t-elle.

Pendant que Briseur s'emparait d'un banc pour le manœuvrer tel un bouclier, Celma courut récupérer les enfants. Il y avait trop de poussière et d'excréments à terre. Si tous ne laissaient pas de traces, donnant à croire aux soldats qu'ils avaient quitté la place et gagné la forêt, leur ruse serait sans effet.

Elle leur expliqua vitement ce qu'elle attendait d'eux. Soutint Jean pour qu'il laisse sur les dalles une empreinte plus marquée. Briseur, qu'elle avait, en quelques mots, renseigné sur ses intentions, avait déjà agi de son côté. Lorsque tous trois parvinrent devant la croisée défoncée, ils le virent qui revenait à grandes enjambées et en marche arrière sur le sentier qu'il avait tracé dans les hautes herbes jusqu'à trouver celles que des paysans venaient de faucher. Ils n'eurent plus, de leur côté, qu'à faire de même jusqu'au souterrain.

Lorsqu'ils y reprirent leur progression, la lanterne abandonnée dans la sacristie pour mieux donner le change, ce fut le cœur plus léger. Toute trace qui pouvait indiquer leur véritable destination avait été effacée. Avant que la soldatesque se rende compte de son erreur, plusieurs heures se seraient écoulées à les chercher dehors.

Ils étaient sauvés.

31.

Mayeul n'ayant pas été en mesure de leur dire si le castel vers lequel ils progressaient était habité ou non, Mathieu avait jugé plus prudent de continuer sa route souterraine le plus loin possible. À l'abri des murs de roche, le pas tranquille, il avait apprécié d'écouter le petit bossu lui raconter son enfance avec Elora, Petit Pierre son périple depuis Romans. Attendri par les prouesses des deux enfants. De ses deux enfants. Par moments, le souvenir d'Algonde dans les eaux souterraines le poignardait d'une pique en plein cœur. Il concevait mal son alliance avec Fanette telle que Petit Pierre l'évoqua. Il concevait mal cet élan d'amour qui avait rattrapé la brigande. Et pour autant se trouvait réconcilié, par son sacrifice, avec la Fanette de son enfance. À mots choisis, de son côté, il avait répondu aux questions de Petit Pierre. Non, sa mère n'était pas morte sur le gibet. Elle avait choisi sa fin. Elle s'était racheté une âme. L'enfant avait hoché la tête. Satisfait finalement de ne plus avoir à l'imaginer se balançant comme les autres au bout de la corde.

Moment intense à faire le deuil du passé. Avant d'affermir leur pas vers un devenir incertain dans lequel s'inscrivaient des évidences. Délivrer Algonde. Rejoindre Elora. Et recommencer. Ailleurs.

Ailleurs.

Dans les Hautes Terres, avait affirmé Mayeul, convaincu depuis longtemps par Elora.

Dans les Hautes Terres, avait médité Mathieu.

Pourquoi pas ?…

Il s'était fait à cette perspective lorsqu'ils se retrouvèrent enfin au bout du tunnel, face à un escalier. Ils le gravirent jusqu'à atteindre un premier palier d'où, de nouveau, des marches grimpaient jusqu'à toucher le plafond.

— Il doit être descellé, nota La Malice.

Ils cherchèrent le mécanisme. Finirent par dénicher une saillie dans la roche, masquée par le jeu des ombres de leur lanterne. La Malice y enfonça sa main fine. Rencontra un ergot. Le manœuvra. Leva les yeux vers la pierre. Reçut de la poussière sur son nez aquilin. Éternua. Une fois. Deux fois. À la troisième, la plaque avait déjà glissé de moitié, ramenant à leurs narines une odeur âcre de moisissure.

La Malice dégagea sa lame du fourreau. Mathieu abrita les deux enfants derrière lui. Leur instinct à tous deux leur affirmait que ce ne serait pas la forêt qui s'ouvrirait à eux. Mayeul se mordit la lèvre. Il ne pouvait s'être trompé de chemin, pourtant. Ils n'en avaient pas vu d'autre.

La Malice disparut par le trou. Après quelques secondes, leur silence angoissé fut brisé par un trille.

La voie était libre. L'arme au poing pourtant, Mathieu passa à son tour. Ils étaient dans une crypte et venaient de profaner un sarcophage vide.

Mathieu tendit sa main, ramena Petit Pierre puis Mayeul à la surface.

La Malice revenait vers eux.

— Il y a une issue. Mais elle donne dans une chapelle.

Mayeul crispa ses poings devant sa maladresse. Il se souvenait à présent des consignes d'Elora. Surveiller sa dextre. Pour ne pas manquer le petit boyau qui ralliait les bois.

— L'abbaye de la Trappe de Chambaran, dit-il. Nous sommes allés trop loin. Il faut revenir sur nos pas.

Petit Pierre hocha la tête.

— Il a raison. Je reconnais l'endroit. Dans le sarcophage du chevalier, se trouve le souterrain que j'ai emprunté depuis Romans. Si j'avais su qu'un autre me mènerait à Bressieux, je n'aurais pas escaladé les toits ni abîmé ma cheville à sauter. Je n'aurais pas usé mes forces dans la neige et le froid.

— Très bien, décida Mathieu. Redescendons.

Quelques minutes plus tard, ils trouvaient la fourche, obliquaient, progressaient d'une centaine de pas avant de sentir la pente sous leurs souliers et un air plus frais et sain leur caresser le visage. Cette fois, plus de doute possible. Ils remontaient à la surface.

Ils n'avaient pas perdu plus d'une demi-heure lorsqu'ils écartèrent un rideau épais de lierre et pénétrèrent dans la forêt. Une lune aux trois quarts pleine éclaircissait en son halo la nuit qui était tombée.

Occupant la branche basse d'un chêne, une chouette s'attarda un instant sur leur équipage, puis, rassurée de les voir quitter les lieux aussi discrètement qu'ils avaient surgi, reprit sa surveillance tranquille.

*

* *

Les agapes touchaient à leur fin sous le ciel étoilé de Romans. Hélène retint un énième bâillement. Elle était éreintée mais avait su tenir sa place au banquet avec élégance. Il s'était étiré jusque tard dans la nuit, en une succession de plats qui lui avaient distendu l'estomac et donné la nausée. La place se vidait et, enfin, son époux venait de clore la feste en levant un dernier verre à leur hymen.

Hélène savait qu'il était épuisé. De plus, dans l'espoir de compenser la perte de son sang, il avait bu plus que de raison et son haleine empestée accrochait chaque mot avec rugosité et un semblant d'incohérence.

Il était temps de rentrer.

Elle se leva, le ventre autant alourdi de sa grossesse que du trop de mangeaille. Accepta le bras mal assuré de son époux et quitta la tablée, écœurante à présent de quelques saoulards qui, le nez dans leur écuelle, ronflaient la gueule ouverte dans un reste de repas. Les musiciens s'étaient tus, les jongleurs et autres amuseurs de foule avaient disparu. Disparus aussi Constantin et Algonde sous leur déguisement. Ne restaient que quelques irréductibles qui vociféraient sous les volets refermés par les habitants fatigués.

On leur fit escorte jusqu'au carrosse. Hélène s'y installa, avant de s'étonner de voir Luirieux s'emparer d'une couverture puis la dérouler sur ses genoux.

— Votre sollicitude me touche, mon ami, le remercia-t-elle avec une pointe de sincérité.

Il se laissa choir à ses côtés, cala sa nuque contre le rembourrage du dossier. Balaya l'air de sa main.

— Ne vous y trompez pas, ma femme. Point d'affection entre nous. Il n'y en aura jamais. Je ne fais que protéger mes intérêts.

Elle n'en espérait pas moins. Soupira tout de même, l'air navrée.

— Comme vous voudrez.

La voiture s'ébranla.

Elle se mura dans le silence et l'obscurité, heureuse de pouvoir enfin s'abandonner à l'idée de retrouver prochainement ces êtres que la vie lui avait arrachés.

Elle n'avait eu de cesse, l'après-midi durant, que de les observer, de se réjouir des pitreries de Constantin et du déguisement d'Algonde. Tous deux avaient évité son regard, mais elle l'avait senti peser sur elle, chaque fois qu'ils étaient chassés par d'autres amuseurs et ramenés à la discrétion derrière l'église.

Mais là n'était pas seulement leur intérêt.

À voir Algonde se cacher derrière la curiosité que provoquait Constantin pour mieux écouter les conversations, Hélène avait compris qu'elle s'inquiétait autant d'Enguerrand que de Mathieu. En début de soirée, un soldat, couvert de la poussière des chemins, s'était penché à l'oreille de Luirieux. Tout comme Algonde qui l'observait à quelques pas de là, Hélène avait vu ce dernier s'agacer, lui répondre vertement puis le chasser d'un geste de la main.

Elles avaient échangé un bref regard soulagé.

Si le prévôt exigeait qu'on intensifie les recherches, malgré les renforts qu'il avait envoyés en début d'après-midi, c'était de toute évidence que Mathieu et les siens avaient réussi à filer.

Une victoire de plus, avaient-elles songé d'un même élan. Complices de nouveau.

L'ours s'était dressé, piqué au derrière par les bouffons, et Algonde s'était effacée pour laisser un groupe de cracheurs de feu prendre le relais.

À la fin de leur dernier passage, Constantin et elle étaient venus s'incliner devant Hugues de Luirieux pour le remercier et prendre congé. Hélène, dont les battements de cœur s'étaient apaisés au fil de la journée, les avait vus s'emballer de nouveau.

Constantin est troublé, aussi bouleversé que je le suis de leur départ, avait-elle constaté. *A-t-il craint que je le rejette ?* se demanda-t-elle. Ce fut vrai. Quelques secondes. Lorsqu'il était paru entre ses cuisses, les écartelant de douleur. Ensuite, elle n'avait jamais cessé de l'aimer, même durant toutes ces années où elle l'avait cru perdu. Si elle l'avait pu, Hélène se serait levée pour l'étreindre et l'embrasser. Mais, outre la table, son époux et les convives, la bienséance elle-même les séparait.

Bientôt, s'était-elle promis en ramenant ses mains sous la table pour n'être pas tentée de saisir les siennes, tremblantes.

Abruti de vin et indifférent à leur émotion, Luirieux leur avait remis une lettre de recommandation pour l'intendante du castel de Sassenage. Préparée sans doute lorsqu'il s'était absenté en milieu d'après-midi pour se faire recoudre, en avait conclu Hélène.

— Tu partiras dès demain pour y prendre tes quartiers, avait-il ajouté en visant d'un index vacillant le soi-disant dresseur.

Après avoir remercié le prévôt, Algonde avait empoché le document bien inutile pour elle, avant de s'effacer sur la promesse muette de leurs proches et véritables retrouvailles.

*

* *

Prendre quartier.

L'allusion militaire refit sourire Hélène dans l'obscurité de la voiture qui venait de s'engager sur le vieux pont.

Si Hugues de Luirieux s'imaginait pouvoir les diriger, elle et les siens, comme il menait ses hommes, il se trompait. Dès lors qu'elle serait en sécurité à Sassenage, elle ferait en sorte de demeurer maîtresse de son destin.

Celma le lui avait affirmé.

Hugues de Luirieux tomberait.

32.

Mathieu ne fut pas long à se repérer, malgré la nuit qui les encerclait. Il connaissait suffisamment la région pour l'avoir battue et rebattue au gré des événements qui avaient marqué sa destinée. En trois heures de marche, au maximum, ils auraient rallié la barcasse du passeur du gué de Beaulieu. Connu des fripons, l'homme savait manœuvrer sur l'Isère. Pour quelques pièces, aux premières lueurs de l'aube, toujours, il offrait la traversée mais aussi son silence depuis qu'on lui avait coupé la langue. Une fois de l'autre côté du fleuve, Mathieu et les siens seraient en sécurité pour gagner le point de rencontre donné à Briseur dans les montagnes. Mathieu se relâcha. Ils avaient du temps devant eux. Torval ne trouverait personne pour le renseigner sur le souterrain et la nuit interdirait aux soldats de battre campagne. Il accorda donc aux enfants qui bâillaient deux heures de sommeil durant lesquelles, par mesure de prudence, il tiendrait la garde avec La Malice.

Ce dernier, que le sommeil prenait tard, accepta le premier tour et Mathieu s'étendit entre Mayeul et son fils, dans une chênaie feuillue et généreuse qui leur accordait l'asile d'une petite clairière.

Sentir de nouveau à ses côtés le souffle chaud et l'odeur de Petit Pierre le combla d'aise. Il sombra d'un bloc dans un sommeil profond, avec au cœur la certitude d'une vie à réapprivoiser.

*
* *

Le réveil fut brutal.

Il s'extirpa d'un cauchemar dans lequel on lui piquait la gorge avec insistance.

Lorsqu'un soulier percuta ses côtes, il ouvrit grand les yeux et, sursautant, manqua s'empaler sur la lame à quelques doigts de sa glotte.

Rêvait-il encore ? Un rire se chargea de le détromper.

— Tu nous auras donné de la peine, le borgne !

Torval. Mathieu sentit le sang quitter ses veines. Il étendit ses bras sur les côtés. Les lits de mousse étaient vides. La nuit, sombre encore, au-dessus de sa tête.

— Debout, ordonna l'homme de main de Luirieux.

Mathieu obéit. Pour avoir une vision plus large de la situation. Où se trouvaient les enfants ? La Malice ? Pourquoi La Malice n'avait-il pas sifflé ?

Il eut la réponse à peine se fut-il dressé. Près de sa lanterne qui brûlait encore, le petit homme avait été littéralement cloué au tronc de l'arbre contre lequel il veillait. Une flèche dans chacun des bras. Une autre en pleine poitrine. Son menton retombait sur sa chemise ensanglantée. Il n'avait pas eu le temps de s'apercevoir qu'on les attaquait. Les comparses de Torval, que Mathieu savait habiles archers, avaient dû tirer en même temps, s'ajustant grâce à la lumière. Le cœur de Mathieu se serra. Il avait perdu nombre de compagnons mais celui-ci était, avec Villon et Briseur, plus qu'un ami. Un frère. Comment diable avaient-ils réussi à s'approcher sans l'alerter ? S'était-il assoupi, lui qui ne dormait jamais ?

Mathieu serra les dents, crispa son poing, qu'il se retint d'écraser sur la face de Ronan de Balastre occupé à le désarmer. Il devait penser aux enfants. Seulement aux enfants.

Il toisa Torval qui le fixait avec une évidente satisfaction à la lueur des falots que ses hommes avaient rallumés.

— Où sont les petiots ?

— On est là, p'pa. Sous bonne garde.

Mathieu se tourna vers la voix de Petit Pierre. Elle tremblait dans l'obscurité profonde de la forêt. Celle de Torval explosa de jubilation.

— Tiens tiens, mais voilà qui va ravir Luirieux ! Le père et le fils d'une même fournée !

Mathieu enragea de ne pouvoir rien tenter. Il ne voyait pas les enfants, avalés par l'obscurité. Ne comprenait pas comment on avait pu les lui soustraire sans le réveiller.

Ronan de Balastre le poussa de l'avant sans ménagement. Mathieu se durcit, s'immobilisa derrière ce pas forcé.

— Avance, ordonna le maître du fouet.

— Pas avant d'avoir enterré La Malice.

Un coup de poing dans l'estomac répondit à sa requête. Torval n'était pas homme à voir son autorité discutée. Pour mieux l'asseoir, il en décocha un autre, plus violent encore. Bien que retenu sous les épaules par Ronan de Balastre, Mathieu plia vers l'avant, sentit monter un goût de sang dans sa bouche. Torval le redressa par les cheveux.

— Le bossu s'en chargera… À moins que tu ne préfères qu'on l'égorge à ses côtés ?

Mathieu refusa d'un mouvement de tête. Torval lui tapota la joue, sous la balafre qui barrait l'œil, fermé.

— Tu vois, quand tu veux…

Torval s'écarta. Laissa Ronan de Balastre se débarrasser de son fardeau en le projetant de l'avant. Mathieu plia un genou à terre. Cracha un filet de sang.

— Comment nous as-tu retrouvés ? grinça-t-il en se

relevant d'une poussée de sa main valide, l'autre bras barré sous sa poitrine douloureuse.

— La vieille cuisinière. Il a fallu lui griller la plante des pieds mais elle a fini par se souvenir du souterrain. Diantre ! selon elle qui était née au château, il y avait long qu'on ne l'avait utilisé.

En retrait, un sanglot étouffé. Mayeul avait entendu le sort qu'on avait fait à sa nourrice. Il avait droit à une compensation. Mathieu courba le front. Le lança de toute force en avant. Percuta Torval sous le menton, surpris par sa soudaine et inutile rébellion. Torval vacilla. Mathieu entendit claquer le fouet derrière lui. Accusa le coup sur ses omoplates.

— NON ! hurla Petit Pierre en voyant la lanière s'abattre encore, et encore, jusqu'à obliger Mathieu à se recroqueviller à terre.

— Assez, décida Torval d'une voix pâteuse, la langue éclatée par la morsure de ses propres dents.

Il tendit la main à Mathieu.

— C'était de bonne guerre, le borgne. Mais avise-toi de recommencer, et je ne ferai pas de quartier.

Mathieu accepta la poigne. Se remit sur ses pieds. Difficilement cette fois, tant les lacérations puissantes le cuisaient au travers de ses vêtements déchiquetés. Son bras retomba, aussitôt saisi par Ronan de Balastre qui s'empressa de le ligoter à hauteur des coudes avant de l'entraîner sans ménagement vers les deux enfants. Malgré la détresse qui marquait leurs traits, Mathieu fut rassuré de les trouver en bonne santé. Indifférent au filet de sang qui lui coulait de derrière l'oreille gauche, il se planta un instant devant Mayeul, fouilla le visage inondé.

— Sauve ta vie, petit bossu. Va où tu dois et sauve ta vie.

La gorge nouée, Mayeul acquiesça du menton. Il noua ses bras autour de Petit Pierre. Le laissa envelopper sa bosse dans une accolade fraternelle. Hoqueta à son oreille.

— On se retrouvera.

— Oui, répondit Petit Pierre, le cœur serré.

Ronan de Balastre les arracha l'un à l'autre. Poussa de l'avant le père et le fils tandis qu'un autre contraignait Mayeul à reculer vers la clairière. Le petit bossu n'insista pas, averti qu'on le tuerait sans hésiter.

Il demeura les bras ballants à fixer la lueur agitée des falots, puis, sitôt que la forêt l'eut rendu à l'obscurité, se laissa tomber sur une souche d'arbre arrachée, la poitrine agitée de sanglots.

Tout était sa faute. Oui. Sa faute. S'il n'avait pas été agacé par une envie pressante tantôt, rien, non, rien ne serait arrivé.

33.

Celma et Bertille étaient en état de choc.

Un quart d'heure plus tôt, précédant Briseur qui portait toujours Jean, elles avaient émergé dans la crypte de l'abbaye de la Trappe de Chambaran et capté le passage de Mathieu, La Malice, Petit Pierre et du jeune bossu. Comprenant que la densité de la roche à cet endroit avait probablement nécessité un pont par la surface, elles s'étaient mises en quête d'un autre accès secret, pendant que Jean tentait de rabattre les glapissements de Noiraud emporté par la joie collective.

Leur communauté, forte d'avoir semé ses poursuivants par la ruse, s'était plus encore ragaillardie à l'idée de ces proches retrouvailles et c'est d'un pas neuf qu'elle avait descendu l'escalier à l'intérieur d'un second gisant, puis emprunté l'étroit conduit souterrain qui ramenait vers la forêt.

*
* *

Immobilisées à quelques coudées de la sortie, mère et fille haletaient à présent d'une respiration courte et hachée, les yeux vitreux sur une vision sanglante qui confirmait celle que Celma avait reçue dans la matinée. Aucune des deux ne parvenait à s'en défaire. Un des leurs avait été fauché, quelque part dans ces ténèbres qui tenaient la contrée, et elles assistaient à son agonie, lente et douloureuse, sans rien y pouvoir faire.

Alerté par ce changement brutal d'atmosphère, Noiraud leur tournait autour, les babines retroussées, le poil hérissé, pour retenir loin d'elles un ennemi invisible que Briseur et Jean, crispés, pressentaient de même.

Celma s'en arracha la première, le visage blême, les lèvres tremblantes.

— Ils ont été pris, jeta-t-elle, couvrant les grognements du chiot.

Un râle échappa à Jean, de désarroi autant que de fureur. Celma ne voulut pas l'endeuiller davantage. Elle se contenta d'un regard appuyé à l'intention de Briseur avant de replier trois doigts de sa main gauche. Le signe, Briseur le savait, était celui de ralliement de La Malice. Celma ne lui accorda pas davantage de détails. Elle se détourna de lui pour secouer sa fille, au mépris de toutes les règles.

— Ne reste pas hors du temps, Bertille, il ne faut pas rester hors du temps !

Bertille vacilla dans les bras de sa mère. Quelques secondes d'inconscience avant d'ouvrir enfin les yeux.

— À moins d'une lieue, au sud-est, murmura la fillette, épuisée de douleur.

— Oui, confirma Celma. Tu peux marcher ?

Bertille hocha la tête.

— Courir, mère. Voilà ce qu'il faut. Tu le sais comme moi. Il faut courir dans leurs pas.

— Oui, répéta Celma avant de se tourner vers Briseur.

— Suivez-moi. Où je passe, passez derrière moi.

La minute d'après, les yeux refermés, elle jaillissait du souterrain. Guidée par la vision de Mathieu avant elle, plus sûrement encore que par la lune au-dessus de leurs têtes, la devineresse prit la course à travers bois, la rage au ventre et une certitude au cœur.

Elle devait arriver avant la camarde.

*

* *

La Malice avait de la ressource. C'était, depuis l'enfance, ce qui l'avait toujours sauvé. Il savait faire profil bas quand une partie était jouée à son désavantage, comme se servir du vainqueur, ensuite, en flattant sa renommée.

Lorsque les deux premières flèches l'avaient atteint aux bras, la douleur avait été si intense qu'il en avait perdu la voix, puis la conscience lorsque la troisième avait perforé sa poitrine. Il avait repris ses esprits dans un brouillard qui ne lui avait laissé aucun doute. Il ne pouvait rien pour les siens que les sbires de Luirieux retenaient prisonniers. Aurait-il émis quelque râle pour les rassurer qu'on l'aurait achevé sans scrupule. Or donc, il s'était cantonné au rôle du mort puisque, par définition, les morts n'intéressent personne.

Non qu'il fût couard, mais, dans sa situation, il aurait été bien en peine de venir en aide à qui que ce soit. Mieux valait tergiverser. Rester vivant.

Il attendit que les soldats se soient suffisamment éloignés avec leurs chevaux pour héler Mayeul d'une voix affaiblie, conscient toutefois que ses blessures étaient graves et que le petit bossu était inapte à le soigner.

*

* *

Lorsque Celma déboula la première dans la clairière, Mayeul, le visage ruisselant de larmes devant la douleur qu'il provoquait, s'escrimait à arracher la deuxième flèche. Elle se précipita pour l'en empêcher.

— Non point Mayeul !

Le bossu sursauta, tourna la tête avec inquiétude. Le temps qu'il se demande comment cette inconnue pouvait savoir son nom, elle le repoussait délicatement de la main, et les autres le cernaient.

Sitôt qu'ils eurent acquis la certitude que La Malice n'avait pas encore succombé, Bertille se chargea des présentations et d'éloigner le petit bossu, bouleversé. Celma avait besoin de calme pour agir. Et de feu pour cautériser les plaies.

Il ne fallut pas longtemps pour que tout s'organise autour du blessé. Tandis que Mayeul tenait compagnie à Jean, Briseur ramassait des allumettes et Bertille déballait de la besace de sa mère la médecine que cette dernière y avait entassée au moment de quitter le castel de Luirieux.

— C'est bon de te revoir, voulut chuchoter La Malice, comme Celma promenait la lanterne au-dessus de la plaie qu'en arrachant la première flèche Mayeul avait révélée.

Une quinte de toux le prit. Profonde et grasse. Elle amena un filet de sang à la commissure de ses lèvres.

— Garde tes forces, tu vas en avoir besoin, lui conseilla Celma en lui caressant la joue avec tendresse.

— J'ai du mal à respirer, continua pourtant La Malice, en rejetant avec précaution sa nuque en arrière. Trouver l'appui du tronc derrière lui. Se reposer.

— Je vais te libérer de ces flèches, mais pas comme le petit le voulait. La pointe a déchiqueté la plaie.

— Fais..., consentit La Malice en toute confiance, les paupières refermées, le visage en sueur.

Celma grimaça. Certes ils avaient fait vite, certes ils avaient devancé la camarde, mais l'état du petit homme était alarmant. Elle n'était pas certaine de le pouvoir sauver. Elle lui pressa l'épaule.

— Tu ne dois pas t'endormir. Surtout pas.

Il hocha faiblement la tête.

— Faut te décoller de l'arbre. Quelques pouces seulement pour que je puisse trancher le trait à hauteur de la pointe. Briseur va nous aider.

Sans attendre le moindre assentiment, elle héla le colosse entre les mains duquel la flamme prenait. Briseur souffla sur le semblant de braise provoqué par les brindilles, invita Mayeul à lui succéder puis la rejoignit, au fait de sa tâche à venir. Ce n'était pas la première fois qu'un membre de leur bande se faisait embrocher.

Il s'accroupit devant La Malice et, tandis que Celma s'occupait de faire avancer le bras autour de la hampe de la flèche, noua les siens au torse que la chemise empuantie de sang collait.

— Prêt, mon frère ?

— Prêt, assura La Malice.

Briseur fit venir le buste à lui avec une infinie délicatesse, puis le maintint droit tandis que Celma récupérait sa serpe des mains de Bertille. Finement affûtée pour ébrancher le gui ou autres rameaux utiles à ses médecines, la petite faux avait déjà servi par le passé à ce genre d'intervention. Attrapant le bois de la flèche d'une main ferme, Celma trancha juste, sans même provoquer de secousses. Les deux pointes demeurèrent figées dans le tronc. Ne restait plus qu'à libérer La Malice. Un signe à Briseur. C'était à cet instant que la vie du petit homme se jouait.

Si une artère avait été perforée, il se viderait de son sang en quelques secondes et rien ne le sauverait. Un silence recueilli enveloppa la clairière, comme un souffle suspendu à leur angoisse.

— Si j'reviens pas, jure-moi de faire payer Luirieux, grommela La Malice.

Briseur envoya un crachat mourir dans le sous-bois, par le côté, puis tira d'un coup sec sur la hampe tout en retenant le corps, épuisé, contre le sien.

La Malice ne trouva pas la force de crier. Il ferma juste les yeux et se sentit glisser.

34.

Les poings liés sur les reins, Mathieu avait été jeté à plat ventre et sans le moindre ménagement en travers de la monture de Ronan de Balastre. Malgré l'attention qu'il mettait à bander vers l'arrière les muscles de son cou pour ne pas abîmer son visage contre le flanc du cheval, le raclement du crin lui brûlait la peau. La poussière soulevée par le galop lui pénétrait les narines jusqu'à l'étouffement, et il devait lutter pour respirer par petites bouffées entre deux quintes de toux. Ajoutant à cet inconfort, le sang lui montait à la tête, réveillant la migraine qui l'avait accablé à la Rochette après son coup de massue.

Pour s'y soustraire, Mathieu se serait volontiers laissé glisser sous les sabots si son geôlier n'avait jugé prudent de l'attacher au pommeau de sa selle. Lors, douloureux et abruti, il n'aspirait plus qu'à atteindre leur destination au plus tôt.

Devant lui, Petit Pierre connaissait meilleur sort. Torval le pressait fermement contre sa poitrine. La menace d'exécuter son père avait suffi à le garder tranquille. Il regardait droit devant lui ces éclairs qui, au loin, s'invitaient au festoiement de l'aube et traçaient une route démente à leur chevauchée.

L'esprit ailleurs.

Dans ces minutes qui avaient précédé l'attaque, ahuri encore du méchant tour que le destin leur avait joué.

*
* *

— Tu dors ?

Il avait répondu « non » à Mayeul, par-dessus le ronflement que Mathieu opposait entre eux.

— J'ai besoin de faire…

— Maintenant ?

— T'as eu le temps toi ?

— Non.

— Et t'as pas la tripaille melue ?

— Non.

— Ah.

Un court silence, puis Mayeul avait renchéri.

— Ça va pouir, faut que je m'éloigne. Tu m'accompagnes ?

— Qu'est-ce que tu crains ?

— Les gorets. J'ai encore les habits qui sont imprégnés de celui qu'on a coursé.

Petit Pierre avait pouffé à l'idée du derrière de Mayeul bousculé par un groin. Lors, il s'était dégagé de la chaleur de son père qui le collait de trop près. Mathieu avait émis un grognement réprobateur, puis, rassuré par la voix de son fils dans son oreille, avait laissé son bras retomber sur la mousse.

Les deux garnements s'étaient présentés de concert devant La Malice. Le petit homme leur avait allumé une seconde lanterne, avant de baisser la voix pour ne pas réveiller Mathieu.

— Prenez par la dextre, à trois pas de la chênaie, pas davantage, et rendez le cri de la hulotte en revenant.

— Compris.

Ils n'étaient guère allés plus loin, de leur idée. Juste quatre ou cinq arbres, à cause du vent qui s'était levé et qui courait vers les leurs. Ils avaient avisé un cerne de champignons vénéneux. Par jeu, côte à côte, ils avaient posé le falot puis culotte par-dessus leurs chapeaux rouges à pois blancs.

Ils avaient bien entendu les feuillus bouger, mais, occupés de pets bruyants qui les amusaient l'un l'autre et rassurés de leur compagnie mutuelle, ils avaient mis le mouvement sur le compte des animaux de la forêt.

Lorsque les soldats les attrapèrent par le col, les tirant en arrière dans leurs déjections, les muselant d'une main sur la bouche et d'une lame sous la glotte, ils étaient sur le point de s'essuyer avec des feuilles ramassées à portée.

Ils n'avaient rien vu venir.

Un homme avait levé leur propre lanterne, l'avait baladée devant leurs visages avant de les menacer à voix basse.

— Il parle, t'es mort. Tu cries, il est mort. Compris, vous deux ?

Ils avaient marmonné en même temps contre les paumes puantes, sous le coup encore de la surprise et de l'effroi.

Il ne savait pas d'où ces soldats avaient jailli, mais Petit Pierre avait, sans hésiter, reconnu la livrée des hommes du prévôt. Comme pour lui donner raison, le même individu avait glissé à un autre :

— Retourne au campement. Préviens qu'on les a trouvés.

Sans l'envie pressante de Mayeul, il était fort probable qu'ils seraient passés inaperçus. Au moins jusqu'au matin. Là, avec de la chance…

La suite, Petit Pierre ne pouvait se l'arracher des yeux et du cœur.

Contraint et forcé, il avait repris le chemin de l'aller.

— Trompe-toi de signal d'approche, et on vous saigne. Tous les deux, lui avait glissé le meneur en le poussant devant lui d'une main, l'autre affirmant le poignard sous sa gorge.

Petit Pierre n'avait pas vu les archers se mettre en position dès qu'ils avaient accroché la cible parfaite qu'offrait La Malice sous sa lanterne. Dans sa petite main, son falot à lui tremblait, mais, de là où il se trouvait, La Malice ne pouvait encore en juger. Trop d'ombre, trop de végétation les masquaient. À l'instant où Petit Pierre jeta le signal, assorti d'une stridulation supplémentaire pour avertir du danger, La Malice venait de lever les bras pour s'étirer, un bâillement en bouche.

Il ne les avait pas rabaissés. N'était plus resté aux hommes de Luirieux qu'à cueillir Mathieu, qui pas un seul instant n'avait cessé de ronfler.

*

* *

Étrange comme les souvenirs peuvent surgir à contre-emploi. Sous son crâne en feu, Mathieu les voyait affluer en marée puissante. Des souvenirs de jeux, de rires. Il se revoyait avec Enguerrand courser Algonde et Fanette jusque dans les bois de Sassenage, les frictionner de chatouilles avant de les jeter dans l'eau claire du torrent, là où il bruissait à peine. Le nez pourtant saturé de poussière, il recaptura l'odeur du pain chaud qu'il défournait auprès de son père pour livrer les cuisines à l'heure du lever. Un goût de lait de poule lui passa sur la langue, assorti du rire bondissant de maître Janisse. Un instant, il lui sembla percevoir sur sa joue le baiser qu'Algonde lui avait donné en échange d'une brioche, leur course éperdue jusqu'au bord du Furon, à quelques coudées de la maison de la sorcière. Il revécut l'instant où il lui avait enfin avoué combien il l'aimait. Il frissonna, retrouvant la caresse de ses doigts lorsque, gourds et innocents encore, ils s'étaient déshabillés et aimés au milieu des rochers.

Qu'avaient-elles à lui dire ces images, ces sensations si prégnantes qu'il les revivait ? Que les jours heureux balayés d'insouciance ne reviendraient jamais ? Qu'il était trop tard pour tout recommencer ? Heureux oui, il l'avait été, jusqu'à ce que Marthe déboule au château de Sassenage dans le sillage de Sidonie et du baron Jacques, jusqu'à ce qu'Algonde tombe dans le Furon, jusqu'à ce que la chambre maudite de Mélusine soit ouverte, jusqu'à ce que cet épervier maléfique lui arrache l'œil et déchiquette sa main[1]. Heureux oui. En ce temps-là, il n'avait d'autre ambition que d'épouser Algonde, lui donner de beaux enfants et se vouer à son métier de panetier.

Rien n'avait été comme il l'avait imaginé. Rien n'avait été que du tourment et des larmes. Que de la fureur et des cris.

Il en avait assez. Assez de cette douleur qui lui vrillait les tempes et les tympans, assez d'aller d'espoir en désillusion, de combat en combat. Le dernier. C'était le dernier qu'il voulait mener. Le dernier.

S'il survivait à cette chevauchée qui lui brisait le corps et le cœur, il n'aurait pas le cran d'un autre, il le savait. Mais survivrait-il ? Quelque chose enflait dans sa tête, quelque chose qui semblait vouloir aspirer ses souvenirs dans un trou noir, les gommer. Quelque chose d'inconnu qui peu à peu prenait toute la place du présent, l'avachissait sur ce cheval emporté, l'empêchait sous sa pression crânienne de contrôler encore le ballottement.

Une ultime image s'imprégna sous ce casque. Celle d'Algonde telle qu'elle était devenue, femme serpent

1. Voir *Le Chant des sorcières.*

dans les eaux sombres. Sa femme. Qui l'attendait désespérément.

Il n'eut pas le temps de se dire qu'il ne la sauverait pas. Pas non plus Petit Pierre.

L'amas de souvenirs éclata dans sa tête comme un boulet de canon.

*
* *

Lorsque les soldats s'immobilisèrent dans la cour du castel qu'Hélène et Hugues de Luirieux avaient regagné la veille au soir, une pluie diluvienne battait les pavés, empêchant le soleil de percer le plafond de nuages. Délaissant les autres qui obliquaient vers les écuries, Torval sauta à bas devant l'entrée principale du corps de logis. La seconde d'après, il entraînait Petit Pierre derrière lui pour se mettre tous deux à l'abri.

À l'intérieur, Torval trouva Hugues de Luirieux de méchante humeur, occupé à houspiller un bougre de son escorte devant une cheminée éteinte. Il régnait dans la pièce une désagréable odeur de cendres froides, ravivée par les gouttes qui pleuvaient du conduit. Les traits tirés, le prévôt n'avait pas anticipé, en rentrant de ses noces, qu'avoir ordonné la prise de ses gens rendrait sa maison sans domesticité. Il n'avait trouvé en guise de matinel qu'un massepain de la veille assorti de lait caillé et ne voulait pas manquer devant son épousée. Aux aurores, il avait réagi en envoyant ses hommes dans les villages alentour mais aucun serviteur ni intendant ne s'était encore présenté.

Rompant ses soucis matériels, la vue de Petit Pierre le ravit, au moins autant que la capture de Mathieu. Il avait besoin du brigand pour confondre Enguerrand de La Tour-Sassenage lorsqu'il le présenterait devant ses juges. Avec son fils en otage, Mathieu n'aurait d'autre choix que d'accabler le chevalier, accréditant le témoignage de tous ceux qui, dans l'église collégiale, avaient assisté aux débordements de ce dernier. Sire Enguerrand était perdu. Ne resterait plus qu'à les pendre tous deux. Côte à côte, sur la grand-place de Romans. Bien sûr on grincerait des dents dans la noblesse, mais, après tout, qui était Enguerrand de La Tour-Sassenage, sinon un bâtard né de l'union scabreuse d'une épouse légère et d'un soudard ? Non, cette fois, le chevalier ne trouverait personne pour le défendre et le sauver.

À cette perspective, sa migraine s'envola et, malgré le regard de haine de Petit Pierre à son encontre, le prévôt se frotta les mains de contentement.

Il fut de courte durée. Ronan de Balastre parut sur le seuil à son tour, la mine basse.

— J'ai une mauvaise nouvelle, messire…

Il marqua un temps d'arrêt, tordit la bouche d'agacement avant d'ajouter, devant Petit Pierre qui s'agitait :

— C'est rapport au Mathieu. À voir le sang qui lui coule par le nez, je crois qu'il est crevé.

35.

La traversée avait été brève. Poussé par un vent régulier depuis qu'ils avaient quitté le port sur les recommandations de la Khanoum, le navire les avait menés jusqu'à Alexandrie. De là, ils avaient remonté le Nil jusqu'à la hauteur d'Héliopolis.

Ce 3 juin, Mounia avait le cœur serré, même si la présence de Khalil à ses côtés la rendait plus forte pour affronter son passé.

— Est-ce bien nécessaire ? C'est vers demain qu'il faut se tourner, lui avait objecté son fils en devinant son tourment derrière la détermination.

Elle l'avait pris aux épaules, s'étonnant chaque jour davantage de le voir grandir, devenir homme avant l'âge.

— Je dois rencontrer ces fellahs. C'est important pour moi. Et pour nous tous de descendre en le tombeau d'Osiris, avait-elle ajouté en direction d'Elora.

Ils en avaient discuté durant la traversée.

Le jour tragique de la mort des siens, ils n'avaient pas pris le temps d'en explorer tous les secrets. Mounia en était convaincue. Quelque chose d'essentiel les y attendait, que, même s'il était revenu sur les lieux, Enguerrand aurait été incapable de déchiffrer.

— Ta mère a raison, Khalil. J'en éprouve moi aussi la nécessité, avait tranché Elora.

*
* *

Mounia abandonna son dromadaire aux mains de Nycola.

— J'ai besoin d'être seule quelques minutes, dit-elle en embrassant son fils sur le front.

Elle accepta le falot qu'il lui tendit, prit une profonde inspiration et avança droit devant.

De fait, l'endroit était tel qu'en cette autre nuit, les parfums et la lumière, identiques. Mounia sentit sa détresse remonter en elle comme une houle longtemps refoulée. Son œil balaya la cour intérieure, se réappropria le bassin central, comme hier empli d'un sable ocré. À senestre, plaqué contre le mur de la première aile, le cloître hathorique, baigné de pénombre, depuis lequel les hommes d'Hugues de Luirieux avaient tiré. En face, le corps central du palais. À dextre, l'autre bâtiment, celui des serviteurs, avec cette petite resserre d'huile où les siens s'étaient réfugiés. À l'exception de cette porte, à demi arrachée, plus rien, sous le ciel étoilé, ne laissait deviner ce qui s'y était passé.

Mounia se dirigea d'un pas lourd vers le réduit béant, marqua un arrêt à l'endroit où elle s'était jetée sur le corps de sa mère que Luirieux venait d'achever[1].

Elle le dépassa. Écarta le pan de bois d'une main tremblante. Entra. Balaya sa lanterne dans le vide de la pièce. Même les jarres avaient été enlevées.

Elle s'immobilisa. Leva plus haut sa lanterne pour inonder le mur d'en face. Une traînée de sang séché l'obscurcissait. Elle se sentit aspirée par un vertige. Une fraction de seconde, elle se retrouva dix ans en arrière, revit Enguerrand s'y appuyer, la poitrine barrée d'une

1. Voir *Le Chant des sorcières.*

flèche, le souffle coupé. Elle se détourna pour chasser l'image mais ne sut qu'en retrouver une autre, près du battant repoussé. Celle de son père, Aziz ben Salek, qui s'y était agenouillé pour mourir, transpercé de part en part par une épée. Ses yeux se brouillèrent. La main sur ses lèvres pour étouffer un cri, elle voulut reculer, buta contre quelque chose à terre, tenta de se rattraper au battant, et, de ce fait, en lâcha sa lumière.

Sa première impulsion fut de fuir ses souvenirs. Elle la contint en voyant la flamme, un instant mouchée, reprendre vigueur. Elle se baissa pour ramasser le falot. Remarqua la ligne de bois qui affleurait du sol. Les yeux détrempés par les larmes, elle l'épousseta, sans réfléchir.

Jusqu'à découvrir qu'il s'agissait d'une croix.

Enguerrand.

Enguerrand les avait enterrés là, imagina-t-elle en tombant à genoux, relâchant enfin, dans le silence de cet endroit maudit, tout ce qu'elle avait emprisonné en sa mémoire de détresse et de désarroi.

*
* *

Ce fut la main de Khalil sur son épaule qui l'en arracha.

— Viens… Viens, maman…

Il souriait. L'œil empli d'un amour qui n'avait fait que croître au fil des jours, des semaines.

Elle se leva.

Tourna le dos à ses parents, unis dans la mort comme ils l'avaient été dans la vie. Les doigts de Khalil se nouèrent aux siens. Elle les serra.

Débarrassés de leurs montures qu'ils avaient attachées sous le cloître, Nycola et Elora les attendaient devant la façade principale.

— Suivez-moi, dit-elle en entraînant Khalil en haut des marches.

D'un pas lent qui résonnait sur le marbre des pièces vides, elle refit le chemin que lui avait ouvert son père. Sans hésitation, elle retrouva la trappe dans le sol, le mécanisme pour la faire basculer, l'escalier puis le long tunnel souterrain qui menait à la première des salles[1]. Il lui fallut tout ce temps pour regagner son allant et l'excitation qui l'avait saisie ce jour-là, en découvrant la stèle centrale percée d'une forme pyramidale à la lueur des lampes perpétuelles qu'alimentait, goutte à goutte, l'huile de roche tombée du plafond.

Face à ce qui ressemblait à un conduit d'aération, elle leur recommanda, comme Aziz en son temps, de prendre de l'air en réserve et de ramper calmement derrière elle.

Dix minutes plus tard, les uns derrière les autres, ils parvenaient dans la chambre mortuaire baignée d'ombre. Mounia y promena son falot pour s'en réapproprier l'espace.

Un petit cri de stupeur et d'incompréhension lui échappa.

De l'ordonnance des objets autour du sarcophage, il ne restait plus rien. Brisés, les statuettes et les vases ; renversés, les paniers et le pectoral. Quant au tombeau lui-même, le couvercle en avait été arraché et projeté sur le côté.

Elora s'y avança.

Depuis de longues minutes, elle s'était emmurée dans un silence prudent, reprise par ce sentiment de menace que l'ombre de Marthe laissait planer au-dessus d'elle. Son odeur était partout dans la pièce, obscurcis-

1. Voir *Le Chant des sorcières*.

sant encore celle, étouffante, qui y régnait naturellement.

— Enguerrand ne peut pas être responsable de ce carnage, affirma la voix brisée de Mounia.

Elora se retourna vers elle. Khalil et Nycola la fixaient avec le même regard d'angoisse.

— C'est Marthe…

Mounia frissonna sous l'œil acéré d'Elora. Elle hocha la tête. Elle ne se souvenait pas. De rien. Mais l'évidence était là.

— C'est sûrement moi qui l'ai menée là, lâcha-t-elle, blanche.

Ils ressortirent en silence.

L'endroit était peu approprié à l'usage qu'Elora avait décidé d'en faire. Une fois revenus dans la salle principale, elle les fit asseoir en cercle au pied de la stèle.

— Je ne vois que l'hypnose pour répondre à nos questions et te dégager de ta culpabilité, Mounia, proposa-t-elle en lui souriant avec confiance.

L'Égyptienne hocha la tête.

— Des cauchemars me rongent depuis notre départ d'Istanbul, depuis que vous avez évoqué cette Marthe à mon chevet. Dans l'un, je la vois me remettre le poignard et me demander de tuer la Khanoum, dans l'autre me forcer à reproduire la carte de mon père qu'Enguerrand a récupérée.

— Pourquoi n'en as-tu pas parlé ? s'étonna Khalil qui se souvenait de ces nuits dans le navire où sa mère se tournait et retournait dans son hamac, le sommeil agité.

Mounia ramena vers lui un sourire aimant.

— Au petit jour, tu étais là. Le reste ne comptait plus, Khalil.

Elora soupira.

— Maintenant ou plus tôt, cela n'aurait rien changé. Marthe nous a devancés. Ce qui compte, c'est de savoir pourquoi.

— Je suis prête. Quelle que soit la vérité, affirma Mounia.

La seconde d'après, sa tête retombait sur le côté et tous revivaient par sa voix ce que Marthe lui avait ordonné d'oublier.

« *Ouïmaona inemaïchoï.* »

L'espoir, Mounia croyait l'avoir perdu tout au long de ces jours insipides où, dans sa geôle, elle brodait ces mots incompréhensibles.

Elle se souvenait parfaitement de la première fois où elle les avait prononcés. C'était dix ans plus tôt, quelques jours seulement après que le sultan était revenu au palais. Après qu'il lui avait rendu visite. À cette occasion, il ne lui avait fait aucun reproche, tout au contraire, l'embrassant au front, il l'avait assurée qu'il lui donnerait d'autres enfants dès qu'elle se sentirait prête à revenir à ses côtés. Ce jour-là, Mounia avait compris que la Khanoum n'avait pas révélé son secret. Lorsque Bayezid avait demandé ce qu'il pouvait pour adoucir sa retraite, Mounia avait exigé les ouvrages et les cartes qu'elle avait commencé d'examiner en la grande bibliothèque d'Istanbul. Au soir venu, des rayonnages et une vaste écritoire lui avaient été aménagés. Elle s'était assise devant, avait caressé les cartes antiques, puis s'était mise à pleurer.

C'est à ce moment qu'elle avait entendu cette phrase, portée par une voix intérieure. Son chant l'avait apaisée et elle n'avait plus songé ensuite qu'à en faire le fil de sa vie. Sa raison de silence et d'oubli.

C'était Marthe qui lui en avait finalement révélé la signification, la première nuit où elle s'était invitée à son chevet. Son fils était vivant, lui avait-elle affirmé, l'arrachant à sa torpeur. Lorsqu'elle avait ajouté qu'il était tout près et qu'il ne dépendait que d'elle de le retrouver, Mounia avait senti une ardeur la regagner. Le souffle de cet espoir qu'elle avait emmuré en elle. Comme elle.

Alors, sans relâche, brodant cette fois dans la journée le nom de son fils, elle avait épuisé ses nuits à servir celle qui le lui rendrait.

36.

Sous l'emprise de l'hypnose qu'Elora pratiquait sur elle, Mounia se souvenait à présent de cet instant où Marthe lui avait pressé l'épaule de sa main noueuse, la forçant à redresser la tête et à se rejeter en arrière.

— J'y suis… presque, s'était-elle excusée en désignant la partie septentrionale de son dessin.

Marthe s'était penchée à son tour sur la planche. Le contour des terres et des mers ressemblait au tracé des cartes actuelles. Mounia en avait pourtant ajouté d'autres par-dessus, ainsi qu'elle l'avait vu sur la copie de son père.

— Cela continue-t-il plus bas ? avait demandé la Harpie en suivant le trait de son ongle long et recourbé, semblable à la serre d'un rapace.

— Oui. J'imagine que tous les continents n'en formaient qu'un lorsque les Anciens l'ont découvert et qu'ils en ont inscrit les transformations successives sur la plaque de cristal. C'est pourquoi la lecture est compliquée. Mon aïeul a reproduit les signes les plus visibles. Enfin, je le suppose. En fait, je pense que la première carte a été recouverte d'une autre, puis d'une autre et d'une autre, de sorte que seuls restent en surface les sillons les plus récents.

Marthe s'était arrêtée sur trois triangles faussement alignés par son dessin.

— L'emplacement des flacons pyramides ?

Mounia s'était emparée de l'un d'entre eux qui attendait son heure dans un coin encombré de la table, près d'un chandelier illuminé, d'une règle de bois et d'autres rouleaux de papier. La fine dentelle qui recouvrait le bleu profond du verre était d'un métal étrange. De la couleur de l'étain, il ne s'oxydait pas, était d'une solidité exceptionnelle et, Mounia l'avait constaté le jour où par inadvertance elle avait fait tomber l'objet, empêchait le verre de se briser. À force d'observer celui qu'elle avait autrefois dérobé à Djem, elle avait fini par découvrir un mécanisme discret à la jointure du carré que formait le fond. Enclenché, il permettait à la dentelle de s'ouvrir en une fleur délicate.

Elle l'avait activé puis mis sur un des emplacements.

— Leur disposition évoque la constellation d'Orion, telles les pyramides du plateau de Gizeh qu'a fait construire Osiris, mais j'ignore le langage de cet entrelacs de fils. D'autant qu'il est différent d'un flacon à l'autre. Peut-être chacun d'eux permet-il de lire une des couches de la carte. Évidemment, ce n'est qu'une hypothèse. Et bien sûr pas leur seule fonction puisque l'élixir qu'ils contenaient possédait de miraculeuses propriétés.

Marthe avait piqué son doigt sur le sommet de la pyramide. L'orifice de récupération du liquide était de la taille d'une tête d'épingle et recouvert de cire. Une seule goutte guérissait toute maladie. Deux ramenaient à la vie. Cent la prolongeaient de plusieurs décennies. La totalité offrait l'immortalité. Voilà pourquoi l'ensemble était si précieux aux Anciens. Utilisé à bon escient, ce nectar leur avait offert une vie quasi éternelle. En les en privant, Morlat avait signé leur mort. Lente, mais inéluctable. Et la fermeture des passages vers la Terre.

Marthe avait cru judicieux d'éclairer les quelques zones d'ombre dans lesquelles Mounia baignait encore, certaine que chaque élément avait son importance pour raviver ses souvenirs.

— De ce que j'en sais, la table reposait tout en haut d'une tour de cristal, juste au-dessus d'un flux d'énergie pure qui à la fois s'éparpillait en rivières autour de la cité des Anciens et remontait du sol tel un geyser. Sa puissance était telle qu'il aurait fait éclater la table s'il n'avait été régulé par un djed.

Mounia avait acquiescé.

— Depuis toujours mon père était persuadé que le djed n'était pas qu'un simple pilier ornemental.

— Il avait raison. Mais le djed ne servait pas que de régulateur. Une fois l'énergie accumulée en lui, il pouvait la restituer à d'autres objets, tel le benben dont Osiris était le gardien et qu'il avait utilisé pour construire ses gigantesques ouvrages. Tu sais de quoi je parle, n'est-ce pas ?

— Oui. D'une pierre en forme de pyramide. On lui prête des propriétés étonnantes, aussi dangereuses que bénéfiques. À la mort d'Osiris, elle fut enchâssée à l'intérieur de la stèle de diorite que nous avons découverte près de son tombeau. Sans doute pour la soustraire à la cupidité de Seth.

Marthe avait frotté l'une contre l'autre ses mains noueuses. Ses yeux rétrécis dans leurs orbites noires et profondes l'avaient fixée d'une lueur étrange.

— Sais-tu qui était Seth en réalité ?

— Le frère d'Osiris, qui le tua par deux fois, selon les écritures. La première par la ruse en l'emprisonnant dans un coffre qu'il jeta au Nil et dans lequel Osiris se noya. Puis, en le découpant après que son épouse Isis l'eut repêché et mis en sépulture. L'histoire raconte qu'elle parvint à recoller les morceaux et à lui insuffler suffisamment de vie pour qu'il la féconde d'Horus.

Mounia avait tiqué, frappée par l'évidence :

— Vous pensez qu'Isis se servit de l'élixir contenu dans les flacons pyramides pour ressusciter Osiris, n'est-ce pas ?

Marthe avait acquiescé d'un mouvement du menton. Déjà Mounia avait suivi le fil de sa pensée.

— Osiris ne survécut pourtant que quelques heures, le temps d'engendrer Horus. Pourquoi ? Parce que le flacon pyramide avait été vidé au préalable ? Par Morlat avant que le navire coule ? En ce cas, comment Isis l'aurait-elle obtenu ? En le repêchant près du corps d'Osiris ?

Un petit cri de surprise avait rattrapé Mounia au souvenir d'une des fresques entraperçues dans le tombeau d'Osiris. La barque qu'elle représentait emportait Seth vers Osiris. Au-dessus d'elle grondait le tonnerre. En dessous, Apophis, le maître des abîmes, claquait de la queue pour la faire chavirer.

— Seth ! Morlat et Seth n'étaient qu'une seule et même personne…

Marthe avait approuvé.

— Survivant du naufrage, Seth Morlat gagna l'Égypte où son frère Osiris s'activait à sa tâche. J'ignore s'il sauva tous les flacons pyramides, mais sans doute espérait-il tirer profit du benben d'une manière ou d'une autre.

— Il n'obtint pas le benben. Manéthon, un poète grec bien plus proche de nous que ces événements-là, assure l'avoir contemplé dans la salle que nous avons visitée.

Marthe avait semblé noter ce détail avant de poursuivre.

— Quoi qu'il en soit, à la mort d'Osiris, insatisfait de régner sur les déserts, seul territoire que son frère lui avait consenti, Seth Morlat disputa à Horus le trône d'Égypte. Il ne pouvait regagner les Hautes Terres où son tribunal l'attendait, mais il avait des arguments pour convaincre les Sages encore vivants de soutenir sa cause dans le monde des humains. D'autant plus qu'ils étaient désormais trop affaiblis pour se dresser contre lui. Son argument était simple. Il leur échangeait leur soutien contre un des flacons pyramides. Son contenu était suffisant pour les sauver.

— N'aurait-il pas été plus judicieux pour eux de réclamer la table de cristal ?

Réservant sa réponse, Marthe avait contourné le vaste plan de travail et s'y était appuyée de la jointure de ses poings pour darder sur Mounia, suspendue à ses lèvres, un regard terrifiant.

— Comme tu le sais, Seth n'obtint pas davantage le trône d'Égypte qu'il ne fut, auparavant, autorisé à siéger au conseil des Anciens en place de son père Geb Morlat. Il prit donc son mal en patience. Jusqu'au jour où son seul défenseur, le Suprême, ayant vu s'éteindre un à un ses compagnons, lui envoya Merlin pour parlementer. Bien que le mage ait bénéficié en son temps d'une importante dose d'élixir, il était alors, comme Rê, affaibli et proche de succomber. Or les Hautes Terres se voyaient menacées par un effroyable danger. Rê et Merlin avaient besoin d'aide pour lutter. Et survivre. Seth Morlat accepta. Autant par orgueil que par lassitude des étendues rouges d'Égypte.

Mounia s'était mordu la lèvre.

— Il a donc regagné les Hautes Terres.

— Oui. Des siècles durant, la menace demeura sourde. Mais, si j'en crois ce que Présine, ma propre mère, a raconté à Algonde, il y a environ cinquante années de cela, une créature plus noire que la nuit trouva enfin dans une profonde faille sous-marine la table de cristal qu'elle recherchait et, visiblement, le moyen de la lire. Comment, nul ne le sait, mais elle l'utilisa pour s'emparer des Hautes Terres.

Mounia était devenue blanche. Un nom, un seul lui était venu à l'esprit. Terrifiant.

— Aapef…

Marthe le lui avait confirmé de son souffle puant et glacé.

— Oui. Apophis. Le mal incarné. Crois-moi, ma belle, à côté de lui, je suis la bonté.

La nuit précédant l'intervention d'Elora et Khalil, Mounia, à bout de forces, lui avait remis la carte. Sur elle se trouvait le passage vers les Hautes Terres que seul le dernier flacon pyramide permettrait de localiser.

En échange, Marthe lui avait donné le poignard pour se protéger de la Khanoum qui, selon elle, voulait l'assassiner.

*

* *

— Je ne saurai dire ce qui m'a empêchée d'occire la mère du sultan, avoua Mounia sous l'emprise encore de l'hypnose. L'affection que je lui portais sans doute. Ou ma trop grande faiblesse. Ces nuits d'insomnie, ces jours de folie m'avaient entraînée plus loin dans la mort que Marthe sans doute ne l'avait imaginé. Je ne comprends pas pourquoi elle est revenue. Je me souviens d'un goût amer dans la bouche et de sa voix m'enjoignant de tenir jusqu'à ton arrivée, Khalil.

Sur ces derniers mots, elle se tut.

Durant quelques secondes, Elora, Khalil et Nycola échangèrent un regard sombre face à ces terrifiantes révélations. Aucun d'eux n'osa briser le silence dans lequel Mounia semblait dormir, apaisée.

Il fallait le rompre, pourtant.

Elora claqua des doigts.

Mounia ouvrit les yeux.

— Ai-je été loquace ? demanda-t-elle, incapable de se souvenir de quoi que ce soit.

— Plus que nous ne l'avions espéré, consentit Elora avant de lui en faire un résumé.

Il en ressortit que Marthe était désormais en route pour une *Terra incognita* que Mounia lui avait désignée au Nord. Mais plus encore qu'elle était à la recherche du benben. Sans doute comptait-elle sur sa puissance telle que décrite par Manéthon pour se protéger d'Elora ou d'Apophis.

Peu importait en fait.

La question était de savoir si elle l'avait trouvé dans la chambre mortuaire.

Ils n'y découvrirent aucun indice permettant de l'affirmer lorsqu'ils y retournèrent pour rendre dignité au tombeau profané.

*

* *

Au petit jour, tandis qu'Elora et Nycola négociaient une felouque pour remonter le Nil plus loin dans les terres, Mounia s'avança parmi les ruines, héla quelques habitants puis se dirigea vers une jeune mère, occupée à allaiter un nourrisson à l'ombre d'un temple. Dix ans plus tôt, sa famille avait aidé à enterrer les corps après le massacre. Deux femmes et deux hommes. Le troisième, d'allure jeune, c'était elle qui l'avait soigné. Il était resté longtemps au village, pleurant tantôt sur la tombe des siens, tantôt dans le palais. Puis il s'en était allé.

— Deux femmes, tu as bien dit deux femmes ? Il n'y en avait qu'une, ma mère, lorsque j'ai été emmenée, s'étonna Mounia, bouleversée.

— Non, deux. C'est mon frère qui les a trouvées. Ta mère sans doute et une autre d'ici, poignardée près de l'entrée.

La fille la regarda avec compassion.

— Tu es Mounia, n'est-ce pas ?

Elle hocha la tête. La fille lui tapota l'avant-bras.

— Je suis désolée, mais il parlait mal notre langue et on ignorait le nom de l'autre. Deux hommes. Deux femmes. C'est tout ce qu'on savait.

Mounia la remercia. Elle avait obtenu les réponses qu'elle souhaitait. Elle se leva pour rejoindre Khalil qui, un peu plus loin, entouré d'une flopée d'enfants en guenilles, gardait leurs dromadaires.

La voix chargée de regrets de la fille la rattrapa :

— Il faut que tu saches…

Mounia se retourna, le cœur battant.

— … Il n'a pas voulu que je le console. Il t'aimait.

Le regard de Mounia tomba sur l'enfant à son sein. Elle revint sur ses pas, détacha la bourse que la Khanoum lui avait donnée et la posa à côté d'eux, sur une pierre.

— Je ne veux pas de ta pitié, lui assena la fille, l'œil fier.

— Ce n'en est pas, crois-moi. Bien au contraire ! Je n'étais plus rien hier. Ce jourd'hui je renais, grâce à toi et à l'amour que tu lui as porté. Élève ton fils comme s'il avait été le sien. En mémoire de ceux qui sont tombés.

La fille hocha la tête, troublée, et Mounia reprit sa route, Khalil à ses côtés.

Elle avait enfin le cœur en paix.

37.

Piqué sur la colline des Côtes, au pied des montagnes, le château de Sassenage était aussi austère ce jourd'hui qu'au moment de sa construction quelques siècles plus tôt.

Depuis le sommet du donjon carré, à la fenêtre de cette chambre longtemps interdite d'accès, le regard d'Algonde engloba cette contrée qui l'avait vue naître.

Passé le pont-levis que protégeaient les deux tours d'un corps de garde, un chemin allait sur quelques toises avant de se diviser pour gagner d'un côté le moulin, de l'autre le village, avec son pont qui enjambait la rivière. Au-delà, sur la route de Grenoble, la toiture de la métairie formait un rectangle régulier au milieu des châtaigniers. Algonde suivit un instant le cheminement des navires sur l'Isère, avant de baisser les yeux, comme elle le faisait, hier encore, pour se repaître de Mathieu qui passait en dessous, dans la cour intérieure.

La paneterie était toujours là, à droite, dans le prolongement du logis de ses maîtres, réchauffée des ardeurs des fourneaux. Mais, en place du sifflement joyeux de Mathieu, c'était la voix grave de son cadet qui s'élevait en chanson, désormais. Leur père s'était éteint deux ans plus tôt, d'une toux purulente, dans les parfums de cuisson sur lesquels il avait jalousement veillé tout au long de sa vie. On avait craint la malemort qui cernait Grenoble, mais il n'y avait pas eu d'autres cas et le cœur du castel avait continué de battre au rythme bien réglé du quotidien. Oscillant entre ses joies et ses peines.

Bien qu'il gardât encore un œil sur son affaire, Jeannot, le maréchal-ferrant, avait lui aussi passé la main à son aîné. Le cadet s'était employé à Grenoble ; quant à la mère, elle reprisait toujours les braies des hommes du castel, l'esprit vide depuis la disparition de Fanette. Algonde n'avait pas eu le courage de leur révéler la vérité en arrivant. Mieux valait qu'ils croient leur fille avalée par le Furon. Inutile d'entacher son souvenir du sang qu'elle avait versé.

Algonde portait un autre habit, un autre visage, foncé, comme les cheveux coupés court, au brou de noix pour masquer son identité. Des anciens ou des compagnons qui l'avaient vue grandir, personne ne l'avait reconnue, bien trop curieux de cet enfant loup qu'elle tenait en laisse et qui roulait des yeux d'azur hébétés. Personne à l'exception de Gersende et de Janisse qui s'étaient bien gardés d'en rien révéler.

À peine descendue de carriole, cernée de toutes parts, Algonde avait donné aux habitants du castel les mêmes réponses qu'au prévôt, avant de tendre à sa mère, l'intendante du lieu, la lettre de recommandation qu'Hugues de Luirieux lui avait remise. Le bref garantissait le couvert et l'hébergement pour elle et son protégé. Les tempéraments s'étaient alors échauffés. Certains préconisaient de placer Constantin, renommé Le Galoup, dans le chenil. D'autres, chez les domestiques, dont le logement, accolé au mur d'une des tours-portières, faisait face à la chapelle d'où l'abbé Vincent était sorti avec fracas.

La voix du prêtre portait haut et fort, et, depuis le temps qu'il officiait en cette communauté, on craignait son courroux autant qu'on espérait son pardon. Réconciliant les opposants, il avait affirmé qu'il se prononcerait lui-même sur la nature du Galoup, mais que, jusque-là, dame Gersende était seule habilitée à trancher, puisque la créature ne présentait aucun danger.

Dès le lendemain il entendait la confession d'Algonde quant à son séjour dans le Furon, jurait silence en la pressant affectueusement sur son cœur et déclarait humain Le Galoup afin que nul ne songe à le diaboliser. Constantin et Algonde se virent donc attribuer l'ancienne chambre maudite tout en haut du donjon et l'abbé Vincent put, chaque après-midi, jouer aux échecs avec Constantin dont l'intelligence supérieure ne cessait de le fasciner.

En ce 10 juin de l'année 1495, soit deux semaines après leur départ de Romans, Algonde attendait toujours l'arrivée d'Hélène.

Elle ne pouvait rien d'autre.

L'ours qu'elle avait présenté en même temps que Constantin était en réalité la fée Présine, transmutable à volonté. Sitôt leur exhibition faite, et Hélène repartie aux côtés de son époux, Présine avait repris son apparence de vieille femme et s'en était allée proposer son savoir de guérison à la Bâtie. Depuis, Algonde avait été soulagée par la lettre qu'avait reçue Gersende. Enguerrand se remettait de ses blessures. Il ruminait sa colère contre le prévôt et ne démordait pas de l'idée de vengeance. Rassuré quant à la duperie d'Algonde, il attendait d'être suffisamment solide pour se rendre à l'invitation forcée de son ennemi.

Pour le reste, des rumeurs battaient campagne, que rien ne venait infirmer ou confirmer. Certaines prétendaient que les compères du chevalier avaient été saisis, d'autres qu'ils couraient encore.

Algonde ne parvenait à chasser de sa mémoire et de son cœur le visage farouche de Mathieu dévalant le parvis de l'église collégiale avec ses compagnons, à l'instant même où elle arrivait sur la place. Il ne l'avait pas remarquée, tout à sa fuite. Et quand bien même. Il ne l'avait pas reconnue dans le Furon, qu'aurait-il pu en être sous ce déguisement d'homme ? Une chose était certaine. Ce jourd'hui comme hier, elle l'aimait. De toute son âme. De tout son être.

Lors, de se retrouver ici où leur histoire avait commencé, la nostalgie la tenait d'une vie de simplicité, comme celle des enfants qu'ils avaient été. Insouciants et libres. Complices et prédestinés.

*

* *

— Tu ne devrais pas t'exposer si longuement…

Un soupir au cœur, elle s'écarta de la croisée et la referma, le visage empli du soleil qu'elle avait bravé. Constantin, qui venait de l'arracher à sa contemplation, avait raison. Elle avait recouvré la totalité de sa vision, mais devait rester prudente, ainsi que Présine le lui avait conseillé. Une nouvelle brûlure risquait de la laisser définitivement dans l'obscurité.

En quelques pas, elle le rejoignit, s'installa face à lui sur le tapis d'Orient qui recouvrait le parquet entre le lit à baldaquin et la cheminée, froide. Un copeau de bois s'envola pour rejoindre les autres sur les cuisses du Galoup. Algonde s'attarda sur le coustel qu'il maniait avec précision autour d'un petit bloc de châtaignier. Peu à peu, la forme prenait.

— Une autre créature…, constata-t-elle.

Il releva la tête pour lui sourire.

— Je doute de pouvoir un jour montrer ce bestiaire à l'abbé Vincent. Tout indulgent qu'il soit, il le jugerait bien plus diabolique que divin.

Constantin releva la silhouette ébauchée à hauteur de regard. Une sorte de dragon crêté jusqu'à la queue qui se terminait en tête de flèche. Il l'avait représenté assis sur deux pattes arrière griffues. Les deux autres, prises sur le poitrail, ainsi que la tête n'étaient encore qu'un rectangle grossier.

— Inquiétant, commenta Algonde.

— Bien moins que celle d'hier, tu verras. Tout est dans l'œil. Celui-ci l'avait bienveillant lorsqu'il l'a posé sur moi.

Algonde hocha la tête. Depuis quelques semaines, les nuits de Constantin s'agitaient de rêves étranges. Elle n'avait compris leur importance qu'à l'instant où il lui avait décrit une cité blanche traversée de rivières qui toutes provenaient de la base d'une tour de cristal. Telles les pattes d'une araignée, elles encerclaient la ville, se déroulaient dans la campagne environnante avant de disparaître, comme avalées par le néant. Algonde avait, sans l'ombre d'un doute, reconnu en ces rivières les portes qui, depuis les Hautes Terres, avaient autrefois conduit les Anciens sur le monde des hommes. Sur d'autres mondes. Elles étaient inopérantes ce jourd'hui et la cité que Présine lui avait donné à voir par le biais de sa magie, dix années plus tôt, était morte. Le mal y régnait. Sous quelle forme ? Présine elle-même l'ignorait. Tout ce que la fée en savait, c'était que Merlin, le dernier survivant des Sages des Hautes Terres, y était resté prisonnier lorsque le passage d'Avalon s'était à son tour refermé. Aucun des rêves de Constantin n'avait évoqué la trace du mage. Et les seuls êtres vivants qu'il avait croisés en parcourant landes, marécages, forêts, océans ou montagnes étaient ces créatures aussi fantasques qu'inconcevables au regard d'un humain. Quelques-unes lui avaient manifesté de l'empathie, d'autres de l'amitié, mais la plupart s'étaient révélées hostiles, dangereuses et il n'avait échappé à leurs griffes qu'en s'éveillant, un pied sur cette terre inconnue, l'autre sur celle des hommes. Lors, il avait décidé de les sculpter. Bonnes ou mauvaises. Pour que chacun et chacune dans leur communauté constituée sache les reconnaître au moment où, enfin, ils passeraient de chair et de sang de l'autre côté. Au moment où la prophétie qui avait fait le malheur d'Algonde et d'Hélène deviendrait réalité.

*
* *

Par-delà la porte, de bois commun celle-là, qui les isolait tous deux du reste du castel, un bruit de pas les alerta. Ce n'était pas encore l'heure de la visite du père Vincent. Constantin fit disparaître la sculpture sous le lit et les copeaux sous le tapis. Algonde s'était déjà redressée. On toqua. Deux coups longs puis un bref.

— C'est maman, se rassura-t-elle.

Elle se précipita pour faire jouer la clef dans la serrure. Loin de s'emprisonner dans les vieilles pierres du castel, Algonde et Constantin s'y retranchaient aux heures les plus chaudes de la journée. Le reste du temps, sans mot dire, Constantin offrait ses bras pour les corvées, espérant par ce biais faire accepter sa différence qu'il mâtinait d'imbécillité. Algonde, sous son allure garçonne, s'affairait de même au service de Janisse qui clamait haut et fort qu'il avait rarement connu meilleur aide. Désormais leur présence à tous deux n'attirait pas plus de regards que de questions. C'était le but qu'ils s'étaient fixé.

Gersende courba les épaules pour franchir le seuil voûté.

— L'avant-garde d'Hélène vient d'arriver. Notre dame est à moins d'une heure de voiture, annonça-t-elle gaiement.

Algonde tiqua. Elle n'avait vu personne s'en venir sur la grand-route, et moins encore franchir les barbacanes. Elle s'en étonna auprès de sa mère.

Gersende eut un petit gloussement gêné.

— À dire vrai, il y a un bon quart d'heure qu'elle s'est annoncée. J'étais aux latrines et tu connais Janisse quand il se charge d'accueillir un visiteur. Si je n'étais repassée par la cuisine…

Elle frictionna l'une dans l'autre ses petites mains boudinées, l'œil pétillant de gaieté.

— Enfin… c'est ainsi. Je suis la première à me damner pour une de ses frottées à l'ail, comment en vouloir à ce jouvenceau !

Ragaillardie par l'heureuse nouvelle, Algonde ne sut qu'approuver. Déjà, Gersende se détournait d'elle pour glisser une œillade affectueuse en direction de Constantin, dont le regard s'était troublé.

— Apprête-toi, mon petit. Et cesse de t'inquiéter. Si gros que soit ce jourd'hui le ventre de ta mère, il a gardé l'empreinte que tu y as laissée.

38.

En quelques secondes, répondant à l'arrivée du carrosse, la cour intérieure du castel de Sassenage s'anima. Il y avait fort longtemps qu'Hélène ne s'y était montrée et l'annonce qu'elle en était, ce jourd'hui et par la volonté de son père, la nouvelle dame, impliquait qu'on lui rende doublement hommage.

Algonde et Constantin n'avaient pas bougé de la chambre, Gersende ayant jugé que l'isolement serait plus propice à de vraies retrouvailles. Cela n'avait pas empêché Algonde de se replacer devant la fenêtre.

Avec son amie et la tendresse qu'elle lui portait, c'était aussi et surtout des nouvelles de Mathieu qu'elle espérait.

Malgré ses contorsions, Algonde avait davantage vue sur la fauconnerie que sur les tours-portières, mais le bruit caractéristique des roues sur les pavés et l'acclamation des habitants suffirent à son allégresse.

Une voix monta, ronde et chaleureuse. Celle de Gersende. Algonde la devinait sans peine plantée devant la portière qu'un serviteur s'était précipité pour ouvrir.

— Soyez la bienvenue chez vous, dame Hélène.

— Tu ne saurais imaginer à quel point j'en suis comblée, ma bonne Gersende.

Le silence s'était fait dans la cour, recueilli, respectueux. Les deux mains en appui sur le rebord, Algonde se tordit le cou pour tenter de voler un peu d'images à ce renfoncement de mur qui l'en empêchait. Elle ne put apercevoir qu'un détachement de cavaliers aux couleurs du prévôt.

De nouveau la voix d'Hélène.

— Ne reste pas à baver d'envie sur mon ventre, Janisse. La mangeaille ne t'en donnera jamais un de même…

Quelques rires accueillirent la boutade. Hélène les couvrit de nouveau.

— Prête-moi plutôt le bras pour descendre ce marchepied, j'ai les reins moulus et risque d'écraser ce gringalet qui l'a déplié.

— Par ma barbe damoiselle ! c'est vrai que vous êtes plus grosse qu'un tonnelet ! s'empressa Janisse, égal à lui-même.

Son franc-parler n'ayant jamais transgressé le profond respect qu'il portait à ses maîtres, il y avait longtemps que ceux-ci le considéraient comme une qualité.

De nouveau, les rires fusèrent.

Algonde regretta de ne pouvoir jouir du spectacle. Quelques secondes passèrent, qu'elle imagina au service d'Hélène, puis de nouveau la voix de Gersende, bienveillante.

— Et toi, mon garçon, veux-tu aussi de l'aide que tu attendes comme ça planté en haut des marches ?

— J'ai besoin de personne !

Algonde sentit son cœur se nouer. Elle connaissait cette voix, pas son agressivité. Un crissement suivit. L'interpellé venait de sauter sur les pavés. Indifférent à sa colère, Janisse salivait.

— Je vous ai préparé collation, dame Hélène. Une tourte aux écrevisses, des cailles truffées et des œufs au lait. Si ce n'est assez, je peux rajouter un peu de mijoté de sanglier aux airelles. L'hydromel sera mieux que le vin dans votre état, mais ce sera comm….

— D'abord Le Galoup, trancha le garçonnet, effronté.

— En voilà des manières, garnement. Ne t'a-t-on rien appris ? Tu mériterais une frottée ! gronda Gersende.

Le timbre d'Hélène s'envola de nouveau, adouci d'excuses autant que de tristesse.

— Petit Pierre ne réclame que ce que je lui ai promis durant tout le trajet. Par la volonté de mon époux qui l'a adopté, c'est mon fils désormais…

Le sang d'Algonde lui sembla se retirer d'un coup de ses veines. Petit Pierre. Adopté. Impossible. Quelle loi le permettrait ?

En contrebas, Hélène poursuivait son envolée :

— … M'accorderez-vous quelques minutes, maître Janisse, pour satisfaire sa curiosité ?

— Autant qu'il vous plaira, dame Hélène. Tout tient au chaud et sera servi quand vous le souhaiterez.

— Dans mon logis…

— Il est prêt, intervint Gersende.

Le reste de leur échange fut avalé par la bâtisse dans laquelle, selon toute vraisemblance, ils venaient d'entrer.

On n'adopte pas un enfant sans raison. Et Algonde soudain n'en voyait qu'une, effroyable, inconcevable. Qu'il soit devenu orphelin de père.

Baignée de sueurs froides, elle sentit le sol se dérober sous ses pieds.

Balayant sa propre émotion à l'idée des retrouvailles avec sa mère, Constantin se leva d'un bond en la voyant vaciller. Lui aussi avait saisi l'échange et compris ce qu'il sous-entendait. Il cueillit Algonde d'une main sous les omoplates et la ramena vers le lit.

Algonde s'y laissa choir. Sa voix s'érailla.

— On l'aurait su, n'est-ce pas ? La nouvelle aurait battu la contrée si Luirieux l'avait pendu.

Constantin s'agenouilla pour lui presser les mains. Elles étaient moites.

— Que te souffle ton cœur ?

Algonde ferma les yeux, se réappropria cette vision qu'elle avait eue des années plus tôt, avant même que l'épervier ne défigure Mathieu. Ce n'était qu'une parmi d'autres. Mais, au plus fort de ses moments d'angoisse et de doute, elle s'en était toujours nourrie comme d'une vérité.

Elle s'était vue fendant une brume épaisse, debout à l'avant d'une barque, les paumes tournées vers le ciel. Et soudain l'horizon s'ouvrir sur Mathieu, l'œil clos par sa cicatrice, les cheveux blanchis. Il lui tendait sa main valide et lui souriait, illuminé par l'amour qu'il lui portait.

Elle balaya le souffle chaud de l'été que la volée grande ouverte laissait entrer, comme si cet afflux l'oppressait.

— Ce que j'ai toujours espéré, répondit-elle.

— Alors ne te laisse pas atteindre.

Un bruit de cavalcade leur parvint, redressant Constantin sur ses pieds, le cœur battant à l'idée de retrouver enfin sa mère.

La seconde d'après, choqué comme sous l'effet d'un coup de bélier, l'huis s'ouvrait en grand sur Petit Pierre. Son œil empli d'une détresse poignante tomba droit sur Algonde.

— C'est pas ma faute ! s'époumona-t-il en s'élançant vers elle.

Algonde le reçut contre ses genoux, en sanglots longs et saccadés. Elle les sentit remonter de lui à elle, comme une mer déchaînée sur le point de la submerger, incapable de quémander la moindre explication, tant elle la craignait.

Aussi gourd qu'étourdi par la rapidité de la scène, Constantin les fixait tel un bloc soudain indivisible face à la tempête. L'enfant, vautré à terre, les épaules soulevées en déferlantes, la tête prise dans le repli du coude à même les genoux d'Algonde, l'autre main crochetée dans les replis de tissu du jupon teinté de guède. Elle, hagarde, éberluée, la main tremblante dans les boucles brunes, qui fixait la porte toujours béante.

Constantin finit par se retourner. Il ne l'avait pas entendue arriver, toute de discrétion et d'épuisement. Les joues rouges, le souffle court de la montée d'escalier, Hélène ne savait si elle devait trembler de bonheur à la vue de ce fils si longtemps espéré, ou de chagrin pour Algonde.

Constantin trancha à sa place. De sa démarche féline, il s'alla planter devant elle, l'œil brûlant d'une affection qu'Algonde avait pris soin, tout au long de ses premières années d'existence, d'encourager.

— Venez vous asseoir, mère. L'effort vous a épuisée.

Libérant à grand-peine le passage, Hélène révéla derrière elle le visage grave de Gersende et Janisse. Ce fut ce dernier qui referma la porte, avec une délicatesse si inhabituelle qu'Algonde en fut plus encore ébranlée. Constantin arracha une chaise d'un angle et la déposa devant Hélène. Elle en refusa pourtant l'assise, bouleversée elle aussi par trop d'émotion. Ne s'accorda que l'appui du dossier pour soulager son dos et ses jambes malmenées par le poids et la grimpée.

— C'est pas ma faute, hoqueta de nouveau Petit Pierre sans se décoller d'un pouce.

— Non, ce n'est pas de ta faute, s'arracha Hélène comme une épine plantée dans sa mémoire.

Quinze jours qu'elle la regardait pourrir en elle.

Elle fixa Algonde. Savait qu'elle avait déjà compris. N'avait-elle pas ressenti la même déchirure lorsque Djem s'en était allé ? Le formuler. Il fallait le formuler.

Elle prit une inspiration, chercha la main poilue de son fils à quelques pouces de la sienne, la serra pour s'en réconforter.

— Je suis désolée, Algonde. Profondément désolée. Je n'ai rien pu empêcher.

*
* *

Des minutes qui suivirent, Algonde ne se souviendrait jamais. Pas plus qu'Hélène ne se souvenait de celles qui entourèrent la mort de Djem. Elles appartenaient à une fraction de temps que la lucidité ne pouvait franchir. Un espace fait encore de l'espoir d'hier et de l'incohérence d'aujourd'hui. Quelques points de suspension entre deux phrases, deux moments bien distincts, deux états.

Elle ne retiendrait que des bribes.

Des mots.

Ceux de Petit Pierre entrecoupés de sanglots, évoquant ses retrouvailles avec son père, puis l'envie pressante de Mayeul, le corps de La Malice criblé de flèches, les coups de fouet de Ronan de Balastre. Mathieu jeté en travers d'un cheval. Leur chevauchée puis leur arrivée au castel de Luirieux, sous une pluie battante. Mathieu, inerte, étendu de dos sur le paillon de l'écurie, du sang lui coulant des narines, l'œil unique révulsé. La colère de Luirieux. Les coups de pied de Luirieux contre les côtes de ce corps immobile. L'élan de Petit Pierre à le couvrir du sien. Ses petits bras garrottés par les soldats pour l'arracher à son père. L'ordre de Luirieux de jeter Mathieu dans l'Isère, toute proche. Le « NON ! » que

Petit Pierre avait hurlé. La gifle du prévôt en réponse. De nouveau Mathieu jeté en travers de la selle de Ronan de Balastre. Les gesticulations de Petit Pierre pour se libérer de son entrave, empêcher que le cheval ne sorte. De l'écurie. Puis de la cour. La herse rabaissée derrière le passage du cavalier. La libération de Petit Pierre puis sa course jusqu'à la grille épaisse. La pluie sur son crâne, sur ses petites mains serrées autour des barreaux. La pluie sur ses joues. Les éclairs au-dessus du cheval qui filait vers l'est dans un ciel mangé par l'orage. Puis le retour de Ronan de Balastre, seul.

*
* *

Autant de mots-images dans la mémoire d'Algonde. Dans l'abîme d'Algonde. Complétés par ceux d'Hélène.

La colère de cette dernière en apprenant l'affaire. Son ordre de faire repêcher le corps pour le porter en terre. Le refus de Luirieux. La suffisance de Luirieux. Sa menace de la priver de sa progéniture si elle s'avisait de lever encore le ton contre lui. Petit Pierre venu se réfugier contre elle. Le rire de Luirieux. La révélation de Luirieux revendiquant la paternité de Petit Pierre sur les dires de Fanette. Le chaos. Puis, dans les jours qui suivirent, les documents à signer sous la contrainte. La dépossession des biens d'Hélène en faveur de son époux. L'adoption de Petit Pierre. La mainmise sur leurs vies à tous deux. Et de nouveau la menace, précise. Il n'avait plus besoin d'elle désormais. Vivante ou morte elle servait ses intérêts. Il lui laissait le choix, tout en se gardant le pouvoir, lui, de changer d'avis.

Le choix. Hélène l'avait fait. De la docilité. Pour obtenir de regagner enfin Sassenage. Rencontrer son fils. Y mettre l'autre au monde en toute sécurité. Tout raconter. Et chercher, auprès des siens, le moyen de se protéger.

Parce qu'au moment tant attendu de se retrouver, Algonde et elle étaient de nouveau semblables.

Pétries de souffrance, mais portées par la nécessité d'avancer pour les êtres qu'elles chérissaient.

39.

La nuit descendait sur les montagnes thébaines vers lesquelles Elora guidait ses compagnons. Les flancs, ocrés jusque-là, se découpaient à présent d'ombre sur un ciel de flamme, donnant plus de relief encore à leurs cimes désertiques. Elora s'attarda sur celle, de forme pyramidale, qui dominait le petit village de Deir el Medineh. C'était là, dans cet ancien ouadi de la falaise, elle le sentait, que leur chemin s'arrêterait. Elle en attendait l'augure avec impatience depuis qu'ils avaient remonté le Nil, immobilisé leur embarcation sur la rive opposée à la ville de Thèbes et gagné le désert, au dos des dromadaires qu'ils avaient achetés à bon prix à des Bédouins.

Derrière elle, succédant aux conversations qui avaient rythmé leur progression, le silence s'était fait. La fatigue liée à la chaleur intense de la journée les tenait tous. La faim aussi. Elle se félicita d'avoir tiré une gazelle quelques heures plus tôt. Ses cuissots pendaient à sa selle, enroulés dans plusieurs couches de tissu pour les protéger des mouches. Le reste de l'animal, une fois sa flèche récupérée, elle l'avait abandonné aux chacals, lynx et autres félins qui peuplaient la contrée. Mounia avait, quant à elle, et aux portes du désert, fait provision de tiges et feuilles de palmier qu'elle avait liées derrière sa selle.

Sitôt qu'ils auraient mis pied à terre, ils festoieraient.

— Eh non, plus de dattes, Bouba, tu les as toutes mangées ! sermonna Khalil, agacé, derrière elle.

Elora tourna la tête de quart pour voir le petit singe, debout entre les genoux de son maître, s'entêter à secouer le sacquet.

— Un peu de patience. Nous arrivons, les rassura-t-elle devant leurs traits tirés.

Mounia accéléra le pas de sa monture et vint la ranger à ses côtés.

— Nous allons au petit temple d'Hathor, n'est-ce pas ? demanda-t-elle.

Son doigt tendu en direction d'un haut mur d'enceinte en retrait des habitations à l'abandon fit hocher la tête à Elora, puis demander :

— Qui est Hathor ?

Mounia tiqua.

— Tu ne le sais pas ?

Elora se mit à rire.

— Pas plus que je ne savais la signification de vie éternelle de l'*ankh* avant que tu ne me l'apprennes.

Leur complicité s'était nouée en quelques minutes, là-bas, à Istanbul. À l'inverse de Khalil qu'elle continuait de voir comme un enfant, son enfant malgré sa stature d'homme, l'Égyptienne ne parvenait à retrouver la fillette dans cette femme à ses côtés. Elles étaient devenues des amies. Presque des sœurs. En dépit de ce lien puissant, Mounia restait perplexe souvent face à ses réactions, ses absences et sa connaissance intuitive qui la faisait échanger avec les autochtones ou se diriger dans un lieu inconnu. Alors que, curieusement, l'essentiel semblait lui échapper.

— Hathor était considérée comme la déesse de la Festivité et de l'Amour, mais aussi de la Lumière.

Elora hocha la tête.

— Alors ce lieu va de soi.

— Oui. Je l'ai compris en te voyant obliquer à gauche des colosses de Memnon… Tu craignais de te tromper ?

Elora s'attarda sur cet angle de muraille qu'ils venaient d'atteindre.

— C'est une sensation déroutante, en vérité. Lorsque Nycola m'a donné l'*ankh*, ma seule certitude fut qu'il ouvrait une porte secrète en Égypte. C'est un peu comme si chaque pas induisait le suivant, comme si ma mémoire se réactivait par petites touches, selon son besoin. Pourtant, comme tu le sais, je ne suis jamais venue ici auparavant.

— Une mémoire antérieure, donc…

— Oui.

— Celle d'Hathor ?

Elora sourit.

— Peut-être. Nycola devait remettre la clef à la reine de lumière…

— Mais il ignore qui l'a donnée à son ancêtre. C'est étrange, tout de même, ces mémoires effacées.

— Il faut croire que le secret de ces lieux l'impliquait.

Mounia accorda quelques secondes à ce constat et au lent pas chaloupé de son dromadaire, avant de poursuivre :

— J'ai visité cet endroit avec mon père, du temps où il se passionnait pour les vallées des reines et des rois. En fait, ce sont les ouvriers du village qui en bâtirent les tombeaux, génération après génération. Je ne sais pas trop ce qui avait attiré mon père ici, je me souviens seulement qu'il était resté des heures dans le temple. Il le rapprochait par certains reliefs de celui de Dendérah, sur l'autre rive du Nil.

— Et que représentaient-ils, ces reliefs ?

— De mémoire, une sorte de tube oblong qui émettait de la lumière. Ceux de Dendérah étaient retenus par un djed d'un côté et un géant de l'autre. Il pensait que c'était un savoir qu'Osiris avait rapporté des Hautes Terres en même temps que le benben. Le temple de Dendérah est lui aussi sous la protection d'Hathor.

Elora hocha la tête. Cette description lui évoqua quelque chose de familier, mais elle ne parvint à se le réapproprier. Près d'elle, Mounia poursuivait, à l'ombre des murailles qui les dominaient.

— En fait, ce temple est une contradiction. Les personnages représentés sur les fresques semblent le dater de l'époque ptolémaïque, mais père était convaincu qu'il était beaucoup plus ancien et que, malgré l'omniprésence d'Hathor, c'était Seth lui-même qui en avait ordonné la construction.

Elora sursauta sur sa selle.

— Nous sommes sur son territoire ?

— Oui. De même que tous les déserts d'Égypte.

Elora ne répondit pas. Un pronaos venait de se découper dans la muraille. Elle tira sur le mors pour guider vers lui son dromadaire, puis sauta à terre devant l'entrée du temple, à l'instant même où, derrière les montagnes, le soleil disparaissait.

Leur campement fut vite établi. La connaissance que possédait Mounia de son pays leur fut précieuse. C'était elle qui avait fait provision de couvertures, d'épices, de fruits secs et de lanterneaux lors de leur dernière étape sur le Nil, doublant leurs propres bagages. Au bout de quelques minutes, un feu étouffé lança vers la Voie lactée une nappe épaisse de fumée. À la lumière des torches qu'elle avait piquées dans le sable, Mounia ouvrit le ballotin d'épices. Safran, coriandre, curcuma, paprika, poivres rouge, blanc et noir moulus grossièrement explosèrent leur fragrance raffinée aux narines. Mounia en étala une couche épaisse sur une des pierres qui avaient chuté du sanctuaire romain accolé à un des murs du temple. Khalil lui tendit un cuissot de gazelle, s'attarda, gourmand, à la regarder le rouler dans le mélange avant de l'entourer de feuilles de dattier.

— Il n'y a plus qu'à laisser cuire. Une demi-heure suffira, ajouta-t-elle à l'intention d'Elora qu'elle devinait empressée devant la porte du temple.

Mounia écarta les tiges qui se consumaient, y déposa la viande, puis la recouvrit.

— Je vous laisse la garde du dîner, dit-elle en se redressant.

Khalil et Nycola acquiescèrent. Mounia enleva le lanterneau d'une main leste, récupéra la bougie qu'il contenait et l'enflamma à une des torches.

— Soyez attentifs aux dromadaires. S'ils s'agitent sans raison apparente, armez vos arcs et rapprochez-vous des flambeaux.

— Pourquoi ? s'étonna Khalil.

— Ces montagnes regorgent de félins et ils sont aussi affamés que toi, mon fils, s'amusa Mounia dans un éclat de rire.

Les laissant à leur crainte, elle longea des colonnes hathoriques et gagna le petit temple, dans lequel, immobile et baignée d'obscurité, Elora venait de pénétrer.

*
* *

La lanterne dispensait une lumière plus faible que les torches, mais Mounia avait insisté sur la raréfaction de l'air dans certaines pièces et par là sur le risque d'asphyxie. Elora avait pu en juger dans le tombeau d'Osiris. Au bout d'une dizaine de minutes seulement, leur groupe avait suffoqué.

Dans ce vestibule, ouvert par côté sur la cour intérieure, le risque n'existait pas, mais Mounia savait qu'Elora ne se contenterait pas d'y rester.

— Voici Hathor, dit-elle en illuminant la déesse représentée de profil et tenant un *ankh* dans la main.

Elora caressa le sommet du crâne de l'effigie, le front plissé sous un souvenir fuyant.

— Ce disque…

— Le soleil, dit-on. J'ai vu le même sur des petites sculptures de personnages en Sardaigne.

Elora hocha la tête, rattrapée par une certitude.

— C'est le signe des gardiens.

— Des gardiens de quoi ? frémit Mounia.

Elora ne répondit pas. En elle, une marée lente la berçait, la troublant un instant de son flux de connaissances pour l'emporter la seconde suivante.

— Veux-tu voir les fresques dont je t'ai parlé ? demanda Mounia, consciente qu'il ne fallait rien brusquer.

— Elles sont dans une des pièces du fond, n'est-ce pas ?

Pour toute réponse, Mounia lui tendit son falot.

Pendant quelques courtes minutes, occupées à traverser ce vestibule puis le suivant, elles gardèrent le silence. Il était habité de la voix de Khalil, venue de l'extérieur, qui réclamait à son père adoptif un peu de musique. Il devint plus dense lorsqu'elles parvinrent devant l'entrée des salles. Elora délaissa celle de droite, à la grande surprise de Mounia. De mémoire c'était celle-ci qui contenait le relief de la petite lampe.

Celle de gauche, identique à sa voisine, était basse de plafond, longue et étroite. L'air y était rare, l'obscurité totale. Mounia demeura sur le seuil, laissant Elora balayer les fresques au mur d'un mouvement latéral du falot.

Elle exultait, un sentiment jubilatoire qu'elle n'avait plus ressenti depuis longtemps. Mounia se revoyait enfant agir de même en singeant son père. S'être recueillie sur sa tombe l'avait aidée enfin à en faire le deuil. Ne restaient que les souvenirs puissants et heureux d'une quête dans laquelle Aziz ben Salek l'avait entraînée. D'une quête retrouvée.

Elora venait de s'arrêter.

— Un cœur et une plume sur chacun des plateaux de la balance, expliqua Mounia en la rejoignant. Si le cœur s'avérait plus léger que la plume, le mort était digne de s'élever et de rejoindre les dieux. Vois, la scène se poursuit sur le mur.

Elle désigna un personnage assis.

— Voici Osiris. Il préside la pesée.

Elora s'y attarda un instant avant de s'en détourner subitement, comme appelée par une main invisible. D'un pas vif, elle gagna le mur en face, sentit son cœur s'accélérer.

— La barque sacrée dédiée à Sokaris, expliqua Mounia en désignant l'objet devant lequel Elora s'était immobilisée.

Un petit rire lui échappa.

— Mon père a passé trois jours devant cette scène. Sa première impression lui avait fait voir une ébauche de l'Arche d'alliance que Moïse fit construire au sommet du mont Sinaï. À cause de la lumière qui s'en dégage…

Mais Elora s'en était déjà détachée, attirée dans son prolongement par un personnage à tête de chacal.

— C'est Anubis, le dieu funéraire, décrivit Mounia. Il tend la lune au roi pour qu'il l'encense. Enfin, c'est la conclusion à laquelle arriva mon père, car ce n'est pas un rite habitu…

— Il est en danger ! l'interrompit Elora en faisant brusquement volte-face… Viens ! dit-elle en l'entraînant par la main.

Ahurie, Mounia se laissa emporter.

40.

Un air de guitare les attrapa dès qu'elles sortirent de la pièce. Nycola s'était mis à jouer. Au lieu de le rejoindre, mue par un sentiment irrépressible, Elora obliqua vers un escalier situé entre les salles et le vestibule d'entrée. Mounia grimpa derrière elle.

La terrasse sur laquelle elle déboucha surplombait la cour intérieure.

Tout y était calme et Mounia se demanda pourquoi Elora parcourait les alentours d'un regard d'aigle, le nez au vent, l'arc au poing.

Les animaux auraient perçu une menace bien avant elles, or les dromadaires couchés sur leurs pattes fines ne trahissaient aucune présence malveillante. Quant à Bouba, il battait des mains en rythme depuis le crâne de son maître qui, accroupi, agaçait le feu d'une tige de palme.

Mounia allait apaiser l'inquiétude irraisonnée d'Elora lorsque la voix suave de Khalil s'éleva sur les accords que jouait le Bohémien. Emplie d'un amour qui défiait le temps perdu, elle s'immobilisa, prise par ce chant qui mêlait la nostalgie d'une terre abandonnée au bonheur d'une vie d'errance et de découvertes.

Elora refusa de s'en laisser émouvoir.

— Il est là, chuchota-t-elle en reculant vers l'Égyptienne, restée en retrait du bord de la terrasse.

Mounia tiqua.

— Qui ?

— Anubis…

Mounia suivit la direction de son regard. Accrocha deux perles lumineuses dans l'obscurité de la nuit, en surplomb du musicien. Elle étouffa un petit cri dans sa gorge. N'était-ce pas sur la petite statue d'un musicien qu'elle avait vu le disque d'Hathor en Sardaigne ? Le gardien, avait dit Elora. En une fraction de seconde, celle qu'il fallut à la jouvencelle pour armer sa flèche, Mounia comprit la symbolique du relief en bas.

Ce n'était pas la lune qu'Anubis offrait au roi, mais la mort du gardien du temple.

Le trait fendit l'air dans un sifflement imperceptible, comme l'ombre se dépliait. Elora la faucha en plein saut, brisant net la voix de Khalil qui venait d'accrocher leur lanterne et d'apercevoir grâce à son halo, le geste salvateur.

Le chacal s'écrasa derrière Nycola dans un bruit sourd, faisant bondir le Bohémien du morceau brisé de colonne sur lequel il s'était installé.

Porté par l'instinct de survie, Khalil avait sorti son long coutelas. Bouba cachait ses yeux de ses mains et Nycola avait posé sa guitare. L'animal ne bougeait plus. Son râle se perdait dans un souffle qui s'éteignait.

Elora balaya encore quelques secondes le ciel de son arc, le nez au vent. Aucune odeur sinon celle de la viande cuite. Aucun mouvement. Elle baissa sa garde.

— Redescendons. Il ne faut pas traîner là, dit-elle.

En quelques minutes, s'interdisant tout commentaire, ils rassemblèrent leurs affaires, en couvrirent les dromadaires puis les firent passer les uns derrière les autres dans le petit temple, jusqu'à la pièce du fond, qu'ils barricadèrent à mi-hauteur avec des pierres.

Ensuite seulement, ils s'apaisèrent.

— Une chance que vous soyez montées, lâcha enfin Nycola, blême, en tapotant l'une dans l'autre ses mains poussiéreuses.

— La chance n'a rien à voir avec cela, lui assura Elora en venant le prendre aux épaules.

Il soutint son regard, puis baissa la tête.

— Mangeons d'abord, réclama-t-il.

Khalil avait déjà ressorti son coutelas.

Ils s'installèrent en cercle autour des feuilles dépliées, dans la chaleur des dromadaires qui s'étaient couchés près de la porte barrée et à la lueur des lanterneaux. Ils avaient tous besoin de reprendre des forces, et les cuissots, arrachés au feu, embaumaient.

Pendant quelques minutes, seuls le bruit des mandibules et les petits cris de joie de Bouba devant un sac entier de fruits secs résonnèrent dans la pièce.

Submergée par les réponses que ce lieu avait réveillées, Elora adoucit sa gorge d'une goulée de vin résiné, puis, tendant la gourde de peau à Mounia, entama le silence :

— Ton père avait raison. Ce sanctuaire a bien été bâti par Seth, le frère d'Osiris, fils de Geb Morlat et petit-fils de Rê, guide suprême du conseil des Anciens.

Tous les regards convergèrent vers elle. Le temps des révélations était venu et ils en savaient l'importance pour l'avenir. Pressée par leurs regards attentifs, Elora poursuivit :

— Depuis cette salle, il existe un souterrain qui mène au cœur de la montagne. Ce fut là qu'après son naufrage Seth Morlat dissimula les flacons pyramides. Là aussi qu'il tenta de retailler une table pour remplacer celle, engloutie, des Anciens. Il n'y parvint pas. Invariablement le cristal éclatait. Sachant qu'une seule roche, d'une extrême rareté par ses nombreuses propriétés, avait permis de réaliser l'originale et que son gisement était épuisé, Merlin investit ce sanctuaire à son tour. Savant éclairé, il se mit en tête de fabriquer ladite roche par lui-même, à partir d'un de ses fragments qui avait servi à créer le benben.

Un frémissement passa parmi eux.

— Tu veux dire qu'il l'a rapporté ici ?

Elora hocha la tête.

— Oui. Seth, qui avait tenté de s'approprier l'objet pour les mêmes raisons, n'était plus une menace. Au contraire, il devenait un allié contre Apophis qui, lui, venait d'exhumer la table originale.

— Pardon de t'interrompre, Elora, s'interposa Khalil, mais je suis un peu perdu dans tout ça. Jusqu'à maintenant on avait Marthe et c'était déjà bien assez pour moi. Alors, Apophis, surgi comme ça d'un claquement de doigts dans une histoire, justement racontée par Marthe à maman…

Elora lui sourit avec tendresse.

— En fait, et bien que j'ignore comment elle le découvrit, Marthe a vu juste. Apophis et Merlin sont liés. Par le benben.

Il y eut un silence d'incompréhension dans lequel Khalil poussa un profond soupir résigné. Elora lui caressa la joue avec tendresse.

— C'est Merlin qui conçut le benben. Pour vérifier la malléabilité du fluide originel généré par le champ énergétique des Hautes Terres. Les résultats dépassèrent ses espérances. Son erreur fut ensuite d'imaginer que le benben serait capable de canaliser le flux lui-même s'il le construisait à plus grande échelle. Devant les yeux terrorisés des membres du conseil des Sages qu'il avait convaincus de son fait, l'expérience tourna au désastre. La forme du benben se révéla inappropriée face à une si importante quantité d'énergie. Loin de l'atténuer, elle la surmultiplia. En quelques secondes, l'assistant de Merlin chargé d'installer le régulateur fut foudroyé par le rayon.

— Et cet assistant, c'était Apophis, bien sûr, comprit Nycola.

— Oui, Apophis qui, transformé d'apparence et d'esprit, devint dès lors un monstre assoiffé de la matière qui l'avait engendré.

— Laisse-moi deviner la suite, grogna Khalil dans une moue agacée. Je suis sûr qu'au lieu d'essayer de le guérir, les Anciens s'en sont débarrassés. Chez nous. Et de préférence par le passage que nous devons retrouver...

Elora se mit à rire.

— Tu as tout compris. Après quoi ce passage temporel fut refermé. Éloigné de sa source d'énergie, Apophis perdit tout pouvoir de nuisance, mais pas l'idée de le recouvrer. C'est pour empêcher son retour que Merlin s'appliqua à fabriquer une nouvelle table de cristal, espérant qu'elle pourrait de nouveau accueillir les flacons pyramides, canaliser le flux d'énergie et recréer de l'élixir de vie, même si, désormais, il ne restait plus que Rê, Seth et lui de la race originelle, les autres s'étant peu à peu éteints, faute de pouvoir se régénérer.

— Il y parvint trop tard visiblement..., nota Mounia.

Elora hocha la tête.

— Mes souvenirs sont ceux de Merlin. Je le vois quitter cette place avec la copie de cristal, atteindre l'île d'Avalon et y retrouver Présine pressée d'enfantement à cause d'une vieille prophétie.

— Laquelle ? demanda Mounia.

— « Le pouvoir des trois du mal triomphera, et l'enfant velu né d'Hélène et d'un prince d'Anatolie les Hautes Terres conquerra », récita Elora avant d'ajouter dans une moue ennuyée : Prophétie qui nous ramène aux trois filles de Présine, qui n'eurent de cesse de récupérer ledit enfant. Bien évidemment, elles se fourvoyèrent. Le pouvoir des trois énoncé dans la prophétie n'était pas le leur, mais celui des Anciens, distillé en Khalil, Constantin et moi. Ce que Présine et Merlin savaient en s'accouplant en Avalon pour engendrer ma lignée.

Il y eut un moment de flottement que Bouba se chargea d'animer de petits cris désolés comme chaque fois qu'il cessait d'être le centre d'intérêt, puis Mounia se frotta le menton.

— Une chose m'intrigue dans tout cela. Le passage par lequel Apophis fut exilé.

— Oui ?

— Il fut refermé et seule la table de cristal primitive en conserva la trace.

— Exact, répondit Elora.

— Apophis la retrouve, soit. Mais comment parvient-il à la lire sans les flacons pyramides ?

Elora vacilla sous cette évidence.

— Probablement par la complicité de quelqu'un qui les posséda tous les trois. Seth peut-être, s'il imagina perdue la possibilité d'une copie de la table. Sans élixir, il était condamné lui aussi. Alors, perdu pour perdu, pourquoi pas Apophis comme maître ? Cela expliquerait que Merlin soit demeuré prisonnier là-bas. Ou tué puisque la porte d'Avalon, la dernière encore ouverte, s'est refermée après qu'il eut quitté Présine. Quoi qu'il en soit, la seule chose dont je sois certaine, c'est que Merlin voulait que je vienne là.

S'arrachant à la dureté du sol, Elora ramassa le lanterneau à ses côtés et se leva.

Tandis qu'ils se redressaient tous, en silence, plombés encore par ces révélations, elle s'approcha de l'arche qu'elle avait repérée tout à l'heure avant d'être alertée d'un danger. Sans hésiter, elle enfonça le petit cercle rouge qui surmontait la tête de faucon, symbole de Sokaris, tout au-dessus du dôme.

Dans un crissement désagréable, le pan de mur tout entier se désolidarisa du fond pour révéler un étroit passage.

Lorsqu'il s'immobilisa dans un nuage de poussière et une fois le silence retombé, tous quatre découvrirent une volée de marches qui s'enfonçaient dans la dalle de sol, balayées par le glissement de la pierre.

Droit en direction de la montagne en forme de pyramide naturelle de la chaîne thébaine.

41.

Durant de longues minutes, seul le silence de leurs réflexions personnelles répondit au martèlement de leurs souliers sur la pierre. Ayant abandonné à Nycola et Bouba la garde des dromadaires, ils progressaient courbés, économisant leur souffle, conscients des nécropoles qui voisinaient les parois.

Peu à peu une froidure étrange les pénétra, au point bientôt d'affecter Khalil et Mounia qui se mirent à claquer des dents derrière Elora.

Elle s'amplifia lorsqu'ils se retrouvèrent face à un bloc rocheux.

Elora éclaira les aspérités ocrées, à la recherche d'un minuscule orifice. Lorsqu'elle l'eut repéré, elle se retourna pour tendre le falot à Khalil, occupé à se frictionner les épaules et à sauter d'un pied sur l'autre pour se réchauffer.

— Je suis frigorifié. Pas toi ?

— Non, mais je perçois autour de nous ces vagues anormales. Restez près de moi surtout, recommanda Elora en détachant de son cou le collier qu'elle portait.

La tige de l'ankh s'enfila dans l'orifice, jusqu'à buter contre sa croix gansée. Un tour à dextre, et elle put retirer la clef sans forcer. Pendant quelques secondes il ne se passa rien, puis un grondement sourd envahit l'étroit passage. Ce qu'ils avaient pris pour la roche elle-même se révéla être une gigantesque roue guidée par un profond sillon. Tournant lentement sur elle-même, elle dégagea le passage d'un individu, pas davantage.

— Hâtez-vous, indiqua Elora en franchissant la saignée inscrite dans le sol.

Elle n'était pas de l'autre côté que le mécanisme se réactivait. Khalil n'eut que le temps de sauter pour n'être pas écrasé.

— Continuez, ne vous souciez pas de moi, leur cria Mounia, dépitée de ne pouvoir les suivre, juste avant que l'épaisseur de la roche étouffe sa voix.

— J'ai de plus en plus l'impression d'être dans un tombeau. L'air se raréfie, grinça Khalil en voyant diminuer d'un tiers la flamme de la bougie, les étouffant de pénombre.

— Il ne faut pas rester là, approuva Elora.

Laissant Mounia retourner sur ses pas, ils continuèrent d'avancer, la gorge nouée.

Au-delà de ce goulet, le tunnel n'était plus maçonné mais creusé à même la montagne. Le lanterneau révélait des plaques d'un rouge profond, d'autres marron foncé, quand elles n'étaient pas striées de strates jaunes. Par moments, Khalil eut l'impression de graphies indéchiffrables.

Bien vite, pourtant, il cessa de s'y intéresser. Le froid s'amplifiant, de la buée lui sortait des narines à chaque expiration, et il regrettait de n'avoir pas emporté une couverture pour l'enrouler autour de ses épaules, pardessus le mantel, dont pourtant, comme Elora, il avait pris soin de se couvrir. Il finit par perdre la notion du temps dans ce combat qui l'épuisait.

Ils parvinrent ainsi devant une nouvelle paroi. Elle était gravée d'un *ankh*, identique à celui qu'Elora avait enroulé par sa chaîne autour de son poignet.

Sans hésiter, la jouvencelle enchâssa sa clef dans la roche. Elle avait hâte d'arriver au but, de s'emparer du benben et de regagner la surface. Ce froid qui amenuisait l'énergie vitale du petit Bohémien n'avait rien de normal et elle commençait à craindre pour lui. Même si, plus que jamais, elle percevait la nécessité de sa présence à ses côtés.

Une autre roue.

Elle s'ébranla comme la précédente, libérant un vent si glacial qu'Elora ne put s'empêcher de frissonner. Instinctivement elle fit volte-face.

Le petit Bohémien en avait été caressé lui aussi. Il semblait pétrifié. En une fraction de seconde son visage et sa chevelure s'étaient recouverts d'une fine pellicule de givre, sa bouche avait bleui. Elora sentit son cœur se broyer. S'il allait plus avant, il s'éteindrait. Comme cette flamme qui tentait de plus en plus difficilement de subsister.

Elle hésita. Si le mécanisme d'ouverture était lui aussi à sablier comme les souvenirs de Merlin le lui indiquaient, elle n'avait que quelques secondes pour franchir la passe. Mais si elle n'utilisait pas ces quelques secondes pour réchauffer Khalil…

Le regard du petit Bohémien s'était déjà figé dans ce corps que la brûlure du froid continuait de balayer.

Elle devait choisir.

Le benben. Ou l'homme qu'elle aimait.

Le libre arbitre, à l'heure de sa destinée.

Ce fut l'amour qui l'emporta.

Quoi qu'ait pu lui apporter le benben dans sa lutte contre le mal, Elora était faite pour guérir. Pour soigner. Rien n'était plus important que l'amour.

Au moment où elle s'avança vers Khalil, une bourrasque plus violente encore faucha la dernière lueur du falot. Dans l'obscurité retombée, Elora le prit dans ses bras, chercha son oreille.

— À toi et pour toujours, murmura-t-elle.

Le halo bleuté les enveloppa tous deux jusqu'à les déborder, inonder le tunnel en amont et bien au-delà des portes de l'hiver.

Lorsque le souffle de Khalil redevint tiède et léger contre elle, Elora s'écarta, certaine d'avoir fait le seul choix possible et heureuse que Mounia, finalement, ait été bloquée. Elle n'aurait sans doute pu les sauver tous deux.

— Tant pis pour le benben, tu es bien plus important à mes yeux, assura-t-elle en découvrant son regard triste.

Incapable de mots, il la prit aux épaules et la fit pivoter vers la roue qui, achevant sa course, révélait à présent l'intérieur d'une salle pyramidale.

Une salle baignée d'une lumière douce, qu'un homme sans âge ni vie, assis par terre contre le djed qui soutenait le benben, avait, quarante ans plus tôt, à dessein, frigorifiée.

*

* *

Nycola avait passé de longues minutes à frictionner Mounia des pieds à la tête par-dessus la couverture dans laquelle elle s'était enroulée sitôt revenue du souterrain.

Pour calmer sa déception d'avoir été refoulée à seulement une centaine de toises du départ, elle se mit à examiner les reliefs. Nycola reprit sa garde, en face de la porte, son arc et son carquois à portée, caressant le poil de Bouba d'une main calme, bien loin de l'agitation qui emportait l'Égyptienne.

— Mon père a passé des heures dans cette pièce, à tenter d'arracher aux glyphes un sens qu'il pressentait caché. À la lueur des révélations d'Elora, je les comprends mieux. Vois par toi-même..., le prit-elle à témoin.

— ... Depuis son trône, Osiris attend qu'un cœur pur vienne vers lui. Et, par symbolique, vers le benben. Je crois que l'objet a été enfermé dans l'arche. Bien sûr il n'est pas représenté, mais, à bien y regarder, elle semble rayonner de lumière et les *ankhs* placés tout autour y sont reliés par des fils, comme s'ils voulaient lui communiquer la vie éternelle qu'ils symbolisent.

Mounia passa d'un mur à l'autre, avant de se planter entre les deux, les mains sur les hanches, la tête de côté.

— Seule l'attitude d'Anubis m'étonne. Je comprends que Seth ait voulu protéger le secret de ce temple mais c'était là le rôle des gardiens, justement. Pourquoi les tuer ? Pourquoi te tuer ? Parce qu'il ne peut y avoir qu'un seul gardien à la fois et qu'Elora te devait remplacer ? C'est une hypothèse, bien sûr, mais elle ne me satisfait pas, soupira-t-elle.

— Je n'en ai pas d'autre à te proposer, mais je suis convaincu que les enfants rapporteront toutes les réponses.

Mounia pivota.

— Les enfants, les enfants... Ils sont aussi grands que nous par la taille. Quant à leur esprit, il voisine celui des dieux de ces reliefs. J'en viens à me dire qu'ils seront dans quelques années à leur image. Des géants...

Nycola se mit à rire.

— Je ne l'exclus pas. Elora prétend que Constantin est lui aussi de leur stature. Un beau trio, en vérité, qui mérite vraiment notre confiance. Crois-moi, tu devrais cesser de t'agiter.

Mounia l'entendit à peine. Le front plissé sous une réflexion stérile, et les mains croisées au dos, elle se mit à arpenter la pièce de long en large.

Pour s'immobiliser, rattrapée par un souvenir.

— J'ai l'impression soudain d'être devenue mon père !

Cette réflexion lui arracha un éclat de rire. Elle s'étira, enfin apaisée.

— Tu as raison, Nycola, je ferais mieux de me coucher. C'est ce qu'il disait. Dormir quand l'esprit ne veut plus travailler.

— Un homme sage, à n'en pas douter, acquiesça Nycola.

Elle récupéra une autre couverture au flanc d'un des dromadaires qui la fixait d'un œil vide, puis s'étendit à proximité pour profiter de la chaleur que les bêtes dégageaient.

— Tu ne crains pas qu'ils ne t'écrasent en bougeant ? s'inquiéta-t-il.

Elle noua ses mains sous sa nuque.

— Question d'habitude. Mon père m'a entraînée dans toutes sortes d'expéditions dès ma plus tendre enfance. Je me souviens même d'une fois où nous nous sommes égarés dans le désert. La nuit est tombée et avec elle la température. Il a sorti son poignard, m'a demandé de tourner la tête.

Elle s'esclaffa.

— Bien sûr, je ne l'ai pas fait. J'ai juste mis mes mains sur mon visage en écartant les doigts. Le sang a giclé au cou du dromadaire qui s'était mis à blatérer dans un gargouillis ignoble. J'ai hurlé, je crois.

— Pourquoi l'a-t-il tué ?

Mounia tourna la tête vers Nycola.

— Pour me sauver. Indifférent à mes cris, papa l'a éventré puis vidé de sa tripaille. Lorsqu'il m'a prise sous son bras, je me suis débattue tant il puait. Il m'a poussée à l'intérieur de la chair tiède.

Nycola frissonna.

— Effroyable souvenir…

Mounia se le réappropria dans la pénombre que trouait à peine la bougie dans son falot.

— En fait, j'avais si froid que j'ai cessé de gigoter et de pleurer quand j'ai senti cette chaleur qui rayonnait autour de moi. Du coup, je n'ai plus rien dit quand il a rassemblé les boyaux pour m'en couvrir. J'ai même ri en le voyant uriner tout autour de l'animal. J'ai appris plus tard que c'était pour marquer son territoire. Je ne sais pas si cela contribua à notre survie, quoi qu'il en soit, aucun félin ne nous attaqua. Au matin, des Bédouins sont apparus de nulle part et nous ont ramenés à l'oasis la plus proche. Bien sûr, maman n'a rien su de tout cela…

Sa voix était tombée au fil de son récit, alourdie de sommeil. Nycola ne renchérit pas. Il éprouvait une sincère affection pour cette femme qui, à aucun moment, n'avait essayé de lui ravir l'amour de Khalil. Tout au contraire s'était nouée entre eux trois une complicité précieuse qui semblait grandir de jour en jour.

Mounia n'avait plus rien de commun avec cet être décharné, épuisé de souffrance qu'il avait rencontré à Istanbul. Elle était redevenue celle qu'il avait aperçue au balcon du palais de Topkapi, son fils nouveau-né dans les bras, juste avant qu'il n'entende l'eunuque parler de l'assassinat de Khalil.

Il se sentit heureux, soudain, qu'elle soit là.

— Tu ne veux pas chanter ? Juste un peu…, demanda-t-elle.

Alors, pour lui plaire, il laissa sa voix monter, douce et rassurante jusqu'au plafond. N'était-il pas le gardien de ce lieu ?

Qu'importait, au fond, qu'il ne sache jamais pourquoi.

42.

Face à cet être sans âge, figé dans son tombeau, Elora n'eut aucun doute.

Son cœur s'étrangla de tristesse.

— Va, il t'attend, lui murmura Khalil en reculant d'un pas pour la détacher de lui.

Elora s'avança lentement dans le sanctuaire.

Merlin avait tout prévu.

Depuis la pureté de son cœur jusqu'à cette cathédrale de glace qui, réchauffée d'amour, s'était mise à fondre en une pluie douce. Par côtés, des rigoles évacuaient l'eau de la pièce.

Toute l'eau.

À l'exception des larmes qui glissaient sur les joues d'Elora.

Oui, il avait tout prévu.

Sauf, sans doute, qu'elle arriverait trop tard.

Qu'elle ne le sauverait pas.

C'était une chose de ranimer un enfant dont le souffle à peine coupé vibrait toujours des sursauts de son âme. Khalil était chaud encore lorsqu'elle s'y risqua[1]. Mais là. Là c'était un géant, d'une toise et demie au moins. Elle tendit la main, caressa la joue rongée de barbe blanche, figée dans sa raideur mortuaire.

1. Voir *La Reine de lumière*, tome 1.

Le gel avait préservé son apparence, mais tout en lui était froid. Depuis trop de temps déjà.

Elle tomba à genoux à côté de lui, secoua la tête dans un geste d'impuissance, des sanglots dans la voix.

— Pardonne-moi, je ne peux pas, Merlin !....

Poussé par une main invisible, Khalil pénétra à son tour dans le sanctuaire. Il n'était pas venu là par hasard, avec elle, criait en lui une voix inconnue.

Il se souvint du récit de sa mère à propos de sa conception, de cette sensation d'absolu qui l'avait nouée aux bras d'Enguerrand sous le ballet effrayant de l'âme des Géants, en Sardaigne. Ni l'un ni l'autre n'avaient compris ce qui s'était produit cette nuit-là dans le nuraghe, mais, lorsque le silence était revenu autour d'eux, Mounia le portait, lui, Khalil, forte de la certitude que les Anciens s'étaient glissés en lui.

À cet instant, pour la première fois de son existence, le petit Bohémien ressentit leur présence en sa mémoire. Comme Elora possédait le souvenir des faits et gestes de son arrière-grand-père, lui retrouvait celui des Géants de Sardaigne.

Et, dans ces souvenirs, il y avait le benben, posé sur un djed de même nature que celui contre lequel Merlin s'était endormi.

Il pressa avec délicatesse l'épaule d'Elora.

— Merlin ne t'a pas guidée jusqu'à lui pour que tu le pleures.

Saisie par la fermeté et le timbre inhabituel de sa voix, elle leva vers lui des yeux détrempés. Pour aussitôt s'émerveiller. Mouvante, passant du blanc le plus pur au bleu le plus limpide, une nuée auréolait le crâne de Khalil.

Les Anciens, ils ont pris le contrôle, songea Elora.

Elle passa sa manche sur son visage.

— Qu'attends-tu de moi ? demanda-t-elle en se redressant, de nouveau confiante.

— Deviens la source.

Elora fronça les sourcils. *Quelle source ?* Et soudain elle comprit. Elle portait en elle le flux énergétique des Hautes Terres. Elle devait utiliser le benben sous lequel reposait Merlin pour concentrer sa lumière et, ainsi, en augmenter la puissance.

Elle contourna la structure, s'accroupit devant le pilier djed et s'agrippa à sa base, juste au-dessous des cinq anneaux qui le barraient horizontalement. La lumière grandit le long du pilier, zébra d'éclairs les anneaux. Les deux bras de métal qui maintenaient le benben sur le socle achevèrent alors de se dégeler dans un claquement sec, traversant d'un bleu pur sa roche ambrée.

Khalil recula. Son rôle était achevé et une voix impérieuse lui commandait de quitter la pièce.

Un halo grandissait déjà autour d'Elora.

Il tourna les talons et sortit dans le grondement de la pierre qui s'était mise à rouler.

Un sourire heureux flotta sur ses lèvres.

Il avait fait ce qu'il devait.

*

* *

Ce fut une envie pressante qui, de longues heures plus tard, décida Nycola à réveiller Mounia.

Secouée délicatement par l'épaule, elle s'arracha avec difficulté d'un rêve doucereux dans lequel Enguerrand la berçait de promesses. Elle ouvrit les yeux avant de les refermer sur un grognement, agacée par le falot trop proche.

— Je dois sortir quelques minutes, s'excusa-t-il en l'écartant.

Résignée, elle s'assit, frotta son nez retroussé puis, pendant qu'il récupérait Bouba sur son épaule, s'étira pour dénouer son dos moulu par la dureté du sol.

— Personne encore ?

— Ni homme, ni bête. J'emporte une lanterne et mon coutelas, annonça le Bohémien.

— Va plutôt sur la terrasse. Un des murets de clôture te protégera tout en te laissant une vue d'ensemble.

— L'aube est proche. Anubis ne se réincarnera pas, rendors-toi, la rassura-t-il.

Elle s'allongea, les yeux gonflés encore de sommeil.

— Jusqu'au lever, les félins sont dangereux. En cas de danger, envoie-moi Bouba.

Il acquiesça, contourna les dromadaires et escalada l'empierrement qui barrait le passage.

Sitôt qu'il fut de l'autre côté, il inspira à grandes goulées l'air vif qui tombait de la terrasse par l'escalier à ciel ouvert. Nycola n'avait jamais été d'une nature trop délicate mais il devait reconnaître que l'air déjà restreint de la petite pièce s'était vicié en quelques heures. À se dandiner dessus, il n'avait pas vraiment mesuré à quel point leurs montures puaient d'haleine et de poil.

Il en était empesté et migraineux. Il se demanda comment Mounia pouvait s'en accommoder avec autant d'indifférence.

Décidément, songea-t-il, ses ressources naturelles ne cessaient de le surprendre.

Il remonta l'escalier quatre à quatre, heureux de délier ses jambes musculeuses. Dans quelques jours il entrerait dans sa quarantième année et se sentait encore des vigueurs de jeune homme. Se rangeant au conseil de Mounia, il s'adossa à un pilier, vérifia les alentours, puis, à l'exemple de Bouba qui se soulageait à ses côtés, se débraguetta sans crainte.

Malgré sa froidure, la nuit était splendide.

Son affaire faite, Nycola décida de s'attarder. Mounia s'était certainement rendormie et aucune bête ne viendrait, il en était persuadé. Avisant deux pans de mur éboulés sur l'angle desquels un pan de toiture était resté accroché, il se tapit dans cet abri, récupéra Bouba sur ses genoux, puis fixa les crêtes de la barrière montagneuse sur lesquelles une myriade d'étoiles semblait s'accrocher. Comme le petit singe, il observa peu à peu les vapeurs du lever éteindre le halo céleste.

C'est au moment où la montagne commença à apparaître dans une brume légère et ambrée des premières lueurs du jour que la mémoire lui revint.

Il avait déjà assisté à ce lever. Par le récit que son grand-père en avait fait.

Noué par ce souvenir ramené en surface, il se revit, tout jeune enfant, au chevet du vieil homme qui depuis plusieurs jours déjà toussait à s'en arracher les poumons. La fièvre menaçait de l'emporter et, selon les coutumes de leur communauté, tous avaient été appelés à le veiller, nuit et jour. Les adultes, comme les enfants. Nycola se retrouva à éponger le front blême de ses petites mains inquiètes, soucieux de lui apporter un peu de réconfort dans son délire.

« Tu ne peux imaginer comme est belle la lumière qui s'étire sur la montagne Cîme, comme est douce la chaleur du petit jour sur le village à son pied, ânonnait le vieil homme, les yeux clos.

« Je me souviens de la première fois où mon père m'a emmené devant le Géant, dans le sanctuaire. Il m'a caressé le front, puis m'a fait prêter serment. J'ai été si fier de le servir ensuite, si fier d'aider à son grand œuvre. Grâce à ses bontés nous ne manquions de rien, ma famille et moi. L'ennui nous était inconnu tant nous tenait la quête de Merlin. Lorsqu'elle s'acheva, ma fierté était telle d'y avoir participé que j'ai pleuré devant la copie de cristal qu'il avait fait naître sous ses doigts.

« De gardien, je peux le dire, je suis devenu son ami, lui jurant de nouveau fidélité et silence lorsqu'il m'annonça que sa tâche en ce monde était achevée et qu'il allait regagner le sien pour tenter de le sauver. De se sauver. Car, en vérité, il était fatigué. Il disait… Comment disait-il déjà ? Oui, voilà… "Ma vie s'amenuise à grands pas. Si j'avais dû tarder encore, elle se serait achevée là."

« Il riait en tapotant ma joue.

« Ce me fut pourtant une déchirure de le voir partir, malgré les richesses qu'il nous laissa pour adoucir notre devenir.

« Mais moins encore que de le voir reparaître, quelques mois plus tard, affaibli et douloureux, une fois le sanctuaire réaménagé. Je ressentis une profonde, une indélébile tristesse lorsqu'il referma mes doigts sur l'*ankh*, là-bas, dans le sanctuaire. J'ai pleuré. Moment terrible. J'ai pleuré en refermant la porte sur lui. En l'emmurant dans son tombeau. J'ai pleuré encore en préparant l'enduit sur les murs, en peignant la plume de Maat. J'ai pleuré en invoquant Anubis. "Plus de gardien, avait dit le Géant. Fini. Plus de gardien en terre d'Égypte. Si tu reviens, tu mourras. Trouve la reine de lumière. Si ce n'est toi, que ce soit ton fils, et son fils après lui. Elle saura venir à moi. Elle et elle seule." Ne rien dire. Plus rien. À personne. Jamais… »

Le vieil homme était mort sur ces mots.

Nycola avait demandé quelques jours plus tard si son grand-père était né en Égypte. On lui avait répondu que non, que leur peuple venait des rives de l'Euphrate. Délire de mourant, avait conclu Nycola.

Il se souvenait à présent de cette sensation qu'il avait ressentie lorsqu'il avait pris le relais de son père pour rechercher la reine de lumière. Son père avait été incapable de lui en dire davantage, il savait seulement que d'elle émanerait un halo bleuté qui la lui ferait reconnaître entre toutes. Khalil en était auréolé, c'est la raison pour laquelle Nycola s'était précipité pour le racheter à l'eunuque.

Ce jourd'hui, 11 juin, le ciel qui s'embrasait dans son dos gagnait l'azur tout entier. Il sourit au milieu de la tristesse qui l'avait gagné. Son grand-père aurait été heureux de savoir qu'il était là à admirer cette palette, comme lui-même l'avait fait tant de fois, mais plus encore qu'un des siens avait tenu sa promesse à Merlin.

Il se leva, s'approcha du bord et fouilla l'ombre au pied des ruines romaines. Il repéra la flèche. Elora l'avait laissée au flanc du chacal. Elle n'était plus ce matin que piquée dans le sable.

La reine de lumière avait vraiment vaincu Anubis.

L'avait-elle fait en pleine connaissance de ce savoir ou par pur instinct ? Il ne le lui demanderait pas.

Nycola gonfla son torse puissant.

Il serait digne de l'honneur que son grand-père lui avait légué en mourant. Il se plierait à la volonté d'Elora. Si elle taisait sa découverte, alors lui-même oublierait pourquoi il l'avait menée là.

43.

Lorsque Elora trouva Khalil assis contre la paroi du souterrain, nuque renversée en arrière et bouche ouverte sur un ronflement sonore, un sentiment de tendresse la faucha. Il s'était endormi, comme elle l'avait vu faire de nombreuses fois lorsqu'il avait l'esprit en paix. Le sien l'était aussi, malgré les circonstances. Mais elle était épuisée. Elle se glissa près de lui, les yeux rivés sur la roue de pierre qui venait de se refermer. Elle avait besoin de repos. Ensuite, il lui faudrait affronter ce que Merlin lui avait révélé.

Khalil perçut sa présence au moment où elle abandonna sa tête contre son épaule. Il ne bougea pas. Le souvenir d'un rêve le retenait encore, en place du cauchemar qui, pendant des années, l'avait perturbé. À son commencement, la scène était la même, pourtant. Il chevauchait au milieu d'autres cavaliers dans un paysage de landes et de marais. Soudain, un castel, impressionnant en dépit de sa petite taille, se dressait devant eux. Ils pénétraient dans sa cour déserte. Et Mounia l'accueillait. Était-ce de l'avoir retrouvée qui avait modifié la suite ? Khalil l'ignorait. Mais une chose était certaine : à l'instant où Mounia le menait à Marthe, un éclair bleu les traversait tous deux et la souffrance, ressentie jusque-là dans ses nuits tourmentées, disparaissait.

Un instant il se demanda si ce n'était pas la magie de Merlin qui les sauvait tous. Cette pensée l'arracha à sa torpeur. Il prit conscience que le Géant n'était pas à leurs côtés.

Elora chercha sa main pour la nouer à la sienne.

— Tu t'étais assoupie… Pardon, s'excusa le jeune Bohémien.

Elora joua de sa tempe contre la rondeur de son épaule. Le cœur du jouvenceau s'accéléra dans sa poitrine.

— Tu ne l'as pas ramené, n'est-ce pas ?

— Quelques heures seulement. Assez pour lui, semble-t-il. Pas assez pour moi.

— Et l'élixir ? On pourrait essayer…

Elora soupira, navrée.

— Il en reste trop peu dans celui de Mounia et l'autre est vicié. Non, Khalil, c'est terminé.

Il se sentit triste. Pour elle. Pour le Géant.

— Est-ce que ça ira ?

Elle redressa légèrement la tête et plaqua un baiser tendre sur sa joue.

— Oui, tu ne dois pas t'inquiéter.

Il eut envie de revendiquer ce droit-là. Par amour pour elle. Il s'abstint.

— J'étais persuadé que tu le sauverais. Qu'est-il arrivé ?

— Rien qu'il n'ait prévu, en vérité. Mon énergie a été concentrée par le djed qui, lui-même, a rechargé celle contenue dans le benben. Merlin avait relié son crâne et son cœur à ce dernier à l'aide de fils de cuivre. Il s'est réveillé. J'ai cru que cela suffirait, mais il était trop affaibli lorsqu'il s'est enfermé ici. Il aurait fallu une charge cent fois plus importante pour qu'il puisse se lever et nous suivre. Pour qu'il puisse renaître. Il le savait.

— Mais alors pourquoi tout ça si c'était inutile ?

Elora se pelotonna contre lui.

— Ça ne l'était pas, Khalil. Il avait des révélations à me faire.

— Sur l'utilisation et les pouvoirs du benben ?

— Il ne nous serait d'aucune utilité. Je l'ai laissé.

Il ne s'en étonna pas outre mesure, imaginant mal Elora dépouiller la sépulture du géant.

— Sur le moyen d'éliminer Marthe et Apophis, alors ?...

Elle glissa sa main dans son gilet, affolant plus encore les battements qu'elle y captait.

— Entre autres. Ne veux-tu pas oublier tout cela et nous accorder un peu de temps ?

Khalil avala sa salive, soulagé soudain de cette obscurité qui les enveloppait et masquait à la jouvencelle les effets que sa caresse venait de provoquer.

Depuis leur baiser échangé à Istanbul, il s'était rendu à sa mère, laissant l'enfant se réapproprier le passé, niant avec ce corps d'adulte son attachement pour Elora. Mais il ne s'était pas passé un jour où il n'ait ressenti le besoin de l'exprimer.

— Le temps pour quoi ? demanda-t-il d'une voix altérée.

— Pour nous aimer, chuchota Elora sur ses lèvres avant de les clore d'un baiser.

*

* *

Lorsque Nycola redescendit, il trouva Mounia un falot à la main, prête à enjamber la pierre qui bloquait le passage vers le souterrain.

— Où comptais-tu aller ? s'étonna-t-il.

Elle tourna vers lui un visage inquiet.

— Le plus loin possible. Ils auraient dû revenir depuis longtemps, tu ne crois pas ?

Laissant Bouba se jeter sur les besaces à la recherche de quelque nourriture, il se rapprocha d'elle.

— Tu l'as dit toi-même, ils sont adultes… amoureux… et d'origine divine. Trois bonnes raisons pour ne pas les déranger.

Mounia s'empourpra.

— Tu penses que…

Il lui enleva le falot des mains.

— Je suis sûr.

Elle revint au centre de la pièce, embarrassée de ses mains, de ses pieds, de sa tête.

— Il faut que je m'occupe, alors, sinon, je vais mourir d'angoisse.

— Commençons par sortir les dromadaires. C'est devenu irrespirable, ici. Je me demande comment tu peux encore supporter ça, ajouta-t-il en tordant le nez.

— Les parfums de l'enfance, sans doute. Il y a quelque chose de rassurant derrière eux. Mais tu as raison, c'est abject…

Ils éclatèrent d'un rire salutaire avant de libérer le passage des pierres qui le barraient.

Un quart d'heure plus tard, ils étaient réinstallés dans la cour, et Mounia arrachait la flèche du sol pour la piquer dans son carquois.

— Elora avait raison. C'était bien Anubis. Tu ne sais pas pourquoi il voulait ta mort ?

— Toujours pas, mentit Nycola avant de rouler la dernière couverture et de l'attacher à sa selle.

— Très bien, soupira Mounia. Aide-moi à ranimer le feu, que j'y cuise les derniers morceaux de viande. Ces garnements vont avoir faim à leur retour.

Nycola rassembla les tiges de palmier éparpillées en hâte la veille, un sifflement léger aux lèvres.

Au-dessus d'eux le ciel peu à peu perdait de son flamboiement au profit d'une lumière voilée. Dans quelques heures ce serait la fournaise et ils seraient heureux de regagner les rivages du Nil, songea Mounia, avide d'un bon bain.

Pendant qu'il rallumait les braises, elle récupéra une gourde et se rinça la gorge de quelques goulées restées fraîches. Lorsqu'elle la reposa, Nycola, redressé, la fixait d'un œil chaleureux.

Elle lui sourit.

— Merci pour cette nuit. J'avais vraiment besoin de dormir… Maintenant que tout danger est écarté, tu devrais en faire autant.

Il lui sourit.

— Ce n'est pas vraiment ce qui me vient à l'esprit en restant auprès de toi.

Prise de court par l'allusion, elle rougit.

Il se mit à rire.

— Rassure-toi, je sais que seul Enguerrand aura ce privilège-là, mais je voulais que tu le saches. Tu es belle, Mounia, et je suis heureux, jusqu'à vos retrouvailles, de pouvoir veiller sur toi.

44.

Khalil n'osait bouger. Allongé à même le sol sur ses vêtements épars, le regard perdu dans l'obscurité, fixant un point imaginaire au plafond, il se demandait si l'on pouvait connaître plus grande félicité. Du coup, pour en préserver chaque seconde, il retenait son souffle, les bras croisés derrière sa nuque, malgré la fraîcheur de l'air qui dardait de frissons sa peau nue, là où celle d'Elora ne la réchauffait.

Ce fut elle qui brisa l'enchantement en faisant courir sur son torse une main douce.

— Tu dors ?

— Hen hen.

Elle rit.

— Hen oui ou hen non ?

— Oui pour que tu n'aies pas l'envie de te lever, et non pour que tu continues ta caresse.

Elora ne sut quoi répondre. Malgré l'inconfort du tunnel qui leur mâchait les os, elle aussi avait conscience du privilège de ce moment. Elle se pelotonna contre lui, lui recouvrit la jambe de la sienne pour mieux s'amarrer à sa chaleur, lui transmettre sa lumière. Ses doigts s'enroulèrent à l'arrondi d'une épaule. Khalil gémit de contentement.

— Je comprends mieux, maintenant, pourquoi ils ont tous voulu te posséder. Les Borgia. Le sultan.

— Et ?

— Je tuerai celui qui réessaiera.

— Je suis capable de me défendre toute seule.

— Je n'en doute pas, mais le voudras-tu ?

Elle tiqua.

— Douterais-tu de moi ?

Il dégagea une main pour l'attirer davantage contre lui.

— Ce n'est pas ce que j'ai voulu dire, Elora. Je sais juste que ce pouvoir te sert pour arriver à tes fins.

— Comment oses-tu le penser ? s'indigna-t-elle gentiment en lui pinçant le bras.

Il ne réagit pas à sa pitoyable torture. Il avait besoin, là, maintenant, qu'elle sache à quel point il l'aimait. À quel point il la voulait pour lui seul et jusqu'à la fin des temps.

— J'ai entendu dame Hélène dire au prince que c'était ainsi que tu avais obtenu l'annulation de son mariage.

Une fraction de seconde, Elora eut envie d'étrangler Alexandre VI Borgia. Auprès de qui s'était-il vanté ? De son fils ? Ou bien un valet l'avait-il vue quitter la chambre et avait-il répandu la nouvelle ? Il faut dire à sa décharge qu'elle s'était jouée de la rumeur les concernant.

— Tu ne réponds pas ? s'inquiéta plus timidement Khalil.

Craignait-il de l'avoir fâchée ? se demanda Elora. Autant qu'il sache la vérité. La seule vérité.

— Je ne peux pas démentir, Khalil, parce que j'ai voulu que le pape croie m'avoir possédée.

Aux battements désordonnés de son cœur, elle comprit qu'une pointe de jalousie le transperçait. Elle enchaîna :

— Mes pouvoirs, comme tu dis, me donnent de grands avantages. Il est vrai qu'Alexandre VI m'a menée en sa couche…

Un sourire de victoire lui échappa au souvenir de cette scène tandis qu'elle se mettait sur le dos.

— … mais au lieu de me déflorer comme d'autres de mon âge avant moi, il s'est escrimé dans le vide, juste là, ajouta-t-elle en s'asseyant pour mieux lui glisser la main entre ses jambes.

Khalil perçut sous ses doigts le creux laissé par le galbe de ses cuisses.

— Tu veux dire…

— Que tu es le premier, Khalil, le seul, et que tu le resteras.

Pour preuve, elle illumina la tache de sang qui avait marqué la pierre de l'endroit, quelques pouces plus bas.

— Mordius ! fut tout ce qu'il trouva à dire avant qu'elle explose de rire.

*

* *

Quelques minutes plus tard, rappelé à la nécessité de quitter les lieux, Khalil était rhabillé et fouillait sa besace pour en extraire les bâtons d'amadou qu'il était persuadé y avoir fourrés avant de partir. Il étouffa un juron. Faudrait-il donc qu'il renverse tout pour enfin atteindre ce qu'il cherchait ?

À quelques pas de lui, Elora était prête à reprendre la route.

Pas à la volonté de Merlin. Le mage craignait la vengeance d'Apophis et l'usage inconsidéré que son ancien assistant pouvait faire du benben, s'il venait à le découvrir. À part elle qui était capable de faire barrière à une introspection, nul ne devait connaître le secret du sanctuaire. Pas même Khalil.

Écartelée, elle se glissa derrière lui alors qu'il s'exclamait.

— Je les ai ! Il n'y a plus qu'à approcher la chandelle.

Elora sentit son cœur se serrer. Lui pardonnerait-il un jour ?

— Te souviens-tu de l'endroit où nous avons posé le lanterneau ? insista le petit Bohémien avant de sentir ses tempes s'échauffer.

— Eh là ! Que fais-tu ?

Elle ne répondit pas, concentrée sur sa nuque.

Khalil n'eut pas le temps de s'étonner plus avant. Il eut l'impression d'être aspiré en arrière.

Elora ne fit rien pour l'empêcher de tomber. Personne avait répété Merlin. Non, personne à part elle ne devait savoir où il reposait.

*
* *

Une minute plus tard, Khalil reprenait conscience, allongé au sol, et Elora, agenouillée près de lui, l'aidait à se rasseoir.

— Aïeeee ! se plaignit-il en voulant porter la main à son crâne.

Elora la lui repoussa fermement.

— Il ne sert à rien que tu touches. Laisse-moi te soigner.

— Comment est-elle ?… Ma bosse, comment est-elle ?

Elora soupira.

— Comme un œuf de pigeon. Ne pouvais-tu pas attendre avant de t'élancer ?

Khalil grommela.

— Je ne me rappelle pas.

Tout en maintenant sa main au-dessus du coup qu'il avait reçu en tombant à la renverse, Elora se pencha sur ses lèvres.

— Et de cela, t'en souviens-tu ?

Il s'alanguit sous le baiser. D'autant mieux que la douleur s'estompait.

— Mmmmmmooouui, gémit-il lorsqu'elle s'écarta.

De nouveau l'envie de la retenir contre lui gonfla dans ses braies. Mais il semblait ne plus falloir y compter. Déjà Elora se redressait.

— Puisque tu es guéri, nous pouvons y aller. Il glace ici et j'ai faim.

Khalil porta un index à son cuir chevelu. Une petite enflure subsistait, mais la douleur qui avait vrillé son crâne avait disparu.

— Ma foi, convint-il en acceptant la main secourable qu'elle lui tendait, je ne serai pas contre un morceau de gazelle. Crois-tu que maman en aura préparé ?

— Évidemment ! Mais attends-toi d'abord à ce que l'on nous dispute..., rit-elle en l'aidant à se relever avant d'ajouter : Je doute fort qu'ils consentent à croire qu'il nous a fallu toute la nuit pour récupérer une vieille carte de peau.

— Et un éclat de roche. Oui, tu as raison, cela semble un peu léger..., renchérit Khalil en ramassant le falot qu'Elora, profitant de son inconscience, avait rallumé.

— Et un éclat de roche, l'approuva Elora en caressant à son cou le bijou que Merlin lui avait confié et qu'elle venait d'attacher.

Khalil passa devant, résigné. Fit quelques pas, puis marmonna :

— Un œuf de pigeon. Sacrebleu !...

Il se tourna vers elle.

— Contre quoi ai-je cogné ?

Elora haussa les épaules.

— Comment le saurais-je ? Il faisait noir et je m'appliquais à rallumer la bougie. J'ai juste entendu un bruit sourd puis vu que tu t'étais assommé. Allons, n'y pense plus et avance. Une longue route nous attend vers les autres de notre communauté. Nous rentrons en Dauphiné.

Pour seule réponse Khalil se mit à siffloter. Elora s'obligea alors à chasser d'elle ce détestable sentiment de culpabilité. Grâce à l'hypnose, Khalil n'avait plus d'autres souvenirs que ceux qu'elle lui avait implantés. Et finalement n'en semblait pas plus malheureux.

Un dernier regard en arrière dans cette froidure que l'endroit avait regagnée.

Derrière la lourde porte de pierre, la glaciation qu'elle avait réactivée était parvenue à son apogée. Ses pensées s'envolèrent vers le Géant qu'elle laissait tel qu'elle l'avait trouvé.

« Je reviendrai, Merlin. Dès que les Hautes Terres seront libérées, je reviendrai te chercher », promit-elle.

Car il existait un moyen. Un moyen de remonter les âges pour lui faire boire, à temps, l'élixir qui le ranimerait.

Dans la grande pyramide de Gizeh.

45.

Algonde s'occupait.

Comme elle l'avait toujours fait dans ces moments terribles de son existence où le simple fait de s'éveiller avait perdu tout sens. Elle se dépensait dans les tâches les plus ingrates pour oublier la vérité.

Mathieu était mort.

Cela faisait trois semaines qu'elle traînait ce fardeau sans oser s'en plaindre. Auprès de qui l'aurait-elle pu ? Petit Pierre ? Malgré sa complicité avec Constantin, il demeurait taciturne. Hélène ? Algonde n'était pas assez cruelle pour raviver sa propre détresse. Enguerrand ? Il se remettait lentement de ses blessures grâce aux bons soins de Présine. Ajouter plus de haine encore en son cœur à l'égard de Luirieux n'aurait servi à rien. Gersende ? Janisse ? Ils s'activaient avec autant de rage qu'elle.

Non, décidément, Algonde ne voyait personne avec qui partager son tourment.

Alors elle composait avec le quotidien.

Un quotidien qui, dès le lendemain de l'arrivée d'Hélène, s'était alourdi d'une nouvelle crainte. Le voyage et l'émotion n'avaient rien valu à la grossesse de la baronne. Le bas-ventre barré d'une douleur violente, Hélène avait été consignée au lit et y devrait demeurer jusqu'à l'enfantement. La dame avait réinvesti son ancienne chambre, tout en haut du donjon, afin que personne ne s'interroge sur les visites d'Algonde toujours grimée en dresseur, et moins encore sur celles de son fils.

Inféodés à ces rôles qui leur avaient permis de renaître, Algonde et Constantin avaient déménagé dans la sacristie, bien vite rejoints par Petit Pierre à qui la solitude était insupportable.

En ce 18 juin donc, rien n'altérait le rituel qui s'était installé au castel de Sassenage. Constantin et Petit Pierre, levés aux aurores, venaient d'apporter à Janisse deux beaux garennes qu'il espérait pour le déjeuner. Tout en les félicitant de leur prise, le cuisinier tournait sa crème au-dessus du feu. Gersende s'était enfermée dans ses appartements pour faire ses comptes et Algonde achevait la toilette d'Hélène dans le plus grand secret.

Ce jourd'hui, pourtant, comme la veille, tandis qu'elle démêlait avec soin la longue chevelure de son amie, la jouvencelle souffrait d'un mal insidieux et incurable. L'espoir. Un espoir qui l'avait ébranlée dans ses rêves. La sensation, puis la certitude que Mathieu avait survécu. Tout pourtant affirmait le contraire, jusqu'au simple fait qu'il n'avait pas reparu. Mais la fissure s'était rouverte. Chimères. Ou folie. Elle ne savait trop ce qui la guidait, mais le fait était là : elle ne voulait pas accepter que ce soit fini. Elle ne le pouvait pas. C'était plus fort qu'elle, plus fort que le récit de Petit Pierre, la certitude d'Hélène ou la simple évidence.

À cause de cette vision que ses pouvoirs lui avaient offerte par le passé.

Elle tira sur le peigne en réprimant un soupir. L'illusion était pire que la réalité. Elle lui abîmait la raison, écorchait chaque fibre de son être et l'empêchait de faire son deuil.

— Mal dormi, n'est-ce pas ? devina Hélène à la brusquerie inhabituelle de son geste.

Se refusant d'en parler, Algonde posa l'instrument et entreprit de natter les cheveux crantés par l'habitude de la tresse.

Hélène lui immobilisa les doigts.

— Tu n'as pas à faire semblant avec moi, Algonde… Je sais. Je sais ce que tu ressens, je sais ce qui te pousse et tout à la fois te retient. Je sais chacune des larmes que tu te refuses de verser.

Algonde sentit sa gorge se nouer. Hélène la libéra, s'attarda quelques secondes aux pleins et déliés qui peu à peu donnaient forme à sa coiffure.

— T'es-tu jamais demandé si je n'avais pas, moi, besoin de te parler de Djem ? de partager ta détresse pour me guérir de la mienne ?

Algonde trembla en nouant les lacets. Non. Elle n'y avait pas pensé. Elle bredouilla.

— Je… J'ai…

Elle chercha des mots qu'elle ne trouva pas. En désespoir de cause, elle s'arracha du mitan du lit sur lequel elle s'était juchée. Hélène regagna ses oreillers, tiraillée jusque dans les jambes par le poids qui la plombait.

— Viens t'asseoir à mes côtés, exigea-t-elle.

Algonde obéit. Accepta la main d'Hélène dans la sienne.

— Nous avons tout partagé depuis notre rencontre. Plus que je ne l'aurais cru possible, mon amie, ma chère, ma tendre amie. Je t'ai pleurée dix années durant, me suis horrifiée de la vérité, puis rassurée de te voir au jour maudit de mes noces avec Luirieux. Mais désormais tu fuis. Tu fuis, Algonde. Et je me sens seule avec ma peine. Comme je te sais seule avec la tienne.

Algonde lui concéda un sourire penaud en réponse au sien, triste.

— Tu as raison. Je n'ai pensé qu'à moi. Constantin et toi aviez tant de choses à partager.

Hélène se troubla.

— Bien peu, en vérité. Il… Il est si différent…

Algonde se durcit. Hélène battit l'air d'une main lourde.

— Non, je ne parle pas de sa pilosité. Je l'aime, Algonde. Je l'aime tel qu'il est… Oh oui ! je l'aime ! Ce que je veux dire, c'est qu'il ne ressemble pas à un enfant…

Sa voix se brisa et des larmes perlèrent à ses yeux.

— Il est lui… Il est Djem derrière ce masque. Dans son regard, dans sa voix, dans ses manières, dans sa stature même. Il est Djem, Algonde… Tellement lui, tu comprends. Tellement lui que je ne sais pas quoi lui dire. Je n'ose même pas le serrer dans mes bras…

Algonde s'en déchira.

— Pardonne-moi. Je n'ai pas vu… pas compris…

— Ce n'est pas ça. Je ne t'en veux pas. C'est juste que je vais le perdre. Dès qu'Elora reviendra, je vais le perdre une deuxième fois ! Et elle aussi. Et toi…

Abattue par cette confidence trop longtemps retenue, elle éclata en sanglots.

— Je ne pourrai pas, Algonde…

Anéantie par cette évidence, Algonde l'attira contre elle.

Durant de longues minutes, agrippées l'une à l'autre pour ne pas sombrer, elles laissèrent dévaler ces torrents de larmes dans un même fleuve. Il emporta sur son passage ces trois semaines insipides à parler de tout et de rien plutôt que de l'essentiel. Noyant les faux-semblants. Les faux prétextes.

Il n'en resta rien lorsqu'elles s'apaisèrent enfin, vidées.

Alors seulement les mots vinrent. Ceux du dedans. Ceux de l'ombre. Comme des coups de poignard pour déchirer les linceuls.

Lorsqu'elles se turent deux heures plus tard, ce fut pour s'embrasser.

Un baiser salé au goût d'interdit.

Comme autrefois lorsqu'elles étaient à la Bâtie.

Un baiser d'amantes.

Un baiser d'amies.

En sachant l'une comme l'autre qu'elles ne trouveraient plus leur compte à ces caresses. Trop de choses avaient changé.

Alors elles se sourirent, les yeux dans les yeux, de nouveau liées d'une même tendresse.

Algonde lui caressa la joue.

— Je vais aller chercher Constantin, dit-elle.

Hélène approuva d'un hochement de tête, la laissa s'éloigner de quelques pas puis passa ses mains sur son visage.

Elle n'avait que quelques minutes pour se reprendre. Elle y renonça pourtant dès que la porte se referma.

À quoi bon continuer de feindre ? Algonde avait raison. Constantin l'espérait, elle, avec autant d'amour qu'elle l'avait espéré, lui.

Alors elle se mit à l'attendre.

Comme s'il venait à elle pour la première fois.

46.

— Bonjour mère, comment vous sentez-vous ce jourd'hui ? lui servit-il sitôt qu'il eut passé le seuil.

Le sourire était franc, l'œil tendre. Malgré son visage ravagé, Hélène les lui rendit.

— Mieux, mon fils. Beaucoup mieux.

Elle tapota la courtepointe, brisant la distance habituelle qui l'avait, jusqu'à ce jour, installé dans un des deux faudesteuils usés.

Il s'assit à ses côtés.

Troublée, elle repoussa le drap, dévoilant le dôme impressionnant de son ventre. Elle lui prit la main et la posa sur le sommet harcelé de bosses que recouvrait la chemise.

— La vie, Constantin… La perçois-tu sous tes doigts ?

Il hocha la tête. Sursauta d'un coup porté à sa paume. Rit d'en accrocher un autre en contrebas. Hélène sentit de nouveau l'émotion la gagner. Les jours précédents elle se serait hâtée de la balayer en réclamant une partie d'échecs ou de dames. Cette fois, elle l'accepta, fouilla les traits derrière la barrière du pelage.

— Tu t'impatientais de même en moi, tu sais…

— Vraiment ? J'ai peine à croire avoir tenu dans si petit espace. Je suis si grand déjà… Nous avons sensiblement le même âge avec Petit Pierre et je le dépasse de deux têtes ! Mais vous l'avez remarqué, bien sûr…

Je comprends qu'il vous soit difficile de me regarder autrement que comme un homme, ajouta-t-il pour lui pardonner.

La finesse d'esprit de son fils n'avait d'égale que sa générosité. Elle s'en voulut soudain de sa maladresse passée. De sa réserve passée.

— Algonde prétend que c'est à cause du pouvoir des Anciens, comme Elora et Khalil. J'ignore d'où tu le tiens, mais cela doit être vrai, dit-elle avant de tordre la bouche et d'ajouter : Pourtant, au moment de te mettre au monde, j'étais grosse de moitié !

En trois semaines Hélène s'était empâtée d'une bonne dizaine de livres supplémentaires, ajoutant encore à sa difformité. Il ne releva pas. Au contraire, trouva la meilleure des excuses pour ne pas la froisser.

— Gersende craint des jumeaux. Vous l'a-t-elle dit ?

Hélène acquiesça, avant d'ajouter, soucieuse :

— Elle a dû t'en prévenir aussi je suppose, ce n'est pas sans risque… Es-tu inquiet ?

Il darda sur elle la franchise de ses yeux d'océan.

— Non. Tout se passera bien, mère.

Un instant de doute, puis elle lui donna une petite tape sur le bras.

— Tu n'en sais rien, en vérité.

Il laissa échapper un rire clair, dans lequel, une nouvelle fois, Hélène retrouva les accents de son père.

— Je l'avoue. Mais j'ai confiance.

— Mauvaise raison, lui objecta-t-elle.

— La meilleure du monde, maman, dit-il en l'embrassant au front.

Elle rosit. Il s'écarta pour la couvrir de tendresse.

— Malgré les circonstances, je veux vous voir heureuse… Je veux vous laisser heureuse à l'heure de mon départ.

Rattrapée par cette perspective, elle se mit à trembler et ramena par réflexe la couverture sur son ventre. Il y posa de nouveau les doigts.

— Vous le craignez et moi aussi, en vérité. Mais il est incontournable. Je suis né pour cela. Vous m'avez mis au monde pour cela, protégé de Marthe pour cela.

Hélène baissa la tête, de nouveau au bord des larmes.

— Je sais, mon fils. Je sais. C'est une chance déjà pour moi de te connaître, de partager ces moments…

Elle marqua un temps, porta le revers de sa main à ses lèvres pour les empêcher de trembler, puis la laissa retomber. L'heure n'était plus à la fierté.

Elle s'obligea à le regarder en face.

— Si ton père avait vécu, je ne serais pas revenue ici. Non que l'envie m'en ait manqué, mais Elora craignait que cela me soit trop douloureux. Elle avait raison. Si je suis restée en retrait de toi ces derniers jours quand te voir au mariage m'a comblée, c'est à cause de cela, Constantin. J'espérais… je ne sais pas… souffrir moins peut-être de ne pas trop nous lier. C'était absurde. J'en suis épouvantée…

Il essuya une larme qui, toute de dignité, avait glissé sur sa joue.

— Vous ne nous perdrez pas, mère. Nous serons toujours à vos côtés par la pensée. Et puis diable ! une fois tout danger écarté, vous pourriez nous rejoindre…

Elle se troubla plus encore.

— Je ne sais pas, Constantin. Je ne l'avais pas envisagé… Peut-être.

Elle se sentit regagnée par une sensation de chaleur. L'idée d'un possible. Inespéré.

— Oui… Peut-être.

Il sourit.

— Je ne remplacerai jamais mon père à vos côtés, malgré toute ma tendresse, mais je sais ce qu'il aurait souhaité. Qu'un autre vous chérisse. Un autre pour lequel vous éprouverez confiance et respect.

Pour seule réponse à sa prévenance, Hélène grinça.

— Luirieux en est tout l'opposé.

L'œil de Constantin s'assombrit.

— Rassurez-vous. Je serai de ceux qui l'empêcheront de vous tourmenter encore. Je vous aime, maman. N'en doutez jamais.

— Toi non plus mon fils. Toi non plus. Jamais, répéta Hélène, bouleversée d'une joie simple.

Inattendue.

Ses bras s'ouvrirent et Constantin s'y blottit avec au cœur cette part d'enfance qu'il y avait soigneusement préservée.

Sous leur fenêtre, au-delà du mur qui séparait les deux cours, agenouillée pour se ramener à sa hauteur, Algonde étreignait de même Petit Pierre, bouleversé.

Elle l'avait trouvé en cherchant Constantin.

Le fauconnier était absent lorsque les deux garçons avaient ramené l'aigle qui avait servi leur chasse. Ils avaient rattaché ce dernier à son plot, pris le temps de goûter aux délices de Janisse avant de revenir pour prévenir l'homme qu'une des pattes de l'oiseau avait souffert d'une de ses attaques.

Algonde les avait cueillis alors qu'ils le quittaient.

Restée seule avec Petit Pierre pendant que Constantin montait voir sa mère, Algonde n'avait pas été longue à l'inviter à s'asseoir sur une pierre, à l'ombre, pour qu'il lui raconte comment le faucon s'était blessé. Prétexte. Un piqué sur un hérisson, avait-il dit en riant avant de lui raconter la course effrénée des lapins pour échapper à la menace et la flèche qu'il avait décochée avant qu'un des deux animaux en soit rattrapé.

De là, elle avait amené la conversation sur Choranche, sur la main qui l'avait aidée, pour la première fois, à bander son arc. Comme l'avait espéré Algonde, Mathieu s'était installé entre eux. Et, avec lui, le souvenir effroyable de sa triste fin.

Pressant plus fort contre elle le garçonnet, secoué de sanglots, elle tenta d'apaiser les battements désordonnés de son propre cœur. Elle avait besoin de détails. D'un détail en particulier, qu'Hélène n'avait su lui donner.

— J'ai une question à te poser, Petit Pierre, une question terrible…

Il renifla.

Algonde puisa dans ce soupçon d'assentiment les raisons de son courage.

— Tu as vu le sang couler du nez de ton père. Il ne bougeait plus et tu t'es jeté sur lui quand Luirieux l'a frappé du pied. C'est bien cela n'est-ce pas ?

— Oui, affirma-t-il d'une voix morte, empesée d'un nouveau sanglot.

Algonde ne le laissa pas déborder. Plus tard. Il pleurerait plus tard. Elle avait besoin de savoir. Maintenant.

Elle détacha d'elle le garçonnet pour planter son regard dans le sien, délavé.

— Es-tu sûr que son cœur s'était arrêté ?

Foudroyé par son sous-entendu, le désespoir de Petit Pierre mourut dans un hoquet. Il la fixa avec gravité.

— Réfléchis bien. Concentre-toi…

Le cœur enfiévré, il ferma les yeux. Retourna là-bas en pensée. Sur la paille de l'écurie. Gémit et s'agita, arrachant à Algonde un sentiment de culpabilité, puis retint son souffle. Elle respecta son silence, devinant qu'à l'intérieur, l'oreille collée à la chemise poussiéreuse de son père, il écoutait.

Lorsqu'un petit cri de surprise lui échappa, elle sentit en elle tout son être s'embraser. Petit Pierre écarquilla les yeux, fébrile.

— Je me souviens. Ma joue s'est soulevée, juste au moment où Torval m'a arraché à lui. C'est ça. Juste avant. Il respirait, Algonde. Papa respirait.

Algonde porta la main à sa bouche pour s'empêcher de hurler de joie. L'autre ramena Petit Pierre sur son cœur.

— C'est bien, mon fils. C'est bien.

— Comment l'as-tu su ? demanda l'enfant entre le rire et les larmes.

— Une intuition… Une certitude. Je l'aime trop, Petit Pierre. Il ne peut pas s'en être allé.

Petit Pierre ne demandait qu'à la croire, mais il revit le corps brinquebaler en travers de la selle de Ronan de Balastre. Le doute le reprit, plus sournois encore.

— Même s'il était vivant quand ce chien l'a jeté dans la rivière, il était inconscient. S'il s'était pas noyé, il serait revenu nous chercher…

Algonde ferma les yeux. Une seconde. Petit Pierre ne pleurait plus. Il attendait qu'elle le détrompe, elle le sentit. Elle aurait dû souscrire à son verdict, l'accepter une fois pour toutes, ne pas l'enfermer dans un espoir insensé. Elle en fut incapable. Tout en elle le niait.

— Je ne sais pas pourquoi il ne l'a pas fait, Petit Pierre. À cause de Luirieux peut-être. Ou pour d'autres raisons qui nous sont obscures, mais je le sens en moi. Depuis deux nuits je le sens en moi de nouveau. Il est vivant. J'en suis persuadée.

— D'accord, admit-il en la repoussant. Elora saura bien nous montrer la vérité. Jusque-là, faut rien dire.

Algonde admira sa détermination et sa sagesse.

Elle l'embrassa sur la joue, emplie d'un amour de mère.

— Tu as raison. Ce sera notre secret.

47.

Qu'est-ce que la mort, en vérité ?

Un long glissement vers l'oubli, un frisson plus intense que d'ordinaire, la certitude de l'inéluctable ? La guérison d'une vie ? Peut-être tout simplement l'acceptation d'une fin. Dans l'attente d'un recommencement pour certains, dans celle d'un repos pour d'autres.

Pour cet homme étendu de dos sur une paillasse, les bras croisés sur sa poitrine noircie d'une étoile, bercé du glissement du navire qui l'emportait loin de son existence d'hier, la mort avait été tout cela. Et plus encore.

Un appel. Un appel au pardon. Un tunnel rayonnant dans lequel il avait marché lentement, détaché soudain de toute nourriture terrestre. Vers la lumière bleue, aveuglante. Tout au bout.

Il l'avait approchée.

Il l'avait pénétrée.

C'était là, traversé par sa fulgurance, qu'il avait hurlé de douleur.

Mais n'est-ce pas le propre de la naissance que ce cri, cet arrachement à la quiétude ?

Oui, pour cet homme étendu dans l'obscurité, la mort avait été naissance.

Mais, en cet instant, il ignorait encore pourquoi et comment c'était arrivé.

*
* *

Pour Ulrich van Dein, dit Le Teigneux, le miracle avait eu lieu le 28 mai de cette même année 1495. Pourtant, Le Teigneux n'était pas ce qu'il convient d'appeler un homme impressionnable. À huit ans, dans les brumes nordiques, il avait égorgé son père qui venait de frapper une énième fois sa mère. Puis, comme sa mère, effarée par ce geste, s'était mise à son tour à lui cogner dessus, il s'accorda à penser que ces deux-là ne valaient pas mieux l'un que l'autre. Lorsqu'il quitta la masure qui l'avait vu grandir sans amour, le silence y régnait définitivement. Les mois, les années qui suivirent le menèrent sur des chemins houleux où il sut sans hésitation tirer profit de ses mauvaises manières, car Ulrich van Dein s'accrochait aux vilenies aussi sûrement qu'une teigne.

Outre son surnom, il acquit une réputation qui le mena par le plus grand des hasards en Dauphiné, à la recherche de gaillards solides autant que peu scrupuleux pour former équipage. Il faut dire que Le Teigneux, représentant bien peu illustre d'un peuple de navigateurs, venait, sur le Rhône, de saisir un navire par la ruse, puis la force. Ne restait plus qu'à enrôler. Or, la rumeur étant ce qu'elle était, Le Teigneux avait entendu parler d'un passeur qui manœuvrait l'Isère comme personne et avec d'autant plus de discrétion qu'il était muet. Il décida de le recruter.

Ce 28 mai dernier, donc, Le Teigneux revenait avec lui et deux autres sur un esquif, dans l'intention de rejoindre le Rhône par son affluent. Au-dessus d'eux, l'orage dardait des éclairs impressionnants, mais Le Teigneux ne connaissait ni la peur, ni la résignation. Là où, manœuvrant la barcasse près de la rive, ses comparses rentraient les épaules et marmonnaient prière, lui se tenait debout, à la proue, les bras croisés pour défier le ciel ainsi qu'il l'avait toujours fait.

Lorsque cet homme à cheval s'avança sur la berge, un corps chargé sur les épaules, il ne vit pas l'embarcation que des roseaux masquaient. Pas non plus la tête aux crins blonds et aux yeux bleus qui en dépassait. Il jeta son paquet à l'Isère puis courut rejoindre sa monture qui se cabrait, effrayée par l'orage.

En d'autres circonstances, Le Teigneux eût passé son chemin, mais il était deux choses qu'il ne supportait pas. Qu'on lui renverse sa bière et qu'un homme de loi gâte sa journée. Or, la livrée du fuyard indiquait clairement ce qu'il était. Par cet esprit de logique qui l'avait toujours guidé, Le Teigneux considéra que, si un soldat éprouvait le besoin de se débarrasser si sournoisement d'un individu, c'était que ce dernier possédait toutes les qualités pour être sauvé.

Et d'autant plus sûrement que, poussé par le courant, le corps, inerte, n'allait pas manquer de les croiser.

Ce jourd'hui encore, 18 juin, Le Teigneux était incapable d'expliquer ce qui s'était passé ensuite, juste au moment où deux de ses recrues s'étaient penchées pardessus bord pour empoigner le corps aux épaules.

Certes, les éclairs tombaient avec violence sur la contrée ; certes, leurs pieds baignaient dans l'eau de pluie dont la barcasse était alourdie, mais tout de même. Le Teigneux se souvint d'avoir pensé qu'il était trop tard pour l'inconnu qu'ils achevaient de remonter et que c'était dommage à en juger par la cicatrice à son œil et son poignet amputé.

Oui, ce fut son sentiment. Juste avant le miracle.

Enfin, si c'est ainsi qu'il convient de l'appeler.

Un trait de lumière, fulgurant, zébra le ciel au-dessus d'eux pour venir frapper la poitrine de l'inconnu, lui sortir par la bouche en un cri inhumain avant, enfin, d'embraser les deux hommes qui le tenaient.

Pour ces deux-là, évidemment, le terme miracle ne fut pas approprié.

Quoi qu'il en soit, Le Teigneux ne retint que cette image de son incursion en Dauphiné.

Deux tas de cendres dans sa barcasse intacte, un muet agenouillé en prière.

Et un manchot dont la poitrine, une seconde plus tôt inerte, s'était mise violemment à se soulever.

*
* *

Ce jourd'hui, depuis le gaillard avant de son navire, Le Teigneux surplombait la houle irisée qui venait choquer l'étrave, le dirigeant vers les côtes abruptes et sauvages de la Corse. Les linéaments de son visage exprimaient son contentement à cette glisse que les trois voiles latines portaient tranquillement. Par sa souplesse et sa maniabilité, la petite caravelle forçait son admiration depuis son entrée en Méditerranée. Les vingt et un hommes d'équipage dont il était le capitaine s'avéraient de parfaites recrues non seulement pour la mener, mais aussi pour ses petites affaires. Quatre abordages en trois jours. Certes, Le Teigneux ne s'était attaqué qu'à de lourdes barcasses peu gardées mais utiles pour jauger du tempérament de ses hommes. Ils s'étaient montrés déterminés, efficaces et surtout sans pitié. Il suivit du regard trois dauphins qui venaient de surgir par tribord, avant de se retourner sur son second qui le rejoignait à vives enjambées.

— Il s'est réveillé, annonça Thomas Guil, une montagne musculeuse en laquelle depuis quelques années Le Teigneux avait mis toute sa confiance.

Ulrich van Dein sentit un frisson d'excitation le prendre aux jambes. Il les lança de l'avant, la mine réjouie. Il avait bien assez attendu de rencontrer son miraculé.

Il le trouva assis sur sa paillasse, sa main valide resserrée autour d'un bol de bouillon fumant, l'autre, manquante, remplacée depuis une quinzaine par un embout de métal piqué d'un crochet. Outre ses cheveux qui avaient blanchi d'un coup au moment de sa résurrection, la maigreur extrême de ses traits lui collait la peau aux os, accentuant la profondeur du regard d'émeraude qu'il leva vers lui. La voix, rendue rauque par sa trop longue léthargie, crissa entre les lèvres gercées.

— C'est toi Le Teigneux ?

— C'est moi.

Le miraculé avala une nouvelle gorgée de liquide avant de désigner d'un mouvement de menton le médecin de bord qu'il avait trouvé à son réveil. L'homme s'était mis en retrait, contre un tonneau solidement amarré.

— Paraît que tu m'as repêché il y a trois semaines.

De voir combien il peinait à forcer sa voix, Le Teigneux s'approcha.

— Mort, pour ainsi dire.

— Je ne me souviens pas.

Le Teigneux éclata d'un rire clair.

— M'étonne pas, mon gars. S'il y avait pas eu cet éclair pour te rendre souffle, tu croupirais en enfer à l'heure que voilà !

Le miraculé reposa le bol à côté de lui, sur le plancher de la cale. Trois gorgées à peine. Il était rassasié de ce jus fadasse.

— C'est pas ce que je veux dire, capitaine. Je ne me souviens pas.

Le Teigneux souleva un sourcil, si broussailleux qu'il entraîna l'autre avec lui.

— Comment ça ? Tu sais qui tu es et pourquoi le prévôt voulait se débarrasser de toi, quand même ?

En guise de réponse, un rictus barra le visage décharné. Le Teigneux se trouva embarrassé.

— Rien de rien ?

— Rien.

Le Teigneux se tourna vers ce rebouteux qu'il avait engagé comme médecin de bord.

— C'est possible, ça ? Tout oublier ? Avec des cicatrices pareilles ?

Petit et chauve suite à une gale purulente qu'il avait fini par soigner lui-même, Armand dit « La Scie » haussa les épaules.

— Ça r'viendra p't-être. Ou pas. C'est déjà miracle qu'y soye là.

Le Teigneux passa une main carrée dans sa tignasse blonde, la ramenant en arrière sur les épaules.

— Va falloir s'en contenter, mon gars, parce que moi, je sais rien de toi.

— Et Le Muet ?

Le Teigneux pivota vers son second, resté en arrière sur la dernière marche de l'escalier étroit qui ramenait vers le pont. L'idée n'était pas sotte. Le passeur de l'Isère avait donné l'impression de connaître le miraculé, mais avec son infirmité…

Anticipant sa réponse, Thomas Guil ajouta :

— Il s'exprime par signes. Je l'ai vu faire plusieurs fois et Maraval traduire pour les autres. Ils s'entendent plutôt bien, ces deux-là.

Le Teigneux frotta ses mains l'une contre l'autre. Non qu'il ait une quelconque compassion pour cet homme sans mémoire, ce n'était pas dans sa nature. Mais la curiosité le tenait. Une curiosité qui avait grandi de jour en jour à le voir survivre quand d'autres étaient morts foudroyés, à moins d'un pas de lui.

— Amène-les, ordonna-t-il avant de se retourner vers le mire.

— Quant à toi, file quérir une tranche de jambon bien lardée et du vin de Grèce. Il est grand temps de changer ce cadavre en vrai compagnon de bordée !

48.

Le Muet savait bien qui était Mathieu. Plus d'une fois, il les avait transportés, lui et ses compagnons de rapine, sur sa barcasse. Mais, à dire vrai, il l'avait imaginé pendu avec les autres depuis quelques mois déjà.

Le Teigneux s'enthousiasma de ce portrait. Selon le passeur, cette bande solidement armée avait écumé le Royannais de longues années avant d'être prise. Preuve pour lui, s'il en fallait, que cet homme en quête de souvenirs avait grande valeur pour son équipage.

Lorsque l'œil de Mathieu, torturé par un espoir de réminiscence, s'enfonça dans une orbite noirâtre, Le Teigneux jugea qu'il valait mieux le laisser se reposer. D'autant que La Scie revenait avec de la pitance.

Il voulut congédier Le Muet, mais son miraculé l'en empêcha avec une question quand, jusque-là, il s'était contenté d'écouter le récit de ses exploits meurtriers et de la terreur que les siens répandaient.

— Sais-tu si j'avais une famille ? une femme, des enfants ?

Le Muet se gratta le crâne, réfléchit avant de nouveau d'agiter des mains devant Maraval. Ce dernier secoua négativement la tête.

— Y avait une rouquine dans la bande qui la menait de concert avec toi et un autre, un brun. Il ne les a pas revus et ne pourrait pas dire avec lequel de vous deux elle allait. D'après la rumeur aucun de vous n'en avait réchappé.

— Une dernière chose Le Muet, s'enquit Mathieu, ai-je été loyal avec toi ? T'ai-je toujours payé ce que je te devais ?

Le Muet hocha la tête, sans hésiter.

Alors Mathieu ferma les yeux et se laissa glisser le long de la carène froide. Cette rencontre avec lui-même l'avait épuisé. Il n'aspirait qu'à dormir de nouveau. Dormir dans l'espoir, au réveil, de faire un lien entre cet être qu'on lui décrivait et un autre, chaleureux et rieur, qu'il devinait. Un homme d'honneur, tel que Le Muet en avait témoigné.

Quelqu'un moucha la flamme dans la lampe tempête. Un bruit de bottes accompagna la montée de ses nouveaux compagnons dans l'escalier. Un seul resta, dans l'ombre, immobile et discret, à écouter son souffle se réguler.

Le Teigneux.

Pour la première fois depuis longtemps le capitaine était troublé. Troublé parce que cet homme, aussi visiblement mauvais qu'il l'était lui-même, tentait de se raccrocher à quelque chose que lui, Ulrich van Dein, avait toujours voulu oublier.

Lorsqu'il remonta, Mathieu dormait et Le Teigneux se promit de lui faire oublier cette détestable parcelle de bonté.

*

* *

Mathieu ne mit pas deux heures à le comprendre.

Il lui suffit de prêter l'oreille aux bruits et aux voix qui lui parvenaient par l'escalier. Le Teigneux n'était pas homme à nourrir trop longtemps bouche inutile.

Si, dans les jours qui suivirent, le capitaine s'évertua à lui faire descendre une pitance devant laquelle tous les autres matelots salivaient, c'était dans l'espoir qu'il se remette vite. Et de préférence à une besogne lucrative.

Il s'y employa donc de son mieux. La Scie, averti de ses intentions de récupérer au plus tôt toutes ses facultés, passa la plupart de son temps à l'aider à remuscler son corps déliquescent. En alternant exercices, mangeaille et repos, il ne fallut pas plus d'une semaine à Mathieu pour pouvoir monter seul l'escalier et reprendre l'air sur le pont.

Entre-temps, un nouvel abordage avait empli les cales de tonnelets d'épices, de tapis et de tissus précieux. Le marchand revenait des Indes lourdement chargé. Le Teigneux ne lui avait pas même laissé ses yeux pour pleurer. « Pas de quartier » était sa devise. Aucun passager n'ayant valu rançon, il les avait fait enfermer avec l'équipage dans la soute à poudre. Une fois le navire à la dérive suffisamment éloigné du sien, il s'était chargé lui-même de l'enflammer de plusieurs flèches, avant de se tourner vers son équipage, livide, et de l'inviter à festoyer. L'explosion les y avait décidés.

Il était des êtres qu'il valait mieux ne pas contrarier.

Mathieu, quant à lui, n'avait émis aucun commentaire sur cette pratique que Le Teigneux lui affirma justifiée. Pas de témoins. Pas d'accusé. Même si elle lui coûtait ce jourd'hui, il savait par Le Muet en avoir usé du temps de ses brigandages en Dauphiné.

Selon Le Teigneux, ils étaient faits pour s'entendre. Qu'importait sa mémoire perdue.

— Elle te reviendra par le fil de l'épée, lui avait-il affirmé en lui démontant l'épaule d'une tape vigoureuse, la seule fois qu'il en avait reparlé.

En vérité, Mathieu redoutait la prochaine bataille.

Avec le bandeau noir qui recouvrait son œil aveugle, ce visage rongé de barbe brune, ce crin blanc à son crâne et le crochet à sa dextre, il pouvait facilement passer pour un pirate. Mais d'allure seulement, car Mathieu ne parvenait pas à retrouver en lui ces élans sanguinaires qu'on lui prêtait.

Il ne se sentait pas à sa place sur ce navire.

Évidemment, Le Teigneux ne lui laissa pas d'autre choix que de s'adapter.

*
* *

Le 27 juin, le jugeant assez remis pour intégrer la vie d'équipage, il fut enrôlé à la mâture.

— Comme ça, si tu tombes, tu pourras te retenir aux drisses par ton crochet…, avait plaisanté Thomas Guil avant d'ajouter, d'un œil terrible : La seule chose qu'il te faudra éviter c'est de déchirer la voilure.

Depuis, apprenant d'un autre à écouter le vent, Mathieu s'appliquait à la manœuvre, avec une dextérité qui le surprit lui-même. Ainsi offert aux éléments, il oubliait les rires gras et les récits sanglants de ses compagnons de bordée.

Peu à peu, il reprit confiance.

Sa véritable identité lui échappait toujours, mais la vision des étendues marines, le jeu des dauphins et la pêche à laquelle il s'adonna avec un réel plaisir adoucirent l'austérité de son regard.

Sa relation avec Le Teigneux et Thomas Guil prit plus d'importance aussi. Il n'aurait pas été jusqu'à parler d'amitié à leur égard. Plutôt de reconnaissance, encore que seul le hasard avait guidé leur rencontre.

Quoi qu'il en soit, son étonnante résurrection leur avait arraché du respect. C'était sa meilleure arme, songeait Mathieu lorsque l'inquiétude d'un nouvel abordage le frôlait. Il n'était pas certain d'y être prêt.

Ce fut Le Muet qui le libéra. Traduit par Maraval, l'homme lui demanda si sa perte de mémoire n'était pas un moyen inconscient de chercher l'absolution pour ses crimes passés. Voué à la prêtrise dans ses jeunes années, le passeur de l'Isère s'en était guéri par l'amour d'une catin. Mais en avait gardé l'esprit du confessionnal. Mathieu lui en sut gré.

Ragaillardi par cette hypothèse sensée, il cessa de se torturer. Si elle s'avérait exacte, comme Le Teigneux le pensait, le premier qui tomberait sous sa lame lui rendrait sa vérité.

Chaque soir, désormais, il vidait une pinte de vin avec le capitaine et son second, puis s'en allait s'étendre sur sa paillasse, au milieu des autres qui s'écartaient pour le laisser passer. Certains même se signaient, persuadés que sa chance rejaillirait sur eux.

Il s'endormait d'une traite. Et se réveillait de jour en jour plus dispos et plus frais.

*

* *

Lorsque, le 29 de ce mois de juin, ils lâchèrent l'ancre dans une petite crique de Sardaigne pour y vendre leur marchandise, il fut le premier à quitter la caravelle à bord d'une petite barque, pour escorter Le Teigneux et son second.

La taverne plantée sous la falaise, à même la plage, avait la réputation d'un bouge. On y trouvait de tout. De l'alcool de rave aux putains, des chambres aux sangliers rôtis, en passant par du ravitaillement en tout genre et de quoi réparer les avaries. Plus que cela, pourtant, s'y côtoyaient en toute impunité brigands et pirates, soldats du roi et revendeurs. Tous, d'une manière ou d'une autre, la moins respectable possible, en quête d'une bonne affaire.

Ils purent juger, à quelques toises du port, que sa réputation n'était pas usurpée. Deux hommes se battaient à coups de poing, les pieds dans l'eau, sous les paris d'une vingtaine d'autres demeurés sur le sable, sans doute pour cette femme qui tentait de les séparer.

— La garce, elle les émoustille plus encore ! Et moi avec ! s'esclaffa Le Teigneux en portant la main à son entrejambe.

L'autre s'écrasa sur la cuisse de Mathieu occupé, comme Thomas Guil, à ramer.

— Tu vas pouvoir te dégorger, mon gaillard ! Voir sur pièces si tout est réparé !

Mathieu ne répondit pas.

Son œil venait d'accrocher deux garçonnets d'une dizaine d'années qui, à l'opposé de la friction, se battaient avec des épées de bois.

Laissant les deux hommes à leurs rires graveleux, il les regarda singer les grands, incapable de se rappeler pourquoi son cœur s'en transperçait.

49.

C'est à l'approche de ses côtes que Mounia avait senti le besoin de retourner en Sardaigne. Peut-être parce que, à côté de Nycola occupé à pêcher, Khalil accoudé au bastingage fixait les contours de l'île. Ou à cause de la promesse faite autrefois aux gardiennes du nuraghe dans lequel il avait été conçu.

Quoi qu'il en soit, Mounia s'était rapprochée d'Elora qui, le nez au vent, suivait un songe intérieur, pour lui en parler.

— C'est une merveilleuse idée, avait acquiescé la jouvencelle.

Mais pas sans difficulté, avait pu en juger Mounia aux hurlements qui lui étaient parvenus de la cabine du capitaine, sitôt qu'Elora en avait franchi le seuil. Il n'était pas question que ce dernier les dépose sur l'île. Il refusait même de s'en approcher. D'une part, ce n'était pas sa route et, d'autre part, il fallait être fou pour braver les pirates qui y séjournaient.

Mounia était prête à renoncer lorsque le silence avait repris ses droits sur le petit navire marchand qui les avait cueillis à Alexandrie.

Elora était revenue, un sourire aux lèvres.

— La mer est d'huile et la côte est en vue. Nous y serons à la nuit… J'ai acheté son canot, nous n'aurons qu'à ramer, avait-elle ajouté devant son air ahuri.

En toute hâte, tandis que l'homme, bougon, faisait descendre l'embarcation, ils avaient tous quatre rassemblé leurs affaires. Le capitaine avait encore tenté de les dissuader, puis, devant leurs mines décidées, les avait laissés s'éloigner avec assez de nourriture et d'eau pour tenir quelques jours.

Il ne leur en avait pas fallu plus de trois d'un voyage sans histoires au milieu des terres pour rallier le village de Goni, au dos des mules qu'ils avaient échangées contre l'embarcation.

Ce 29 juin, à la tombée du jour, passés l'allée de menhirs, le nuraghe et le raidillon, lorsque la porte de la pinnettu s'ouvrit sur Catarina et Lina[1], Mounia leur tomba dans les bras.

*
* *

Les retrouvailles autour d'un repas rehaussé des provisions qu'ils avaient achetées en route furent telles que Mounia les avait imaginées. Chaleureuses et simples. Bercées de gestes de tendresse. D'instants vrais.

Le vin coula.

Les souvenirs heureux aussi au milieu des rires.

Puis vint le temps des confidences.

Tandis que Mounia croupissait dans sa geôle, les deux cousines avaient continué d'élever les enfants de Lina. Un seul leur avait manqué. Mordu par une vipère, il était mort en quelques heures sans qu'aucune parvienne à le sauver. Elles avaient fait leur deuil, continué. La petite fortune qu'elles avaient économisée avait permis de bien marier les deux aînés. Quant au cadet,

1. Voir *Le Chant des sorcières.*

il serait bientôt en âge et y songeait. Pour l'heure, il s'était fait gardien de chèvres.

Si bien que, malgré le malheur qui les avait frappées, les deux femmes étaient restées égales à elles-mêmes. Elles passaient des journées paisibles, l'une à tresser ses paniers, l'autre à confectionner des petits bijoux, qu'elles vendaient, comme hier, sur les marchés.

À croire, songea Mounia, que le temps s'était arrêté.

Lorsqu'elle s'endormit en serrant la main de son fils, dans cet endroit si exigu qu'ils étaient accolés les uns aux autres, elle se sentit bien.

Parce que, d'une certaine manière, elle le devinait, la boucle du temps venait de se refermer.

*

* *

Le lendemain matin, un ciel d'un bleu pur tenait l'endroit. Mounia se le réappropria sur le seuil de la pinnettu. Le nuraghe en contrebas de la butte empierrée, les roches saillantes au milieu d'une herbe rare que les bêtes se partageaient. Quelques oliviers centenaires. Le maquis, à proximité.

— Viens, lui dit Lina en l'entraînant par la main, tu m'aideras à traire les chèvres.

Elles dévalèrent la butte en riant. Au milieu du troupeau, elles parlèrent encore, de tout, de rien, amusées autant l'une que l'autre de la maladresse de Mounia que renforçait l'échappée des bêtes.

Lorsqu'elles remontèrent, Elora avait achevé de garnir la table dressée par Nycola sur la petite terrasse en surplomb. À un bout soigneusement fariné du plateau de bois, Catarina travaillait la pâte à galette tandis que, bon élève, Khalil secouait au-dessus ses doigts mouillés.

Mounia déposa son broc à quelques pouces d'eux.

— Heureusement que vous ne comptiez pas sur moi pour le lait. J'ai perdu la main !

Décoiffée par le vent chaud, les joues rosies par l'effort et l'œil pétillant, elle était si rayonnante qu'aucun d'eux ne songea à s'en moquer.

Tout au contraire.

Nycola la trouva belle à croquer ; Khalil, bien loin de la femme de ses cauchemars ; Elora, débarrassée des ombres que Marthe avait voulu lui implanter ; et les deux femmes, semblable à celle qu'elles avaient connue par le passé.

Ils s'attablèrent avec appétit et, une fois les tâches ménagères expédiées, une bonne partie de la journée s'écoula à farnienter.

*
* *

Au mitan de l'après-midi, ils descendirent au nuraghe. Circulaire, posé au milieu de la plaine, le sanctuaire gardait de sa prestance malgré l'érosion des ans. Mounia l'avait vu auréolé d'apparitions fantomatiques, puis s'éteindre après qu'elle et Enguerrand s'étaient aimés.

— Après toi, mon fils, dit-elle, troublée devant sa porte.

Khalil avança d'un pas. Le deuxième lui coûta. Il ne put aller plus loin que le troisième. Il se retourna, mal à l'aise.

— Je ne peux pas.

— Pourquoi ? s'étonna Mounia.

Il refusa d'en dire davantage et s'en fut s'asseoir sur un rocher, tout à côté.

— Laissons-le. Les Anciens ont décidé. Personne ne doit franchir le portique avant lui. Même moi je n'y suis jamais retournée, déclara gravement Catarina.

Avec cette poigne qui l'avait toujours caractérisée, elle les rabattit vers la pinnettu, laissant Khalil à ses pensées, face à la tour de pierre.

Le jour déclina qu'il n'était toujours pas remonté.

*
* *

Contre l'avis de la vieille gardienne de chèvres, et malgré une fin d'après-midi passée gaiement à rouler des gnocchis, Mounia sortit de la cabane à la nuit tombée, décidée à le récupérer pour dîner.

Elle changea d'idée devant la porte, foudroyée d'une émotion vive face aux étranges lueurs qui émanaient du nuraghe. Elle frissonna sous l'air froid qui lentement gagnait la contrée.

Catarina, qui avait prévu leur apparition dans le regard de Khalil, passa le seuil à son tour, un châle à la main. Elle le lui déposa sur les épaules, y attarda ses mains noueuses.

— Les Géants sont de retour, ma fille. J'ai toujours su qu'il les ramènerait, affirma la Sarde.

Comme autrefois, Mounia se serra contre elle, retrouvant avec son parfum de bruyère d'autres nuits qui les avaient liées.

— J'entends leur chant. Il est majestueux, s'émut-elle.

— Un chant d'amour et de paix, renchérit Elora, ramenée de même à ses côtés.

Elles échangèrent un regard complice.

— Tu savais, n'est-ce pas ? Sur le navire, déjà ?

Elora hocha la tête.

— Une intuition seulement.

Lina et Nycola apparurent à leur tour. La lumière grandissait autour du nuraghe, emplissait l'espace de ses vapeurs mouvantes.

Catarina se détacha de Mounia pour gagner l'assise d'un rocher.

— C'est entre lui et eux, maintenant. Il faut attendre. C'est sans danger, décréta-t-elle en s'installant.

Alors, d'un même geste, tous s'assirent sur l'éboulis de rocaille, face à la nuit, pour regarder les âmes danser dans un ciel devenu d'encre.

Elles ne se diluèrent qu'au petit jour, les laissant émerveillés.

— Allons, décréta Lina en se redressant, moulue, je n'ai plus l'âge de me coucher quand il faut d'ordinaire se lever.

Moins d'un quart d'heure plus tard, l'esprit en paix, tous dormaient.

50.

Khalil reparut dans l'ombre du nuraghe sur le coup des dix heures et leur adressa un signe de la main en les voyant installés devant le pas de la porte. Il prit le temps de s'étirer, puis grimpa quatre à quatre le raidillon de pierraille.

Attablée à un matinel tardif, Mounia comme les autres souffraient encore du manque de sommeil. Khalil à l'inverse n'en semblait pas affecté.

En moins de temps qu'il n'en fallut à sa mère pour se verser un nouveau bol de lait frais, il la rejoignit, plaqua une bise sonore sur sa joue et piqua le morceau de galette qu'elle s'apprêtait à manger.

— Pardon maman, mais je suis affamé, s'excusa-t-il dans un éclat de rire avant d'aller embrasser le restant de la tablée.

Personne ne songea à lui reprocher ses mauvaises manières. Ils étaient trop empressés de réponses. Tout au contraire, Elora s'écarta pour lui faire une place sur le banc, à côté d'elle, tandis que Lina remplissait son bol et lui présentait le fromage frais.

Pendant quelques minutes, il se contenta de manger. Manger, et encore manger, stupéfiant les uns, ravissant les autres, retenus de silence. Puis, la dernière gorgée de lait avalée, il s'adossa contre le mur de la pinnettu, essuya sa bouche auréolée de crème, et croisa les mains sur son estomac bombé, les yeux brillants.

— Bougre de bougre, Catarina, rien que pour ce festin je ne regrette pas ma nuitée. Pourtant…

Il les fixa tour à tour d'un air de conspirateur, s'attardant, par jeu, à faire grandir leur curiosité.

— Vas-tu enfin nous dire ce que tu en as fait ? gronda Nycola dans une fausse colère.

Khalil éclata d'un rire qui trahissait un bonheur sans faille et dans lequel Mounia se sentit en sécurité.

— En fait… rien. Je suis entré dans le nuraghe, une porte s'est ouverte dans un des murs et je me suis allongé sur une pierre près d'une source. Je crois que je me suis endormi. Et que j'ai rêvé.

Un petit cri s'étrangla dans la gorge de Mounia.

— C'est là, dans cette pièce secrète, que tu as été conçu.

Khalil pencha la tête de côté, moqueur.

— Je sais, maman… Je sais tout.

Elora retint un sursaut qui n'échappa pas à Mounia, écarlate, en face d'elle. Khalil, qui n'avait remarqué que la gêne de sa mère, continuait, fébrile et amusé de son importance.

— Je les ai vus. Enfin, rêve ou réalité, je les ai vus, tous les douze, immenses autour de moi, baignés de leur aura bleutée. Ils m'ont remercié de les avoir ramenés ici, une dernière fois avant le grand voyage.

— Inutile de te rengorger, chenapan. Ce n'est pas toi qui en as décidé, le reprit Mounia, pour la forme.

Khalil haussa les épaules.

— C'est ce que je leur ai dit, maman. Mais ça n'a rien changé. L'important, c'est de savoir qu'ils sont en paix. Il semble que j'aie fait ce que je devais mais je ne sais pas ce que c'est.

— Comment ça ? Quand ? s'étonna Mounia.

— Aucune idée, je te dis. Mais ils m'ont assuré que,

le moment venu, je m'en souviendrai et que j'en serai empli de fierté.

Il enfourna une nouvelle galette.

— Et toi auffi forfément…

— Pas la bouche pleine, le gronda cette fois Lina en lui tapant sur les doigts.

Il hocha la tête, appuya le haut de son crâne contre le mur de pierre derrière lui et ferma les yeux pour mieux savourer.

Mounia s'attarda sur les traits d'Elora, restée silencieuse jusque-là. Elle semblait soulagée et, curieusement, Nycola aussi à ses côtés. Se sentant dévisagée, la jouvencelle lui sourit avec chaleur.

— Je reprendrais bien un peu de lait à mon tour.

Mounia lui passa le pichet, piquée par la curiosité.

Elle ne voyait qu'un seul endroit susceptible d'abriter un secret qu'Elora et Nycola pourraient partager. Le petit temple de Deir el Medineh. Elle se souvint de l'attaque d'Anubis, puis de sa déception devant ce qu'Elora avait rapporté du sanctuaire sous la montagne.

— Pas de benben, avait-elle dit. Merlin l'a rapporté dans les Hautes Terres. Quant à la table de cristal qu'il a réussi à copier, nous la trouverons en Avalon, à l'endroit qu'il a indiqué sur cette carte. Nous y pourrons insérer les trois flacons pyramides et connaître enfin l'emplacement exact du passage quand Marthe va mettre des mois à le chercher.

Marthe, songea Mounia en se remettant à son matinel. Était-ce à cause d'elle qu'on l'avait écartée ? Elora craignait-elle qu'elle lui ait administré un élixir perverti ? C'était possible, en vérité. Mounia se souvenait d'un goût amer en sa bouche qui, longtemps, avait persisté après que Marthe l'avait quittée.

Les rires étaient revenus autour de la table.

Khalil avait dû être hypnotisé sous la montagne pyramide, comme elle, à Héliopolis. Pourquoi ? Pour qu'il ne puisse parler ? lui raconter la vérité ? Était-elle devenue un danger ?

— À quoi songes-tu ? lui demanda Elora dans un sourire avenant par-delà le plateau d'olivier, laissant Lina et Nycola à leur discussion sur les simples de la contrée.

Catarina s'était éclipsée dans la bâtisse de tourbe et de pierre. Quant à Khalil, offert au soleil, il continuait de mâchouiller.

— À la confiance, lui répondit Mounia, l'œil douloureux. C'est important, la confiance…

Sa soudaine tristesse passa inaperçue pour les autres. Pas pour Elora qui avait deviné le cheminement de ses pensées. Elle tendit la main par-delà la table pour recouvrir la sienne.

— Bien moins que de vouloir protéger ceux qui nous sont chers. Parfois d'eux-mêmes, Mounia. De l'amour ou de la confiance, lequel choisirais-tu ?

L'Égyptienne tourna les yeux vers Khalil.

Ses traits s'étaient relâchés, pourtant il souriait, heureux. Comblé.

Alors Mounia comprit.

Elle ramena son regard apaisé sur Elora, emplie d'une vraie tendresse à son égard.

— L'amour, dit-elle en pressant ses doigts pour la remercier.

*
* *

Une semaine passa sur cet échange, les nouant à jamais à cette terre. Nycola plus qu'aucun d'eux, nota Elora en voyant sa complicité grandir avec Lina. Un jour, peut-être, songea-t-elle devant leurs regards gênés, souvent détournés, puis rapprochés par un rire. Il ne laisserait pas Khalil, elle ne laisserait pas ses fils et Catarina. Ainsi étaient parfois les rencontres. Quelques instants d'éternité volés à l'impossible. Elora était certaine qu'ils sauraient l'un comme l'autre s'en contenter. Et, de fait, ils ne s'accordèrent aucun moment d'intimité, privilégiant leur étonnante et exceptionnelle communauté.

Ils cheminèrent ainsi au pas des chèvres, façonnèrent les petits fromages parfumés de thym, apprirent le secret des gnocchis aux herbes sauvages, des galettes à l'anis et des croquants de châtaigne, tressèrent des paniers, ramassèrent les morceaux de roche les plus originaux pour les monter en colliers. Elora enlaça les menhirs pour s'accorder à leur vibration de granit, s'allongea sur la terre pour l'écouter respirer tandis que Nycola découvrait les propriétés de guérison de certaines pierres que Lina lui offrait, que Mounia discutait avec Catarina dans le nuraghe rendormi et que Khalil allait des uns aux autres, tel un cabri refusant d'être sevré. Ils eurent même l'heureuse surprise de la visite des fils de Lina, le dimanche. Ils déjeunèrent tous ensemble, dans le souvenir que Mounia leur avait laissé.

Ce fut un heureux temps.

Oui, vraiment, un heureux temps.

Une rémission entre deux combats.

Car Mounia l'avait compris même si elle ne l'avait pas évoqué davantage avec Elora. Le cauchemar de Khalil prendrait forme, quelque part. Elle seule en écrirait la fin.

Parce que seul l'amour est lumière.

Et que seule la lumière peut trouer l'ombre.

*

* *

Oui, Mounia en était convaincue et confiante en ce 5 juillet, tandis que Catarina la serrait une dernière fois dans ses bras.

Malgré l'inquiétude de Lina.

— Vous ne trouverez pas de marchand pour vous embarquer. Les choses ont changé, Mounia. Ce sont les pirates et les soldats du roi qui tiennent l'île. J'ignore comment vous allez vous en arracher.

— Il ne faut pas t'inquiéter pour nous. Le destin nous guide aussi sûrement que la protection des Anciens, lui répondit Mounia en s'écartant à regret.

— Et puis…, ajouta Elora dans un éclat de rire en enfourchant le mulet au pied du nuraghe, j'ai ma petite idée.

Aucun d'entre eux, tandis que les mains s'agitaient et que les larmes coulaient, n'eut le courage de lui demander de quoi il retournait.

51.

Ses chausses rajustées, Mathieu envoya une pièce en l'air d'une chiquenaude du pouce. Elle atterrit lourdement au milieu des draps, sur le lit. La putain qui s'y attardait par le travers et à plat ventre s'en empara avec cupidité et la glissa dans son corsage.

— Tu ne la mords pas, aujourd'hui ? se moqua-t-il en remettant son gilet.

Elle eut un petit rire de gorge qui souleva son imposante poitrine.

— Depuis le temps, j'ai confiance...

— Et puis c'est pas trop mal payé, non, pour ce que je te fais...

Elle s'assit sur le bord du lit avec la rapidité d'une anguille, un sourcil levé et une moue aux lèvres.

— Pour ça, oui, mais pas pour la réputation qu't'en r'tires...

Mathieu se mit à rire.

— C'est vrai...

Au moins cette fois avait-il essayé. Il marcha vers la porte. Elle bondit pour le rattraper avant seulement qu'il en tourne la clef.

— Attends... Tu pourrais au moins m'embrasser... C'est mieux un peu de rouge, là...

Il la laissa se pendre à son cou, écraser sa bouche sur ses lèvres, en sonder le mystère. Elle finit par s'écarter en retirant la main qu'elle avait glissée entre ses cuisses. Pour vérifier une nouvelle fois.

Elle bouda.

— C'est à désespérer ! T'es sûr qu't'es pas un inverti ? Pa'ce que d'habitude, avec moi…

Mathieu lui caressa la joue d'un doigt tendre. Elle était jolie. La plus jolie sans doute des filles de ce bouge dans lequel depuis une dizaine de jours Le Teigneux les maintenait.

— Je ne suis sûr de rien, sinon que mon capitaine m'a fait un joli cadeau en te choisissant pour moi. C'est son pécule que je dépense, le sais-tu ?

Elle secoua la tête.

— Qu'est-ce que ça change puisque t'en jouis pas ?

Mathieu soupira. Jolie mais sans cervelle.

— Disons que c'est un prêt qu'il me consent sur mes gages futurs. Et que tu es la caution.

Elle lissa les pans de sa robe, à peine froissée pour donner l'air de leurs étreintes.

— C'est trop compliqué pour ma p'tite tête, mon beau. Tout c'que j'sais, moi, c'est qu'c'est dommage.

— Tu n'aimes pas ma compagnie ?

Elle revint se coller à lui, souleva le bandeau de son œil pour biser la cicatrice, dessous.

— Si, justement, et j'préférerais qu'tu m'trousses pour d'vrai.

Il l'enlaça brusquement, la troublant du contact de sa main sur ses fesses.

— Je ne dis pas que ça ne viendra jamais…, lui susurra-t-il sur son souffle accéléré.

Elle se liquéfia.

Il la lâcha tout aussi subitement.

— Mais jusque-là, tiens ta langue, ou je te l'arracherai. Avec ça, ajouta-t-il en lui brandissant son crochet sous le nez.

Elle blêmit mais trouva encore l'ardeur de gémir.

— Y a pas, mon beau… Tu m'plais…

Dans une totale incompréhension de la nature féminine, il la repoussa, puis, se détournant d'elle, déverrouilla la porte sans regret.

Aussitôt, les voix atténuées par le bois retrouvèrent leur intensité. Celle de son capitaine surtout. Visiblement il avait encore perdu aux dés. Mathieu pouvait déjà deviner la suite. Il se dresserait d'un bond, renverserait la table sur les genoux de son adversaire, puis se jetterait sur lui.

Il enfila le couloir, au moment où fut gueulé :

— Tricheur, j'm'en vais t'saigner !

Le début des hostilités.

La table vola. Il s'accouda à la rambarde qui surplombait la salle. Pas envie cette fois de s'en mêler. Le Teigneux était capable de régler seul son affaire. Mathieu le vit enjamber le meuble brisé avec ses longues jambes de Normand tandis qu'autour de lui la place se vidait par la porte grande ouverte. Même le tavernier, d'ordinaire enclin à apaiser la querelle, n'osait s'interposer.

De là où il se trouvait, Mathieu ne put apercevoir de l'imprudent qu'une chevelure brune et bouclée. Un nouveau sans aucun doute, les habitués de l'auberge ayant renoncé à défier Le Teigneux depuis qu'il en avait occis deux. Pour les mêmes raisons. Il était saoul et il détestait perdre. Le malheureux aurait mieux fait de s'abstenir. Mathieu dut lui reconnaître pourtant un certain courage. Ou de l'inconscience. Anticipant la fureur de son adversaire, il avait bondi de côté mais ne s'était pas enfui comme le bon sens le lui aurait recommandé. Il demeurait debout, à une toise du Teigneux qui avançait, les épaules voûtées, les poings serrés.

Un sanglier prêt à charger, voilà à quoi son capitaine le fit penser. L'autre ne faisait pas la moitié de son poids.

Le sot, songea Mathieu en l'entendant pourtant plaider d'une voix ferme :

— C'est la règle et elle vaut pour tous. Tu as perdu. Ton navire est à moi.

Mathieu retint un sifflement admiratif. La caravelle ! Rien de moins ! Cet inconnu ne manquait pas de panache. Dommage qu'il ne vive plus assez longtemps pour en profiter.

Le Teigneux était écarlate. Un peu plus, et de la fumée aurait pu lui sortir du nez. Il fulmina.

— Morveux ! Tu me nargues, moi, la terreur de ces mers !

Un rire explosa dans l'encadrement de la porte.

Un rire de femme.

— Terreur ? Je ne pense pas. Un homard plutôt ! Et bien cuit, ma foi !

Piqué au vif par l'insulte, Le Teigneux fit volte-face, et Mathieu se pencha pour accrocher autre chose que la paire de bottes qui venait d'entrer. Son regard remonta sur deux jambes fuselées dans des braies de peau, et une taille bien prise par une ceinture de toile dans laquelle il devina un sabre d'abordage. Pour en voir davantage, il devrait enquiller l'escalier, mais, étrangement, déjà, son ardeur perdue s'en trouva ravivée.

Un silence de plomb s'était installé dans l'auberge et aux fenêtres que les couards, regagnés de curiosité, avaient investies de l'extérieur.

Tétanisé par l'apparition, Le Teigneux roulait des yeux fous.

Mathieu s'accroupit. Il détailla le buste joliment dessiné, la longue tresse châtaine qui y reposait, un menton légèrement carré. Son cœur se mit à bondir dans sa poitrine. Cette allure. Ce timbre. Un prénom accroché. Algonde. Une marche encore, et il saurait peut-être ce qu'il signifiait.

Elle avança dans la salle. Un pas. Deux. Sûre d'elle.

— Qui accuse mes hommes m'accuse moi. Alors, Ulrich van Dein, qu'attends-tu pour recommencer ?

— Tu… Tu connais mon nom ?… Per… Personne connaît mon nom ! s'étrangla Le Teigneux, ahuri, fauché dans sa colère comme un épi de blé.

Mathieu chercha le vide sous sa semelle gauche, l'emplit du bois érodé. L'autre pied suivit. Il découvrit le visage de l'inconnue au moment où elle le levait vers lui, triomphante et magnifique.

— Eh bien, moi, Elora de Sassenage, je le connais !… Je te connais !

En cet instant, Mathieu comprit que c'était à lui et lui seul qu'elle venait de s'adresser. En son crâne soudain bourdonnant, il eut le sentiment qu'un rouage grippé venait de s'ébranler. Une bouffée de chaleur l'envahit, tuant l'ardeur dans ses braies.

Il n'eut pas le temps de se demander pourquoi.

Un hurlement sauvage venait de vriller la pièce, réveillant Le Teigneux qui tardait à remettre en place ses idées. Mathieu vit Thomas Guil, surgi en douce de la cave, fendre l'air de son sabre levé, à quelques pas du matelot qui lui tournait le dos. Et dans le même mouvement Le Teigneux arracher le sien et s'élancer vers la pirate.

Ce fut instinctif.

Il sauta par-dessus la rambarde pour venir à son aide.

Pendant une fraction de seconde, Le Teigneux s'imagina que son miraculé le jugeait trop couard pour égorger une femme, fût-elle la plus étonnante et la plus superbe qu'il eût rencontrée.

Il ne prit donc pas garde à ses arrières et ne comprit vraiment son erreur qu'en voyant s'écarquiller les yeux des badauds et la diablesse s'empourprer d'une giclée de sang frais. Il voulut tourner la tête pour le vérifier, mais s'en trouva incapable.

— Adieu Ulrich van Dein, lui servit Elora avant de s'élancer vers Khalil qui peinait sous les coups de Thomas Guil.

Cette fois, Le Teigneux sentit le froid de la lame s'arracher de sa poitrine dans laquelle Mathieu l'avait plantée, puis le piquant du crochet dans sa gorge.

Il voulut se venger, mais son bras refusa de suivre. La vie le quittait par son artère poinçonnée, comprit-il dans un relent de conscience.

— T'as r'trouvé la mémoire, on dirait... C'tait pas une bonne idée, gargouilla-t-il en défiant la camarde d'un dernier ricanement.

Il se tut dans un hoquet sanglant, lâchant son sabre. Mathieu le repoussa de l'avant d'un coup de pied au derrière. Le Teigneux s'écrasa front contre terre dans l'encadrement de la porte, entre les curieux qui s'étaient écartés. Mathieu n'en éprouva aucun regret, même si la raison de son impulsivité continuait de lui échapper.

— À moi, papa !

Il se retourna d'un seul bloc, piqué d'une angoisse sourde, et se pétrifia.

Thomas Guil avait été maîtrisé par un autre homme venu en renfort par la réserve. Elora ne courait aucun danger.

— Pardonne-moi. C'est tout ce que j'ai trouvé, dit-elle dans un éclat de rire, l'œil pétillant.

La tendresse enfla en lui comme un raz de marée.

Il laissa tomber sa lame, les yeux embués, et s'élança pour la serrer, la serrer aussi fort que son cœur le lui criait.

52.

Elora avait perçu la présence de son père sur un navire alors qu'elle-même se trouvait au large de la Sardaigne. La dernière fois qu'elle s'était inquiétée de lui, il était en marche pour Romans, en plein cœur de l'hiver, et à la recherche de Petit Pierre. Peu de temps après, ressentant en elle l'influence maléfique de Marthe, elle avait refermé ce canal qui lui permettait de les voir, lui et tous ceux qui lui étaient chers.

Pour barrer la porte de son âme à la Harpie.

Depuis le pont du marchand qui les avait pris à Alexandrie, elle avait suivi la caravelle des yeux, jusqu'à ce qu'elle disparaisse derrière une avancée de terre.

La seconde d'après, Mounia réclamait d'y accoster.

Le cœur battant mais refusant de vérifier son sentiment par la magie, Elora avait préféré ne pas leur en parler. Si son père avait pris la mer pour elle, alors, ils se retrouveraient.

Le moment venu.

C'est dans le dernier village avant la côte, après avoir quitté les deux Sardes, qu'il s'était imposé. Attablés dans une auberge dans le dessein de glaner des informations relatives à leur embarquée, ils avaient surpris la conversation de deux hommes, à la table voisine. Deux soldats du roi. Il y était question d'un pirate nommé Le Teigneux, de son second et d'un borgne amnésique affublé d'un crochet, avec lesquels ils avaient été en affaires.

Elle avait attendu que ces bougres quittent la salle pour révéler la vérité à ses compagnons et leur exposer son idée. Prendre l'allure de pirate pour mieux les approcher et surtout, s'en faire respecter. Dans la foulée, ils avaient acheté tout le nécessaire pour s'en fabriquer l'apparence, du tissu aux aiguilles à coudre, du chapeau au sabre d'abordage, comme s'il était le plus naturel du monde en cette île d'en trouver au milieu d'autres denrées.

Ils allaient quitter la voie, en quête d'un endroit discret pour se mettre à l'ouvrage, lorsqu'ils avaient été rattrapés par deux cavalières.

— Les enfants sont grands, avalés par leur vie, et les vieilles pierres ne chantent plus. Qu'avons-nous à rester encore à les veiller ? s'était exclamée Catarina devant l'heureuse surprise qui avait illuminé leurs traits, tandis que, déjà, Lina, les yeux pétillants et les joues rosées, acceptait les bras de Nycola pour l'aider à descendre de cheval.

Elles n'avaient pas mis plus de deux heures à se décider, après un déjeuner morne en tête-à-tête dans la pinnettu. Le temps de déterrer la cassette contenant le reste de leurs économies, de fourrer dans des balluchons quelques affaires et d'atteler le chariot, elles avaient gagné le village. Malgré leur tristesse, les fils de Lina leur avaient souhaité bonne chance et heureuse vie là où celle-ci les mènerait. En échange de tout ce que les deux femmes abandonnaient, ils leur donnèrent ces coursiers fringants. Seuls capables de réduire l'avance qu'Elora et les siens avaient gagnée.

C'est ainsi, à moins d'une lieue de la taverne dans laquelle Mathieu se débattait avec son impuissance, qu'ils s'étaient tous retrouvés, tirant le fil et riant déjà de la manière dont ils allaient s'y prendre pour récupérer la caravelle avec son équipage et rendre à Mathieu sa mémoire envolée.

Il la récupéra d'un bloc, dans une exclamation de surprise, alors que le bouge s'emplissait de nouveau, que les corps de Thomas Guil et Le Teigneux étaient évacués, que le tavernier offrait sa tournée et qu'il serrait encore Elora dans ses bras.

Il la repoussa par les épaules, de sa main tremblante et du plat du crochet.

— En quelle année sommes-nous donc, foutredieu pour que tu aies grandi si vite ?

Elora explosa de rire.

— Viens, lui dit-elle. Je vais tout te raconter.

Khalil releva la table que Le Teigneux avait renversée, puis, pendant que Nycola récupérait des tabourets qu'aucun ne songea à lui disputer, il leva le bras.

— Holà, l'ami ! du vin. Ton meilleur. Nous avons une belle occasion à fêter.

Et, au milieu des conversations joyeuses qui avaient repris, Mathieu, Khalil, Nycola et Elora firent connaissance, recollant ces morceaux de vie qui donnaient son sens à une seule et même destinée.

*
* *

Lorsque la putain descendit deux bonnes heures plus tard, après avoir calmé l'ardeur de ses clients habituels, elle le trouva riant aux éclats, une bien belle femme accoudée à son épaule.

Piquée d'une jalousie primaire, elle s'en fut se dresser devant eux, les poings sur les hanches.

— Eh bien, dit-elle, faut croire que tout l'monde t'fait pas l'même effet !

Mathieu serra un peu plus la taille d'Elora. Qui croirait en ce monde qu'elle avait onze ans d'âge et une éternité d'âme dans ce corps de géante ? Alors, pour seule explication, il s'emplit de fierté.

— C'est ma fille.

— Ta fille ? Une donzelle si pareil'ment tournée ?

— Ma fille, oui, et elle ressemble tellement à sa mère… (Il bondit de sa chaise.) que j'ai qu'une envie, foutredieu ! c'est de vitement la lui ramener, ajouta-t-il dans un grand éclat de rire en gagnant la sortie, la main d'Elora dans la sienne.

Khalil jeta quelques pièces sur le plateau, accrocha au passage une bise sur la joue de la putain interloquée, puis quitta la place à son tour.

La rencontre avec Mounia, Lina et Catarina fut aussi chaleureuse. Les trois femmes les attendaient devant la barque que Nycola avait emplie de leurs affaires.

Avant de la mettre à l'eau pour rejoindre la caravelle, Mathieu prit Mounia aux épaules et planta dans ses yeux les siens embrumés de vin mais aussi d'un profond respect.

— Elora m'a tout raconté. Outre ton mari dont nous avons l'affection en commun, nous avons aussi un ennemi. Hugues de Luirieux.

Elle tiqua.

— D'où ? Comment ?

— Il est installé en Royannais où il a été nommé à la charge de prévôt il y a quelques années.

Elle blêmit. Il l'attira contre lui dans un élan fraternel.

— Tout ce dont je me souviens, c'est Enguerrand, l'arme au poing dans l'église de Romans pour empêcher les épousailles auxquelles ce fourbe contraignait Hélène de Sassenage. Je ne sais pas ce qu'il en a résulté. J'ai dû fuir, acculé.

Elle se mit à trembler.

— Avait-il une chance ? demanda-t-elle.

Mathieu la berça doucement. Qu'importe qu'elle lui ait été inconnue quelques secondes plus tôt, ils étaient tous liés. Et ce lien, il le sentait à présent, coulait dans leurs veines comme une fratrie puissante.

— Comme chacun d'entre nous, mais plus encore. Ni sa mère, présente en la nef, ni la noblesse invitée, ne l'auraient laissé achever, assura-t-il.

Elle s'écarta, forte de cette conviction. Il lui sourit.

— Si la vengeance d'Enguerrand n'a pas eu raison de ce chien quand nous serons de retour en Dauphiné, alors je te promets, belle Mounia, qu'il nous trouvera tous sur sa route. Il paiera. Oui, il paiera pour ce qu'il nous a fait.

Ce 8 juillet de l'an de grâce 1495 emporta ce serment avec la caravelle dans les eaux de Méditerranée, sans qu'aucun des matelots à bord s'en plaigne.

Tout juste jetèrent-ils un regard sur la dépouille du Teigneux que le courant entraînait.

Ils avaient mieux à faire et aucunement envie de le pleurer.

53.

En cette fin de journée du 27 juillet, Enguerrand, enfin remis de ses blessures, venait de descendre de cheval dans la cour de la prévôté de Romans-sur-Isère.

Il n'était pas seul.

Sidonie de La Tour-Sassenage et son époux Jacques, revenu d'Italie la veille, l'accompagnaient, officiellement pour veiller à ce que le prévôt ne déborde pas le cadre de ses prérogatives.

La vérité était autre.

La rage que le chevalier promenait au cœur appelait une vengeance et chaque jour passé dans sa chambre à attendre la guérison de ses plaies n'avait servi qu'à exacerber sa frustration. Sa mère et le baron Jacques l'avaient bien compris qui craignaient une impulsion incontrôlée dont Luirieux se serait encore servi contre lui. Face à ce fourbe, il fallait ruser.

Enguerrand en était convenu. Et avait accepté leur présence à ses côtés. À regret.

Hugues de Luirieux éprouva la même déception à les voir s'avancer tous trois dans la cour. D'autant plus grande que le retour de Jacques de Sassenage impliquait de sa part non seulement une retenue à régler cette affaire, mais probablement un geste de clémence. Il ne pouvait courir le risque de déplaire à son beau-père. L'homme était le plus important personnage du Dauphiné. Qui plus est, familier de la maison royale.

Tandis qu'ils pénétraient dans l'édifice, le prévôt soulagea du stylet qu'il y avait caché l'ourlet secret de sa manche. Tant pis, il le planterait une autre fois dans le cœur de son ennemi. Les occasions viendraient.

D'un coup d'œil circulaire dans la pièce, il s'assura de l'ordre qui y régnait, tout manquement, il le savait, risquant d'amoindrir l'éclat de sa rigueur et de sa personnalité. Il ouvrit un tiroir, rangea le poignard effilé puis vérifia son allure. D'un geste vif, il tira sur sa chemise, rajusta son gilet par-dessus ses braies.

Ses doigts légèrement moites achevaient de lisser vers l'arrière une mèche redevenue rebelle sur son front, lorsqu'on lui annonça leur arrivée.

Il inspira une grande bouffée d'air pour se forcer au calme puis accorda qu'on les fasse entrer.

La mine affectée que le prévôt afficha en le voyant paraître fit bouillir Enguerrand de l'envie de le découdre. Il ne la masqua point. Et ne s'avança pas non plus à répondre lorsque Hugues de Luirieux, ayant salué plus bas qu'il ne devait le baron et son épouse, lui demanda comment il se portait.

Enguerrand se borna à un regard glacial. Puisqu'il n'avait d'autre arme pour se battre, il entendait faire mouche de silence autant que de chaque mot prononcé.

Hugues de Luirieux se racla la gorge. S'il comprenait sans peine l'attitude hautaine de son ennemi, la froideur et la distance qu'adoptait son beau-père avaient toutes les raisons de le mortifier. C'était ce dernier qu'il devait retourner. Vite. S'il ne voulait perdre le bénéfice de son hyménée.

Il s'abaissa donc. À une humilité feinte et contrariée. Au lieu de se réfugier derrière son bureau, dressé en plein centre de la pièce, il contourna l'obstacle que ces gens représentaient. Leur tournant le dos, il ouvrit grand la porte pour héler un soldat et lui réclamer des sièges plus appropriés à la qualité de ses hôtes.

*
* *

Lorsqu'il revint vers eux, mielleux, tous trois avaient pris place sur un banc, dos au mur de côté.

Mains croisées sur les genoux, ils le fixaient d'un même sourire narquois.

Hugues de Luirieux sentit grandir en lui le malaise que, de toute évidence, ils espéraient provoquer.

— En homme de terrain, je conçois que rien n'offusque votre époux ou votre fils, mais, de grâce, dame Sidonie, acceptez ce faudesteuil que vous voyez dans l'angle opposé. Il vous sera plus confortable.

Elle le toisa.

— Mais moins approprié à l'attention réelle que vous me portez.

Il blêmit, avança de quelques pas dans un espoir de conciliation.

— Je suis navré que vous le pensiez, mais si vous vous référez pour cela à ces quelques mots échangés à l'occasion de mes épousailles, sachez que je n'en retire pas un seul. J'avais devoir de protéger mon aimée, autant que mes invités.

Rattrapé par l'injure et sa haine, Enguerrand bondit.

— Osez insinuer que j'aie pu constituer une menace pour Hélène ! Osez-le, Luirieux !

Jacques de Sassenage se dressa à son tour. D'une main, il retint le chevalier par la manche, l'autre qu'il brandit à plat devant le prévôt appela à la tempérance. Sourcils froncés, il éleva une voix aussi froide que posée.

— Suffit, l'un et l'autre. Je n'ai pas quitté une guerre de pouvoir pour en souffrir une autre, d'intérêt.

On toqua à la porte. Luirieux tarda quelques secondes de trop à réagir. Emporté par son élan et une naturelle autorité, Jacques de Sassenage haussa le ton pour qu'il perce le battant.

— Remportez vos chaises ! Nous ne resterons pas assez longtemps pour en profiter !

Luirieux n'insista pas. En quatre enjambées, il mit entre eux et lui la barrière naturelle de son bureau. Il y posa ses poings refermés pour se réapproprier une contenance. Inutile de composer plus avant ou d'espérer une quelconque amitié de la part du baron. Tout gendre qu'il lui soit, Luirieux venait de comprendre qu'il aurait pour Jacques de Sassenage moins encore de légitimité qu'un valet pour son écurie.

— Soit, puisqu'il faut en venir aux faits, chevalier, je vous rappelle que la nef était emplie de gens bien nés qui, tous, pourront témoigner de votre folie.

Enguerrand eut un sourire mauvais.

— Alors quoi ? Vous ne me prêtez plus d'accointances avec les détrousseurs et les meurtriers ?

Luirieux haussa les épaules de fatalité.

— Il me faudrait des preuves et je n'en ai pas, votre complice ayant eu le mauvais goût de mourir avant que j'aie pu l'interroger.

Le cœur d'Enguerrand se serra.

— De qui voulez-vous parler ?

— De ce Mathieu, bien sûr, de qui d'autre ? N'est-ce pas lui que vous… ?

Il ne termina pas sa phrase.

Surprenant aussi bien Jacques que Sidonie, Enguerrand avait plongé par le coin du bureau pour se jeter sur lui, le renversant en arrière avec sa chaise et tout ce que l'écritoire supportait. Tant et si bien que la nuque de Luirieux cogna violemment le sol et qu'il se retrouva en quelques secondes autant étourdi qu'étranglé.

Refoulant sa propre envie de meurtre, Jacques de Sassenage s'interposa pour le délivrer.

— Lâche-le, ordonna-t-il au chevalier.

Enguerrand ne put s'y résoudre. Il songeait à Algonde, au chagrin qu'elle aurait. À Mounia aussi.

Le point de pression que Jacques lui imposa par la jonction du pouce et du majeur força ses deux mains à s'ouvrir contre son gré. Jacques l'attira en arrière, lui glissa à l'oreille :

— Patience, fils. Patience.

Enguerrand parvint enfin à se calmer.

Couvert d'encre, débraillé, la mèche en désordre sur son front et les joues écarlates de l'air qu'il tentait de retrouver, Hugues de Luirieux avait perdu de sa superbe, mais pas de son autorité. Il brandit un doigt menaçant vers le chevalier, crissa d'une voix de fausset :

— Une fois de trop, Sassenage… C'est une fois de trop. La justice vaut pour tous et je la ferai appliquer.

Le baron s'approcha de lui, lui imposant un léger mouvement de recul. La seconde d'après il lui enroulait la main autour de l'avant-bras et le tirait à lui pour le remettre debout.

Luirieux ne le remercia pas. Il se rajusta, s'obligeant à réfréner sa fureur. C'est à cet instant que la voix posée de Sidonie perça le silence qui s'était établi :

— Vous n'arrêterez pas mon fils, prévôt, ni ne le ferez condamner.

— Et pourquoi donc ? Parce qu'il est le fils de mon vieil ami Philibert de Montoison ? Lui-même en était encombré !

Enguerrand reçut l'affirmation comme un poignard en plein cœur. Il avait toujours pensé être mal né. Son tempérament, son attrait des petites gens, son goût de la liberté et jusqu'au mépris qu'il inspirait à ses aînés le lui criaient depuis l'enfance. L'idée avait assez fait son chemin pour qu'il ne s'en offusque pas. Non. Le choc venait d'ailleurs. Dans l'idée même que son père naturel ait commandité la main qui l'avait frappé en Égypte. Car, pour autant qu'il s'en souvienne, dix ans plus tôt, Hugues de Luirieux était l'âme damnée, discrète et meurtrière, de Philibert de Montoison[1].

Sidonie ne se troubla pas quant à elle. Elle s'approcha des tréteaux, seuls vestiges du bureau d'Hugues de Luirieux. Se campant là comme si sa seule présence à cet endroit remettait en cause sa légitimité, elle lui présenta une lettre qu'elle avait arrachée à une pochette de soie pendue à sa ceinture.

Il pérora :

— Gardez vos biens. Aucune fortune ne compenserait mon plaisir à le voir châtier.

Elle maintint sa main tendue.

— Loin de moi l'idée de vous acheter.

— Qu'est-ce, alors ?

Elle sourit. Certaine de son effet.

— Votre révocation.

Il blêmit.

— Plaît-il ?

— Les charges vont et viennent au gré des individus qui les ont octroyées et, voyez-vous, il semble que j'aie plus d'amis que vous n'en avez.

Le visage de Jacques de Sassenage exprima autant de satisfaction que celui de Luirieux de contrariété. Sidonie avait gardé pour elle cette information de première importance, mais il reconnaissait bien là les raisons de son caractère qui l'avait poussé à l'aimer. La femme

1. Voir *Le Chant des sorcières*.

réservée et douce était une mère prête à tout pour protéger sa nichée.

Enguerrand regarda avec une joie non dissimulée son ennemi déchirer le cachet et parcourir avec colère l'ordre qu'on lui avait adressé. Mais la plus grande de ses surprises ne lui vint pas de la lueur d'effroi qui passa dans les yeux d'Hugues de Luirieux. Elle lui vint de sa mère.

— Relisez, Luirieux, pour bien vous en imprégner. Car votre successeur est ici même et, je le crois sans peine et pour cette affaire, aussi peu enclin à la pitié que vous l'avez été.

54.

Hugues de Luirieux s'accorda quelques secondes dans le silence figé mais victorieux des Sassenage. Quelques secondes à voir s'écrouler autour de lui tout ce qu'il avait mis des années à construire. Quelques secondes pour admettre qu'Enguerrand avait gagné la partie.

Deux choix s'offraient à lui. Courir jusqu'à la fenêtre, briser les carreaux et sauter sur le premier cheval trouvé dans l'enceinte de la prévôté. Fuir. Ou sortir par la grand-porte, tête haute, puisque, somme toute, rien ne pouvait lui être reproché. Son orgueil, démesuré, opta pour cette solution raisonnable. D'autant qu'il avait encore des fidèles en la place et qu'il tenait par chantage de nombreux nobles, bourgeois et hommes d'Église qui continueraient de grossir son pécule en servant son avantage. Au fond, qu'avait-il encore besoin d'être prévôt puisque sa fortune et sa renommée étaient assurées ? On pouvait le démettre de ses fonctions, pas annuler ses épousailles. Jacques de Sassenage était arrivé trop tard. Ses affaires étaient en ordre. Un notaire y avait veillé. Prenant sur lui, il replia l'ordre de révocation pour le ranger dans la poche intérieure de son gilet puis arrangea sa mèche rebelle sur le côté du crâne.

Tandis que sa dextre massait sa glotte malmenée, son œil se posa sur Sidonie.

— Il est regrettable que vous eussiez attendu de me voir étranglé pour m'informer d'une décision si capitale.

Sidonie haussa les épaules avec mépris.

— C'est qu'à votre exemple je me plais à moduler mes effets.

Déjà Luirieux se tournait vers Enguerrand, qui, comme le baron Jacques à ses côtés, jubilait. Dédaignant son beau-père qu'il devait désormais compter au nombre de ses ennemis, Luirieux lança au chevalier un regard plein de défi.

— Il serait de bonne guerre que je vous félicite. N'y comptez pas. J'ai eu à cœur, huit années durant, de m'acquitter honorablement de ma charge et persiste au vu de vos antécédents à considérer qu'elle me convient mieux qu'à vous. Toutefois… (il lui accorda un rictus en guise de sourire) … j'espère que vous n'userez pas de vos fonctions pour régler notre vieille querelle, laquelle irait mieux à un duel discret qu'à un argument de justice.

Enguerrand sentit de nouveau la colère gronder. Il rétorqua d'une voix sèche :

— Loin de moi cette idée, Luirieux. Je n'ai pas vos manières. Quoiqu'il me serait facile de vous accuser de meurtre.

Un véritable sourire détendit les traits de Luirieux. Sa vengeance tenait peut-être dans cet aveu.

— Vous parlez de Mounia, sans doute. Sachez, pour votre gouverne, qu'aucun mal ne lui a été fait. Tout au contraire. Je l'ai escortée là où elle souhaitait aller…

Enguerrand ne le laissa pas pavoiser. Lui coupant la parole, il termina pour mieux le faucher de contrariété :

— À la cour du sultan Bayezid. Oui, Luirieux. Je sais.

— Co… Co…, s'étrangla Hugues de Luirieux avant de refermer la bouche sur cette question qui ne jaillissait pas.

Enguerrand n'avait pas l'intention d'y répondre. Méprisant, il venait d'emboîter le pas au baron pour rejoindre Sidonie, sur le départ.

Jacques de Sassenage laissa sortir son épouse, puis toisa son gendre.

— Vous avez épousé ma fille en vous servant de la promesse de mon retour comme d'un consentement. Souffrez donc que j'y voie plus de manigances que d'amour. Alors, un conseil : qu'il ne lui arrive rien de fâcheux. Vous n'y survivriez pas.

La menace eut sur Hugues de Luirieux l'effet d'une piqûre d'insecte.

Désagréable et d'autant plus urticante qu'Enguerrand ajouta :

— Ta charge, un autre la prendra, mais ce ne sera pas moi. Je veux rester libre. Tu sais pourquoi, Luirieux ? Parce que je veux pouvoir te traquer. Où que tu ailles. Et te regarder souffrir sans avoir à en référer à un régiment de soldats.

Lorsque la porte se referma sur eux, Hugues de Luirieux se laissa tomber sur son siège.

Il était bel et bien piégé.

Enguerrand de Sassenage ne le lâcherait pas. Il leur faudrait se battre. Luirieux se savait mieux aguerri que le chevalier. Il le tuerait.

Lors, sans le couvert de la loi dont sa charge était la garante, il lui était facile d'envisager les conséquences de ce crime.

Dans le meilleur des cas, pour épargner la réputation d'Hélène, on le ferait disparaître à son tour, discrètement. Poison, accident de chasse, peu importait l'arme.

Elle serait sournoise, surgirait de là où il ne l'attendrait pas. Les Sassenage étaient assez puissants pour ça.

Balançant son pied vers l'avant dans un mouvement de rage, il repoussa le tréteau qui se referma avec un claquement sec avant de chuter à terre, là où la chaussure de Sidonie, imprégnée d'encre, avait laissé son empreinte.

Comment l'avait-elle obtenue cette révocation ? En soulevant ses jupons comme une catin ? Oui. Forcément. Et son époux de s'en réjouir !

Non, décidément, les Sassenage n'étaient pas meilleurs que lui. Seulement mieux nés. Et couverts de privilèges.

Il se leva, ulcéré, des envies de mordre aux mâchoires.

Il ne prêterait pas le dos à la camarde ainsi que feu Philibert de Montoison l'avait fait. Hugues de Luirieux avait toujours été maître de son destin.

Quitte à tout perdre, il leur donnerait une bonne raison de se venger.

Il sortit en claquant la porte, traversa le couloir, en ouvrit brutalement une autre, forçant Ronan de Balastre et Torval, occupés à jouer aux dés, à tourner vers lui leurs regards surpris.

— Rassemblez vos affaires et faites seller nos chevaux. C'est terminé pour nous ici. On file à Sassenage, ordonna-t-il d'un air mauvais.

*
* *

À l'instant précis où Hugues de Luirieux décida de la mort d'Hélène, celle-ci ne songeait plus qu'à la vie.

Même Algonde, à ses côtés, qui lui tenait la main tandis qu'elle poussait, avait laissé l'avenir prendre le pas sur le passé.

Dans l'escalier du donjon, Constantin, Petit Pierre et Janisse montaient tour à tour seaux d'eau chaude et serviettes. Gersende les récupérait sur le pas de la porte de la chambre autrefois maudite, sans mot dire.

L'enfantement venait de commencer.

À cet instant précis aussi, un homme se présentait à la herse du castel de Sassenage.

Un homme fatigué.

Un homme qui s'était épris d'Hélène au premier regard, dix ans plus tôt, le jour du grand tournoi de Romans.

Un homme qui l'avait aimée assez pour se rendre complice en Italie de ses amours discrètes avec Djem.

Un homme, enfin, qui, averti des intentions de Luirieux, avait obtenu du roi l'autorisation de rentrer au pays.

Il ne savait pas encore qu'il arrivait trop tard pour empêcher ces épousailles et moins encore que d'autres personnes, Enguerrand, Sidonie et le baron Jacques, devançant les intentions dudit mari, s'étaient élancées sur la grand-route de Grenoble.

Cet homme, les joues mangées par une barbe de plusieurs semaines, aussi sale d'habit que de figure, ne songeait pas à plaire, mais à guérir celle qui hantait ses jours et ses nuits. Tout en étant convaincu que, si elle parvenait à l'aimer un jour, ce ne serait jamais autant que le prince Djem, à qui il avait prêté serment de la chérir.

Mais ainsi était Jacques de Montbel, comte d'Entremont.

Point n'était besoin d'un retour d'affection pour le convaincre d'agir.

55.

Si son bain n'avait refroidi, il se serait bien gardé d'en sortir, tant il avait rêvé de pareil confort durant ce long voyage. L'annonce du mariage d'Hélène avec le sire de Luirieux avait considérablement amoindri le plaisir de son arrivée la veille. Mais, au petit jour, grâce à celle, plus réjouissante, de la savoir soulagée de ses couches, Jacques de Montbel se sentait serein.

Somme toute, songeait-il, il arrivait à point nommé.

Il devait en cela remercier le roi Charles qui s'était séparé de lui à regret, mais sans colère. Une indulgence que Jacques de Montbel devait à Hélène, ou plutôt à la bravade qu'elle avait osée pour demeurer auprès de son prince. Charles le Huitième en avait été impressionné. Elle avait forcé son respect. Lors, quand il l'avait sue en danger, il n'avait pas longtemps hésité à lui envoyer un défenseur.

Jacques de Montbel avait donc quitté l'Italie au lendemain de l'entrée triomphante et solennelle du roi dans Naples, conquise trois jours avant la mort de Djem. Pour rendre hommage au défunt toujours sans sépulture, le monarque avait revêtu les insignes de l'empereur de Constantinople et s'était fait proclamer roi. C'est sur cette dernière image que Jacques de Montbel avait tourné bride, quelques jours seulement après le départ du baron de Sassenage.

Il accepta la serviette que le valet lui tendait. Un pied en dehors du baquet, il se sécha vigoureusement la jambe afin de ne pas inonder le parquet.

— L'aube point, messire. Désirez-vous votre matinel ? demanda le jouvenceau d'une quinzaine d'années.

Le comte d'Entremont considéra son reflet dans un miroir accroché au mur du petit cabinet d'aisances.

— Plutôt le barbier, répondit-il devant son air négligé.

— J'en ai aussi la fonction. Mon défunt père l'était.

Jacques s'écarta des eaux sales pour finir de se sécher.

— Bien. Très bien. Tu prendras soin alors, en plus du bouc, de me tailler la crinière. Je veux être digne du premier regard de dame Hélène lorsqu'elle acceptera de me recevoir.

Le valet secoua la tête.

— Je crains fort que ce ne soit pas tout de suite. Le travail a recommencé.

Jacques suspendit son geste, laissant béer sur sa cuisse musculeuse la serviette qu'il avait entrepris d'enrouler autour de sa taille.

— Comment ça « recommencé » ? N'a-t-elle pas donné naissance à une petite Gasparde juste avant mon bain ?

— Si messire. Mais un autre enfançon est annoncé.

Jacques de Montbel étouffa un juron.

— Mes habits ! exigea-t-il, inquiet.

Accoucher de jumelles, voilà bien un défi à la mesure d'Hélène de Sassenage. Mais certainement pas sans danger. Les exemples étaient nombreux qui avaient vu périr la mère, le ventre plein encore d'un des deux enfants.

— Que fait-on de votre barbe ?

Jacques moulina des bras.

— Au diable l'apparence. Hâte-toi !

*
* *

— Assez, assez, assez ! Je n'en puis plus. Pitié, Gersende ! supplia Hélène en retombant lourdement sur l'oreiller.

Inondée de sueur, les traits ravagés par des heures et des heures de travail, elle s'était enfin crue soulagée lorsque le petit corps était apparu. L'accalmie n'avait pas duré. À peine le temps de prendre sa fille dans ses bras et de s'émerveiller devant sa peau lisse, soyeuse, dépourvue de toute pilosité, et les contractions avaient repris. Hélène avait pensé qu'elle expulsait la poche comme ç'avait été le cas lorsque Constantin était né. Gersende n'avait pas mis deux minutes à la détromper. La rondeur persistante de son ventre alliée à la petitesse de l'enfançonne confirmaient une gémellité.

C'était une heureuse nouvelle dans une maisonnée, avait claironné Gersende. Algonde l'avait approuvée. Mais Dieu de Dieu ! songeait Hélène au bord de l'évanouissement, elle aurait préféré s'en passer.

— Un effort encore. Vous y êtes presque, insista l'intendante, la tête glissée entre les cuisses relevées d'Hélène.

— Peux plus, Gersende. Peux plus, hoqueta cette dernière en pressant plus fort la main d'Algonde.

Pour toute réponse, une claque vigoureuse lui empourpra la cuisse, la rabattant de surprise et d'indignation vers celle qui la lui avait administrée.

— Vous voyez bien que vous pouvez vous relever ! Poussez maintenant ! Allons ! Poussez !

Hélène la foudroya d'un regard noir, mais obéit. Quand bien même elle aurait renoncé, son corps l'exigeait. Elle s'escrima, soufflant, ronflant, avant de nouveau de se rabattre en arrière.

— De l'air. De l'air ou je meurs.

— Vous mourrez après. Poussez ! insista Gersende qui voyait le crâne se présenter.

— Mauvaise ! Vous n'avez pas de cœur, soupira Hélène à bout de forces.

— J'en ai assez pour sauver ce petit être qui est en train de bleuir !

Cette perspective redonna à Hélène un semblant de courage. Lâchant enfin les doigts meurtris d'Algonde, elle s'empoigna les genoux pour mieux forcer.

Algonde en profita pour se diriger vers la fenêtre. La chambre empestait le sang, la sueur et les excréments, malgré l'eau de thym que Gersende employait pour désinfecter. Elle jeta au passage un œil sur la petite forme enroulée dans une couverture. Indifférente aux halètements et aux râles de sa mère, Gasparde s'était endormie, quelques minutes seulement après son premier bain donné par Algonde. Une pointe douloureuse rattrapa cette dernière. En cet instant, Elora lui manquait.

— Ça vient, on y est presque…

Algonde ouvrit la croisée et s'accrocha à son rebord pour inspirer l'air que la nuit n'avait pas rafraîchi. La saison des orages semblait ne pas vouloir finir, cette année.

— Gnnnnnnnnn !

Algonde connaissait bien ce grondement animal. Elle allait se retourner lorsque son attention fut captée sur la grand-route par trois cavaliers qui s'en venaient ventre à terre dans un ciel empourpré. Algonde appliqua sa main en visière. Le jour n'était pas assez levé pour qu'elle puisse juger de leur identité, mais leur empressement la ramena sur ses gardes.

— Une fille, c'est une autre petite fille ! s'époumona

Gersende derrière elle, couvrant à peine le hurlement de l'enfant.

Hélène allait pouvoir se reposer.

*
* *

Jacques de Montbel se plaqua contre la vis de l'escalier en les entendant dévaler. Enfin on allait pouvoir lui donner ce qu'il était venu chercher, si haut dans la maison. Des nouvelles d'Hélène.

Sa surprise fut donc grande en voyant se coller quasiment sur son souffle un jouvenceau qui n'avait aucune raison de s'y trouver. Aussi vif de réaction qu'il l'était de réflexion, Jacques de Montbel lui barra le passage d'un bras en travers des marches.

— Halte-là mon gaillard !

Algonde imagina en lui le visiteur, annoncé, de la veille.

— Vous êtes le comte d'Entremont, je présume.

— En effet.

Algonde lui repoussa le bras d'un geste vif.

— Vous tombez bien. Suivez-moi, j'ai à vous parler.

Sur ce, elle poursuivit sa descente du même train qu'elle l'avait commencée. Parvenue sur le palier quelque douze marches plus bas, elle força le seuil de l'appartement de leurs seigneuries, mis à la disposition de Jacques de Montbel lorsqu'il s'était présenté.

Ce dernier, intrigué autant par les manières de ce jouvenceau que par son timbre, étrangement familier, referma la porte derrière eux.

Algonde lorgna avec envie le matinel que, dans son empressement à être rassuré, Jacques de Montbel n'avait pas touché. La faim lui broyait le ventre.

Tant pis, songea-t-elle, elle s'en occuperait plus tard.

Elle se retourna vers lui, lui offrant, à la faveur des falots, son visage foncé au brou de noix et ses cheveux courts et châtains. Jacques de Montbel eut un sursaut de surprise. Tout en cet inconnu lui évoqua Elora, jusqu'au sourire qu'il lui adressa.

— C'est surprenant comme vous ressemblez à…

— C'est ma fille, le coupa Algonde.

Le regard s'écarquilla plus encore.

— Vraiment ? Elora est votre fille ?

— Ne vous fiez pas à ces vêtements ou à cette allure masculine, je suis Algonde, sa mère. Hélène l'éleva en mon nom pour des raisons qu'il serait pour l'heure trop long de vous expliquer. D'autres appellent à l'urgence et à votre aide.

Contenté par ces explications sommaires, Jacques de Montbel s'avança vers elle, pris d'inquiétude.

— Rien de fâcheux, j'espère ?

— Rien encore, messire, Hélène va bien et les deux enfançonnes qu'elle vient de mettre au monde aussi. Je crains davantage pour elle dans les minutes et les heures qui vont suivre.

Elle se dirigea sans plus attendre vers la croisée et l'ouvrit en grand.

Dans les lueurs du levant, les trois cavaliers atteignaient la barbacane.

D'un geste, elle l'invita à la rejoindre.

Jacques de Montbel eut juste le temps de les deviner qui passaient la herse.

— Son époux ?

— Je l'ignore, mais leur hâte m'inquiète.

Il recula pour la laisser refermer.

— Que craignez-vous donc de la part de cet homme ?

— Le pire, répondit-elle sans hésiter.

56.

Ce fut maître Janisse qui reçut les trois visiteurs, un sourire en forme de lune sur sa face ronde. Contredisant les craintes d'Algonde, ceux-là étaient les bienvenus dans la maison et il le leur manifesta avec sa gouaille coutumière avant de leur annoncer que les petiotes étaient nées.

C'est ainsi que Jacques de Sassenage, Sidonie et Enguerrand, empressés, tombèrent sur Algonde qui sortait des appartements de sa mère, dans cette partie du donjon que l'escalier à vis collait au corps de logis. Elle venait d'y cacher le comte d'Entremont, jugeant préférable de le garder en renfort si besoin était.

Elle les reconnut qui montaient, bien avant qu'eux ne le fassent, et laissa aussitôt le soulagement l'emporter.

— Vous pourrez vous vanter de m'avoir causé frayeur ! Bon sang ! Enguerrand, c'est un vrai bonheur de te revoir sur pied !

— Algonde ? s'étrangla le baron.

— Pour vous servir, messire, répondit-elle sur ce demi-palier en lui offrant une révérence, avant d'ajouter : Le comte d'Entremont vous a précédés.

Jacques de Sassenage s'éclaira.

— Palsembleu ! où est-il ? Nous ne pouvions compter sur meilleure lame pour nous seconder !

— Ici même, compagnon ! s'exclama Jacques de

Montbel en ouvrant grand la porte derrière laquelle il s'était embusqué.

Ils n'eurent pas le temps de se réjouir les uns les autres de cette belle retrouvée.

Un hurlement inhumain en provenance de l'étage au-dessus les saisit au ventre, précipitant Algonde dans les escaliers.

Les trois hommes et Sidonie sur ses talons, elle n'eut pas besoin de forcer le seuil de la chambre dans laquelle Hélène était censée se reposer. L'huis s'ouvrit sur Gersende, un linge bombé dans les bras.

En guise d'explication, elle écarta les pans du linceul, révélant un petit être velu, pas plus gros qu'un poing d'homme et duquel toute vie s'était retirée.

— Une troisième, souffla Gersende à Algonde, interloquée. Pas de contractions cette fois. Elle était mort-née. J'ai dû aller la chercher.

Jacques de Sassenage caressa le duvet sombre du petit visage, à peine plus gros que deux de ses doigts.

— Où comptiez-vous l'emporter, Gersende ?

— Loin de dame Hélène. Loin de nos gens. Je ne voudrais pas qu'ils fassent une relation trop étroite entre ce petit être et Constantin, vous comprenez ?

Jacques de Sassenage ne pouvait que l'approuver après avoir aperçu Le Galoup dans un angle de la réserve. L'heure pressait pour qu'ils fassent plus ample connaissance. L'heure pressait pour tout, mais pas pour l'essentiel.

— Je refuse qu'on l'enterre sans que le père Vincent l'ait bénie. Elle est de mon sang.

— Je cours le chercher, annonça Enguerrand en dévalant déjà l'escalier.

Gersende ne trouva aucun argument à lui objecter. Se renfonçant dans la pièce, elle les laissa entrer.

Seul le comte d'Entremont, jugeant sa présence discourtoise en ces heures pénibles, resta sur la terrasse, le sang rongé de la déchirure qu'il devinait au cœur d'Hélène.

Il avait raison.

Elle reposait, livide, hagarde, contre des oreillers, incapable de dormir et pourtant épuisée.

De la voir si défaite, si vulnérable, Jacques de Sassenage sentit son cœur se broyer.

Il s'élança à son chevet, s'assit sur le bord du lit et l'attira dans ses bras aimants.

— C'est fini, ma fille. Ma toute petite fille. Plus rien ne peut t'arriver. Enguerrand, Sidonie et moi sommes là, affirma-t-il.

— Jacques de Montbel aussi, murmura Hélène, entre la confiance et l'égarement, l'espoir et l'abattement.

Jacques de Sassenage la serra plus fort.

— Oui. Lui aussi, Hélène. Nous sommes tous là.

Elle resta de longues minutes dans sa chaleur et dans celle de Sidonie, à se rassurer de leur affection, le corps et l'âme douloureux. Puis, reprenant enfin le dessus, elle repoussa doucement son père.

— Enguerrand ?

Sidonie releva une mèche collée à son front.

— Nous avons vu ton époux hier et l'avons un peu bousculé dans ses prérogatives. Il est déchu de ses fonctions.

Le cœur d'Hélène s'emballa dans sa poitrine.

— Vous craignez ses représailles…

— Oui, avoua le baron. Mais pas d'inquiétude, s'il s'annonce, il sera reçu. C'est la raison pour laquelle, au-delà des sacrements qu'il faut donner à ce petit être, j'ai envoyé Enguerrand chercher le père Vincent.

— Mieux vaut que tes filles portent le nom de ton époux sur les registres. Je ne veux pas qu'elles supportent de disgrâce. Enguerrand en a trop souffert, ajouta Sidonie.

Un frisson gagna Hélène, qu'elle chassa aussitôt. Il y avait si longtemps qu'elle attendait ce moment.

Évitant de s'attarder sur la petite forme que tenait Gersende, Hélène accrocha le regard complice et désolé d'Algonde.

— Je veux qu'ils soient là pour la bénédiction, à mes côtés. Constantin, Petit Pierre et Jacques de Montbel aussi. Va les chercher, s'il te plaît.

Algonde s'effaça.

La seconde d'après, Jacques de Montbel, le front bas et le chapeau à la main, s'inclinait à distance respectable.

— Pouvez-vous nous laisser un instant, père ? demanda Hélène.

Jacques de Sassenage et Sidonie le lui accordèrent sans peine.

Ils avaient une totale confiance en cet homme.

Ils sortirent en entraînant Gersende derrière eux.

— Fi des convenances. Nous en avons brisé bien d'autres vous et moi. Venez là, mon cher ami, l'invita-t-elle en tapotant la courtepointe sitôt qu'ils furent seuls.

En quelques enjambées, Jacques de Montbel fut près d'elle et pressa avec chaleur la main moite qu'elle lui tendait.

— Comment vous sentez-vous ? demanda-t-il.

— Comme un arbre mort flottant sur la rivière. Un gros, très gros arbre, trouva-t-elle la force de plaisanter.

— Vous demeurez ravissante, croyez-moi…

Elle n'en crut rien. Qu'importe. L'heure n'était pas aux apparences.

— La mort de cette enfant m'arrache le ventre, comte, mais je n'ai plus de larmes. Juste du froid à l'intérieur. Un froid glacial. Et tout à côté une chaleur intense lorsque je pense aux deux autres mais aussi à Algonde, à Petit Pierre, à Constantin. Vous l'avez vu ? Constantin… C'est mon fils. Le mien et celui de Djem. Un Géant velu de dix ans à peine…

Jacques de Montbel ne trahit rien de son trouble. Oui, il avait vu Le Galoup la veille qui jouait avec Petit Pierre. Et entendu quelques minutes plus tôt la vérité de la bouche d'Algonde.

— Qu'espérez-vous, Hélène ? Me choquer ? Rien ne le peut venant de vous. Tout au contraire, votre confiance m'honore. Et me touche.

— Je voulais que vous le sachiez, puisqu'il semble que vous me trouviez toujours en situation délicate, pour ne pas dire désespérée.

— Peut-être ne suis-je né que pour vous sauver ?

Un sourire triste passa sur les lèvres d'Hélène. Elle replongea dans son regard empreint d'une profonde bonté.

— Si vous m'aviez laissée mourir, la dernière…

Il se pencha pour brandir un index devant ses lèvres.

— Taisez-vous ! Je n'ai été que la main de Djem en cet instant, rien d'autre, mais je m'en félicite et m'en réjouis chaque heure, chaque seconde depuis. Et plus encore au regard de ces enfançonnes que vous lui avez données.

Un clignement des paupières. Il se demanda si elle acquiesçait à son propos ou si elle avait seulement voulu endiguer une larme. Qu'importe, songea-t-il, ils auraient tout le temps. Plus tard.

Il retira son doigt, humide, de son souffle. Le promena sur sa joue.

— Dans quelques heures votre cauchemar sera terminé, Hélène. Libre à vous de me renvoyer ou de me garder à vos côtés. Quoi qu'il en soit, je respecterai votre choix, comme je l'ai toujours fait. Mais en veillant sur vous et vos filles ainsi que Djem me l'a demandé.

La gorge nouée à ce souvenir, elle ne sut que répondre et fut soulagée d'entendre frapper.

Plus encore de se retrouver en quelques minutes entourée de ceux qu'elle aimait.

Seul le père Vincent tordit le nez lorsque, renchérissant sur le baron Jacques, Hélène lui demanda de baptiser la défunte.

— Un corps sans âme ? Ce serait un sacrilège, voyons. Une injure au Très Haut, ma fille !

— Libre à Dieu d'avoir repris l'âme de cette enfant avant que j'aie pu la regarder, mon père. Je l'ai portée en moi. Elle a grandi en moi et je ne peux accepter de n'en laisser aucune trace, nulle part. Vous ne pouvez nier qu'elle a existé au regard du Seigneur, comme au mien. Je veux que ses sœurs le sachent.

Il céda devant son visage ravagé par l'effort autant que par la détresse. N'avait-il pas vu dans cette maisonnée de plus étranges coutumes ? Jamais Dieu ne les lui avait reprochées.

Gasparde, Françoise et Laurence.

Il venait de les inscrire toutes trois et s'apprêtait à donner les sacrements à la dernière lorsque Constantin se détourna de la fenêtre vers laquelle son œil avait été attiré.

— Hâtez-vous, mon père, s'exclama-t-il. Trois cavaliers approchent de la garde et je suis prêt à parier qu'Hugues de Luirieux en est.

Enguerrand porta sa main à l'épée.

— Cette fois, foutredieu ! je l'embroche !

— Non ! le retint Hélène, fauchant son élan à quelques pas de la porte.

Tous retournèrent vers elle un regard éberlué. Elle le soutint sans sourciller.

— Qu'il meure, oui, qu'il meure, mais pas ici. Pas encore. J'ai signé des actes notariés qui me dépossèdent en sa faveur. S'il passe, tout ira à l'ordre des Hospitaliers de Saint-Jean.

Elle serra les poings sur un sursaut de colère.

— Je ne peux pas m'y résoudre. Pas après ce qu'ils ont fait à Djem…

Algonde se détacha de la croisée par laquelle, à son tour, elle s'était empressée d'évaluer le temps qu'il leur restait. Cinq minutes. Dix peut-être si Janisse les aidait.

— J'ai une idée, dit-elle. Qui nous vengera tous après avoir fait rendre à Luirieux ce qu'il a volé.

Enguerrand remit son arme au fourreau dans un soupir de regret.

— Soit, lui accorda-t-il. Tu as autant de raisons que moi de le vouloir crever.

— Itou ! Faut pas l'oublier, gronda Petit Pierre, l'œil mauvais.

57.

Les serfs ont ceci d'admirable, nota Hugues de Luirieux, que, quelles que soient les alliances ou les guerres, ils savent toujours avant qu'on le leur apprenne le nom de leur nouveau maître.

Lorsqu'il se présenta au corps de garde, on lui donna du « monseigneur » et le laissa passer sans hésiter. De même, il ne lui fallut pas plus de deux minutes pour savoir, aux portes de l'écurie, par un jeune palefrenier tremblant, que trois hommes et une femme l'avaient précédé.

Trois lui parurent évidents par la sortie qu'ils lui avaient offerte à Romans, le quatrième par contre le laissa circonspect, avant qu'il n'opte pour Dumas, de la garde personnelle de Jacques de Sassenage et qui avait, en plusieurs circonstances, escorté Enguerrand. Son compte étant entendu, le constat afférent s'imposa de lui-même. Il allait devoir remettre à plus tard ses crimes et imposer sa légitimité. Tâche plus ardue envers ses ennemis qu'auprès de simples valets, songea-t-il.

Ce en quoi Hugues de Luirieux se trompait.

*

* *

Averti par Algonde que ce triste sire arrivait, maître Janisse sortit de sa cuisine pour lui barrer l'escalier, une main refermée sur un foie de canard gras et l'autre sur un petit moulin à poivre.

Le torse bombé et l'allure aussi débonnaire que joviale, il ouvrit les bras en guise de bienvenue et tonitrua pour que sa voix atteigne le dernier plafond de la maison.

— Votre seigneurie ! Enfin ! Que nous voici réjouis ! Vraiment !

Surpris par semblable accueil, Hugues de Luirieux se demanda un instant si le cuisinier n'était pas fou, avant de se souvenir du portrait que lui en avait tracé son épouse. Réfrénant la répulsion naturelle que ce genre d'individu lui inspirait, il lui offrit un sourire commandé par la nécessité.

— Maître Janisse. La saveur de vos mets m'a longuement été vantée.

Ce dernier se courba en un salut d'autant plus ridicule que du sang coulait de l'abat depuis ses doigts refermés et boudinés jusque sur le plancher. Il était écarlate lorsqu'il se redressa dans une quinte de toux, obligeant Hugues de Luirieux à reculer vers la salle de garde, de l'autre côté.

— C'est… keuf keuf… trop d'honneur… keuf keuf… votre seigneurie.

Hugues de Luirieux perçut derrière lui le mouvement d'agacement de Ronan de Balastre. Il leva le coude pour lui intimer la patience. Lui-même se mordait la joue pour ne pas expédier *ad patres* cette caricature.

Cela viendrait. Ils en étaient convenus durant le trajet. Le castel de Sassenage partirait en fumée avec ses habitants. Pas un seul n'en réchapperait.

Pour l'heure, il composa.

— Mes hommes ont faim et je suis persuadé que vous saurez leur servir votre meilleur pâté en croûte.

— Le meilleur, vous y pouvez compter, monseigneur. Un fin hachis de lapin de garenne, d'ail, de baies et d'épinards sur un lit de foie de sanglier. Le tout….

— Je vous fais confiance, maître Janisse ! l'interrompit Luirieux dans son envolée.

Janisse repartit en courbettes. Gagner du temps, lui avait demandé Algonde. Il ne le pourrait guère davantage. D'autant qu'Hugues de Luirieux poursuivait :

— J'ai hâte pour ma part de saluer mon épousée. Et son père qui vient d'arriver. Si vous voulez bien vous écarter.

Janisse ne bougea pas d'un pouce. Tout au contraire, il prit figure de lune, ajouta du débit à sa gouaille coutumière, pour empêcher encore Hugues de Luirieux de le couper.

— Je comprends, je comprends. Une si heureuse nouvelle ! Vous devez vous impatienter. Moi-même, messire, je vous félicite ! Mais n'est-ce pas trop à la fois, tout de même, deux ?

Profitant de leur incompréhension et de leur surprise, il réunit sur son tablier, à hauteur du cœur, foie et poivrier.

— Deux, je n'en reviens pas ! Personne dans cette maisonnée. Deux, l'entendez-vous, messire ? Deux ! C'est un miracle à voir comment notre dame est tournée. Ah ! comme vous devez être un heureux homme, vraiment ! Moi qui n'ai pas eu cette chan…

Se dégageant de derrière Hugues de Luirieux, Torval venait de se planter devant lui, son poignard à la main, l'œil excédé.

— Il fait faim, maître Janisse.

Le cuisinier sourit bêtement, feignant de ne pas comprendre.

— Précédez-moi en cuisine. Et vous aussi, monseigneur, pour vous désaltérer du temps que je hèle un valet. Vous vous perdriez dans ces étages et j'ai un petit vin de coteau tout à fait admirable qui vous fera patienter.

Torval lui empoigna le bras sans brutalité, mais avec une telle pression que Janisse eut l'impression qu'on le lui broyait. Comprenant qu'il ne servirait à rien de lutter, il suivit le mouvement de retrait qu'on lui imposa.

— Où se tient mon épouse ? gronda Hugues de Luirieux en se promettant de fouetter au sang le cuisinier s'il le perdait.

Maître Janisse préféra ne pas s'y risquer. D'autant que, le passage libéré, il ne pouvait plus rien pour les retarder. À part peut-être…

— Alors voilà, au bout de ce couloir qui sépare le corps de logis du donjon par lequel vous êtes entrés, vous prenez cet escalier. Vous verrez une porte sur le premier demi-palier, côté donjon, mais il faudra la laisser, c'est là que je loge avec mon épousée, dame Gersende. Comme vous le sav…

— Au fait, gronda Luirieux, excédé.

— J'y viens, j'y viens… Donc, face à notre chambre, côté logis, vous avez la grande salle de réception… qui ne nous intéresse pas pour l'heure, assurément. C'est pourquoi vous allez continuer à monter. Là. À ce troisième niveau se trouvent vos chambres, messire…

Luirieux s'engouffra dans l'escalier. Janisse haussa le ton.

— Mais dame Hélène n'y est pas, non…

Il s'immobilisa sur la quatrième marche, pivota pour le foudroyer du regard. Janisse blêmit sous la tenaille resserrée autour de son bras. Il n'avait plus le choix.

— Il vous faut continuer votre lancée, jusqu'à la coursive, sur le toit. Vous verrez une porte basse dans le donjon. C'est là que vous trouverez l'ancienne parturiente.

Ralliant Ronan de Balastre à sa suite, Hugues de Luirieux avait déjà disparu dans l'escalier. Janisse avait fait ce qu'il pouvait.

— La partu… quoi ? demanda alors sottement l'individu bestial qui persistait à le malmener.

Janisse le toisa d'un air supérieur.

— Si vous consentez à lâcher ce coude qui ne vous a rien fait, je me ferai un plaisir de vous expliquer.

La pression céda. D'un hochement de tête satisfait, aussi digne qu'un prince blâmé, Janisse réintégra sa cuisine avec la ferme intention de saouler ce diable, de mots choisis autant que de vin piqué.

58.

Laissant Ronan de Balastre en arrière-garde sur la coursive, Hugues de Luirieux ne toqua pas. Il avait compris aux manières de Janisse qu'on voulait le retarder. Dans quel dessein ? Il espérait le découvrir en poussant la porte, mais le tableau qui s'offrit à lui avait l'allure même d'une composition et il en fut pour ses frais. Se maudissant de n'avoir pas réagi plus vite, il décida que, pour mieux se débarrasser des importuns, il n'avait pas d'autre choix que d'entrer dans ce jeu truqué.

Hélène, adossée à de volumineux oreillers, un nourrisson à chaque sein, lui tendit une main aussi chaleureuse que son sourire, malgré l'épuisement qui se peignait sur ses traits.

— Mon époux ! Quelle joie vous me faites !

Hugues de Luirieux ôta son chapeau, salua d'un mouvement de tête les deux hommes et Sidonie installés de part et d'autre du lit dans des faudesteuils élimés, puis, sans plus s'inquiéter d'eux, se pencha au-dessus du front d'Hélène pour l'embrasser.

— Je m'inquiétais de vous, ma mie. Et à juste titre, je le constate. J'aurais eu pour vous les meilleures ventrières si vous étiez restée à mes côtés comme je vous le recommandais.

Il s'assit au bord du lit pour caresser avec tendresse la joue gonflée de succion d'une des jumelles, créant l'illusion parfaite de son affection.

— Je n'aurais pas supporté de vous perdre si cet enfantement avait mal tourné, ajouta-t-il d'un ton de fausset.

Hélène soupira.

— Je vous demande pardon, Hugues, de cet entêtement qui fut mien. C'est vrai, vous ne songeâtes qu'à me protéger. Je le disais à mon père ici présent, quelques secondes encore avant que vous n'entriez.

Le sourcil de Luirieux se redressa de surprise.

— Vraiment ?…

Enguerrand sortit de sa réserve.

— Vraiment, Luirieux. Quoi qu'il m'en coûte de vous le concéder, Hélène a brossé de vous un portrait des plus flatteurs et des plus attentionnés.

Elle eut un petit rire clair qui, soulevant sa poitrine gonflée, berça les deux enfançonnes.

— Oh ! Enguerrand ! Je suis heureuse que tu le reconnaisses après toutes ces mises en garde injustifiées. Et vous aussi, père. Je vous le demande, par amour pour moi, vous qui me vîtes si désespérée de la mort de Djem, admettez que me voici non seulement remise, mais comblée. Comment pouvez-vous encore douter d'un homme qui accepte pour siens les enfants qu'un autre m'a donnés. De grâce, vous quatre, faites la paix.

Hugues de Luirieux manqua s'étrangler devant semblable incongruité, mais plus encore lorsqu'il vit se dessiner sur le visage du baron et de Sidonie, qui s'étaient levés d'un même élan, l'amorce d'un sourire.

— Soit, ma fille. Nous n'avons jamais rien su te refuser.

Précédant Sidonie, le baron Jacques l'embrassa au front, rendu moite par la fatigue, puis se tourna vers Luirieux tandis qu'à son tour Enguerrand se redressait.

— Je vous dois des excuses, il me semble, mon

gendre. Elles ne rendent pas caduc mon discours pour autant, car il est du devoir d'un père de protéger les siens, et je veux croire que vous vous tourmenterez pour vos filles comme je me suis tourmenté pour la mienne. La revoir m'a convaincu de votre attachement et du sien, contre toute attente. Me pardonnerez-vous d'en avoir douté ?

Luirieux ne sut que répondre. Si jeu il y avait pour le tromper, il était bien mené. Au point qu'il se demanda quel avantage ses ennemis en retireraient. Jacques de Sassenage venait d'ouvrir ses bras. Les refuser aurait réarmé leur guerre. Il accepta l'accolade, l'œil rivé sur Enguerrand qui s'était rapproché d'Hélène pour la biser à son tour.

— Le passé doit appartenir au passé, Enguerrand.

Il lissa sa chevelure collée de sueur.

— Ton bonheur fera le mien, ma cousine, puisque tel est ton souhait. Je te promets de ne pas m'y opposer. Repose-toi, à présent. Nous allons te laisser. Des affaires m'attendent à la Rochette que je dois régler avant de quitter le Dauphiné.

Hugues de Luirieux tiqua sur cette dernière phrase. Le reste lui paraissait, au mieux, destiné à rassurer Hélène. Il refusait de croire qu'Enguerrand ait rangé son épée. Pour preuve, le chevalier s'approcha de lui, l'œil noir.

— Sortons, Luirieux. J'ai à te parler.

Prenant le temps de promettre à Hélène d'être présent à son réveil, Luirieux rejoignit Enguerrand et Jacques sur le devant de la porte.

Il la referma, plissa les yeux sur le soleil qui le frappait de plein fouet avant qu'Enguerrand ne le lui masque.

— Je suis un homme d'honneur, Luirieux. Je tiendrai donc ma promesse à Hélène, puisqu'elle te veut voir non tel que je te sais, mais tel que tu lui parais. Puisqu'elle t'aime. Ou qu'elle croit t'aimer. Elle a bien assez souffert sans que je la prive encore de cette félicité. Ton attitude à mon égard m'empêche de croire que tu as changé, mais peut-être n'est-ce que le fait de notre vieille rivalité, après tout.

— Fi de discours. Nous sommes de la même race. Nous ne connaissons pas le pardon. Qu'attends-tu de moi, Sassenage ?

Enguerrand eut un rictus supérieur.

— Que tu prennes soin d'elle et des enfants qu'un autre t'a donnés. Tu vois, j'ai bien moins d'exigence que tu n'en aurais.

— Et c'est tout ?…

Luirieux était stupéfait.

— Non. Je te rends à ta charge de prévôt, puisque personne ne semble s'en plaindre dans la contrée. Quant à moi, je pars. Tu ne me reverras pas. Mais je saurai par son père si tu la fais souffrir un jour. Lors, je reviendrai et, sois-en sûr, je te tuerai.

Il s'écarta, laissa Luirieux à son expectative. Le baron patientait devant l'escalier, Sidonie l'avait déjà emprunté.

— Attends, Sassenage.

Enguerrand se retourna.

— Comment as-tu su pour Mounia ?

Enguerrand savoura cette seconde. Le premier coup de poignard de sa vengeance. Le tout premier pour ouvrir la plaie.

— Par mon fils. C'est lui qui m'a retrouvé.

Hugues de Luirieux eut l'impression que le sol se dérobait sous ses pieds.

— Ton fils ? Mais…

Enguerrand eut un petit rire mauvais.

— Tu l'ignorais, mais Mounia était enceinte lorsque tu l'as vendue à Bayezid. Elle s'est affranchie de lui comme elle s'est affranchie de toi et de Djem. Je pars, je te l'ai dit. Les rejoindre tous deux.

— Où ?

— Me crois-tu assez stupide pour te le révéler ? se moqua Enguerrand avant de tourner les talons.

Resté seul sur la coursive, Luirieux emprunta l'escalier pour rejoindre Ronan de Balastre sur le toit du donjon carré. De là, la vue était splendide sur la contrée. Hugues de Luirieux s'accouda à un des créneaux de pierre qui lui arrivaient à la taille.

— Ainsi donc, vous avez gagné. Sans même qu'une goutte de sang soit versée, laissa choir Ronan de Balastre.

— Il faut croire.

Hugues de Luirieux s'attarda sur les silhouettes qui venaient de quitter le bâtiment et d'avancer d'un même pas vers l'écurie. C'était trop parfait. Trop soudain, ce revirement de situation. Était-ce Hélène qui l'avait provoqué ? Craignait-elle si fort pour ses enfants qu'elle ait à ce point composé ? Le baron, son épouse et Enguerrand enfourchèrent leurs montures. Ils n'étaient que trois. Où se trouvait le quatrième ? Luirieux suivit le pas lent des bêtes vers les tours-portières de la première enceinte. Se doutaient-ils qu'ils étaient observés ? Parvenus au terme de la seconde cour, ils s'immobilisèrent devant un des gardes. Ce dernier partit à la course en direction des logements. Un homme en sortit peu après. De là où il se trouvait, Luirieux ne pouvait distinguer ses traits, mais il portait la livrée des Sassenage. Dumas ? Voilà qui corroborerait ses premières déductions. Il enfourcha une bête qu'un autre lui présentait et se cala sur le pas des trois autres. Quelques secondes plus tard, ils enfilaient la herse et s'élançaient au galop sur la grand-route. Quatre à l'arrivée. Quatre au départ, songea Luirieux. Tout était en ordre.

Alors pourquoi cette sensation détestable de complot persistait-elle en lui ? À cause de Mounia ? N'était-ce pas plutôt de son fils à lui que l'Égyptienne aurait accouché ?

Il se pencha vers Ronan de Balastre, lui-même perdu dans d'obscures pensées, baissa la voix.

— Furète partout. Discrètement.

— Qu'est-ce que je cherche ?

— Une raison à tout cela. Je veux connaître ce que l'on prend tant de soin à nous cacher.

59.

Après avoir appris que Petit Pierre était parti de bonne heure en forêt pour relever ses collets et qu'il ne tarderait plus à rentrer, Hugues de Luirieux et Ronan de Balastre s'étaient réfugiés dans l'appartement seigneurial. Ils étaient éreintés d'avoir chevauché toute la nuit, épuisant les chevaux entre les relais.

Tandis que, dans la pièce attenante, Gersende rafraîchissait un lit qui, selon elle, sentait le renfermé, le prévôt et son homme de main s'étaient fait monter une collation.

Quelques minutes plus tard, Torval poussait du pied la porte mal jointée et leur apparaissait dans l'encadrement, le gilet maculé de graisse, une main refermée sur une cuisse de poulet, l'autre sur un pichet qui tanguait. Le rire gras de trop de vin, Torval se laissa choir sur le banc en face d'eux, en jurant tous les tonnerres de Dieu qu'il aurait été dommage, finalement, d'empaler le cuisinier.

Hugues de Luirieux ne fut pas long à se ranger à son idée, si bien que, lorsque Gersende eut achevé son ménage, effaçant tous les vestiges de la présence de Jacques de Montbel la veille, seul un bruit de mandibules résonnait dans la pièce.

Elle s'en échappa sans qu'aucun des trois remarque son sourire satisfait.

Il faut dire que maître Janisse avait fait ce qu'il devait.

Ainsi avait toujours été sa devise : « Rien ne résiste à la gourmandise quand la chère est bonne à se damner. »

Et, en matière de damnation culinaire, il savait de quoi il parlait. Jouant les savants auprès de Torval, il avait fourbi ses meilleures armes.

Pâté en croûte ou de venaison, tourtes aux girolles et à la bécaroïlle, filet de truite roulé au miel subtilement fourré de poudre d'amandes poivrée, poulardes à la broche arrosées de lard fondu et saucées d'airelles, sans parler des tartelettes de caramel, du massepain aux fruits secs sur coulis de fraise et de ses incontournables œufs aux lait.

Il n'avait mis de côté que le repas prévu pour dame Hélène, sachant combien elle était gourmande et apprécierait de le déguster à son réveil. Pour l'heure, la pauvrette, seul un bouillon était passé et il n'était pas question que son époux donne à Janisse des raisons de la négliger.

Luirieux ne le méritait pas.

Par contre, considérait Janisse, le prévôt méritait de savourer jusqu'à plein ventre toute autre bouchée, de sorte qu'il en redemande sitôt sa digestion faite et ne puisse se passer du petit ragoût de mouton aux fleurs de pavot qu'il était, présentement, occupé à cuisiner.

Parce que maître Janisse aimait le travail bien fait.

Et que son travail, Jacques de Sassenage le lui avait bien recommandé avant de quitter la place, profitant que Torval était sorti uriner, était de s'assurer que ces lascars dorment.

Et ce toute la nuit qui suivrait sans se réveiller.

L'heure ne s'y prêtait pas encore, pourtant. Même si Hugues de Luirieux était repu. De vin. De chère.

Depuis le cabinet d'aisances qui jouxtait la chambre, un bruit d'écoulement d'urine lui parvint, ramenant à son ventre la piqûre d'une envie pressante.

Il se leva, lourd, s'appuya sur l'estomac pour roter bruyamment et se dégager d'autant, puis rejoignit Ronan de Balastre qui rattachait sa brayette.

— Déguerpis ! le foudroya Luirieux en balayant l'espace d'un geste trop ample.

Le rire gras de son homme de main, prenant la porte, le mit de méchante humeur, comme toute allusion même larvée à son émasculation. Il s'assit sur le lit, ôta ses bottes, sa ceinture, puis ses braies, releva sa chemise et se planta avec soulagement devant le mur. Durant une bonne minute, il s'appliqua à viser le conduit pratiqué dans la maçonnerie, la main sur son semblant de vit, l'autre battant sa chemise vers l'arrière pour s'aérer d'un pet nauséabond.

Comme le lui avait fait remarquer Torval, la vie à Sassenage ne serait peut-être pas aussi détestable qu'on eût pu croire. Il pourrait, au fond, fort bien s'en contenter. En qualité de maître des lieux, il s'octroierait moult privilèges pour grossir sa fortune. Rançonner les paysans jusqu'à plus soif, augmenter taille et dîme, exiger plus de récoltes, plus de vin. Il faudrait qu'il songe, dès demain, à réclamer les livres de comptes. Il était certain que cette Gersende trichait, qu'elle grossissait son pécule sur le dos des Sassenage. Il allait veiller au grain. Et puis chasser ce Galoup aux allures d'homme. Certes, il avait promis à son épouse de le lui laisser, mais un chien ferait mieux l'affaire comme animal de compagnie. Au moins il pourrait chasser, rapporter du gibier et mériter la mangeaille qu'on lui donnait. Tandis que ce « monstre » coûterait d'autant plus cher en entretien qu'il fallait lui accoler son gardien.

Oui, demain, il s'attellerait à reprendre en main cette maison depuis trop longtemps abandonnée à ses domestiques. Il était le seigneur, que diable ! Il était important qu'on lui manifeste du respect. Qu'il inspire de la crainte chez ces gens.

Qu'il les bouscule.

Tous.

Tous à l'exception de ce maître Janisse à qui il continuerait de concéder quelques détestables manières eu égard à ses talents.

Car Hugues de Luirieux s'appliqua une fois encore à le reconnaître. Il n'avait, de sa vie, jamais si finement et si délicieusement mangé.

Son affaire faite, il se rassit sur la courtepointe qu'il venait de froisser et se mit en devoir de renfiler ses braies, une jambe après l'autre. Il remit de même ses bottes puis se leva pour finir de s'attifer.

Lorsque sa ceinture, lui glissant des mains, suivit le tombant de la couverture pour finir à demi sous le lit, il jura d'agacement à l'idée de se baisser. Il savait d'expérience que la tête lui tournerait et qu'il prendrait un relent de vinasse dans les narines.

Il s'appuya d'une main sur le lit et s'agenouilla, se consolant de penser que le ménage avait certainement été négligé, et qu'il pourrait ainsi s'en plaindre.

C'est à cet instant que son œil fut attiré par un éclat métallique. Il le ramassa en guise de preuve, à défaut des moutons de poussière qu'il espérait trouver, puis se leva pour ceinturer ses braies.

Ensuite seulement il s'accorda de jeter un œil soupçonneux sur l'objet.

Un bouton de culotte, gravé d'armoiries. Ce n'étaient pas les siennes. Pas non plus celles d'Enguerrand ou du baron, il les connaissait trop pour se tromper.

Il se gratta le crâne d'une main. Qui pouvait recevoir les honneurs de cette chambre à coucher ?

Qui d'autre sinon un visiteur assez récent puisque le balai avait été passé avant que ce bouton soit tombé ?

Certainement pas Dumas. Il n'en avait pas les qualités.

Alors qui ? se demanda Hugues de Luirieux, circonspect.

Il empocha cet indice, en se promettant, une nouvelle fois, de débusquer la vérité.

60.

Aucun de ceux qui galopaient vers la Rochette n'avait douté d'avoir été surveillé à l'instant du départ. Lorsque le palefrenier leur avait demandé si le quatrième visiteur souhaitait lui aussi se mettre en selle, le baron Jacques avait compris qu'ils devaient jouer serré.

Hugues de Luirieux s'était renseigné.

Le baron avait donc servi au jouvenceau la version qu'il pouvait en attendre. À savoir que ledit quatrième, arrivé la veille pour annoncer leur visite, était de leur escorte et avait regagné le corps des gardes.

Ne restait plus qu'à trouver quelqu'un pour remplacer Jacques de Montbel.

Le baron connaissait suffisamment chacun des soldats attachés au castel de Sassenage pour être certain de leur fidélité. Ils se seraient fait tuer plutôt que le trahir.

De fait, parvenu devant la herse, l'un d'eux s'était aussitôt dévoué pour chevaucher avec eux.

L'affaire était entendue.

Algonde leur avait révélé l'existence d'un escalier secret dans la muraille qui partait de la dernière chambre du donjon, s'ouvrait à chacun des étages inférieurs par le fond des cheminées avant de rejoindre en bas une crypte autrefois utilisée par Mélusine. Réfugié dans les appartements de Gersende et Janisse, Jacques de Montbel n'avait qu'une dizaine de marches à grimper pour se trouver dans la chambre d'Hélène et s'interposer si besoin était. Forts de cette garantie, ils avaient accepté de se retirer.

D'autant que le comte d'Entremont ne serait pas le seul à veiller sur Hélène. Algonde, Petit Pierre, Janisse, Gersende, tout comme Constantin, avaient bien l'intention d'occuper Luirieux jusqu'au dîner préparé avec soin par Janisse.

Une fois les lascars endormis, le baron et Enguerrand reviendraient s'en charger.

Ils ralentirent donc très vite l'allure. Inutile de se précipiter, ils avaient toute la journée devant eux.

Sidonie en profita pour prendre des nouvelles de la famille du Benoît qui les accompagnait, sous l'œil intéressé de son époux, tandis qu'Enguerrand suivait le fil de ses pensées qui, toutes, le renvoyaient à la manière la plus douloureuse de torturer Luirieux quand ils le tiendraient.

Ainsi absorbé, le chevalier ne remarqua pas que la route s'obscurcissait face à eux, à un quart de lieue au moins. Si bien qu'il ne réagit pas tout de suite lorsque le baron attira son attention.

— J'ai l'impression que nous ne sommes pas les seuls à nous en venir chez toi…

— Hum ? fit Enguerrand en s'arrachant à ses pensées.

— Des Bohémiens. Oui. Au nombre des roulottes je dirais une communauté de Bohémiens, renchérit le baron en mettant sa main en visière pour se garder du soleil qui le frappait.

Communauté, roulottes ou Bohémiens ?

Lequel de ces mots le fit réagir, Enguerrand ne le sut pas. Peut-être simplement la joie qu'ils provoquèrent dans sa mémoire.

Son cœur s'emballa dans sa poitrine. Khalil… Mounia… Mounia… Khalil, se mit-il à marteler dans sa danse folle.

Un bonheur sans nom, une certitude lui firent talonner sa monture. Emporté déjà, Enguerrand se retourna de quart pour voir le baron immobilisé de saisissement.

— Elora est de retour ! hurla-t-il dans le vent avant de se mettre à rire et de se coucher sur sa selle pour aller plus vite.

Encore plus vite à remonter le temps.

*

* *

Dans le chariot de tête, ils en étaient encore aux retrouvailles qu'un hasard curieux venait de leur offrir une heure plus tôt, à l'entrée du village de Fontaine pour les uns, à sa sortie pour les autres, les immobilisant sur le bord du chemin.

S'il n'avait tenu qu'à Mounia, les plantant là, elle se serait précipitée au grand galop vers la Rochette, mais, au moment de se décider, une peur panique l'avait ramenée près de son fils. Ne risquait-elle pas de se tromper de route, d'aller trop loin, de perdre plus de temps encore ? Elle avait attendu dix ans, ne pouvait-elle patienter quelques minutes de plus pour mieux les réunir tous les trois ?

Alors, domptant les battements affolés de son cœur, elle avait attendu, troublée de voir avec quel amour ces gens étreignaient son fils et combien il le leur rendait en riant.

Le temps de s'embrasser, de recevoir elle aussi des accolades chaleureuses et spontanées, pour Elora d'expliquer que Nycola était demeuré aux Saintes-Maries-de-la-Mer en garde de leur navire et en retour d'apprendre des Bohémiens que leur périple depuis Venise avait été seulement marqué d'une naissance, ils s'étaient remis en branle, attachant les chevaux à la dernière voiture.

Depuis, tandis que Khalil à ses côtés menait le convoi au pas lent des bœufs, elle se tordait les mains d'angoisse, harcelée par de nouvelles questions plus terrifiantes encore, qui l'avaient enfermée dans le silence : Enguerrand était-il chez lui ? Lui plairait-elle avec ces rides au coin des yeux ? Mais, plus encore, Luirieux n'avait-il pas trouvé cette fois le moyen de l'occire ?

Entourée de tous ces gens qui l'avaient fêtée comme une des leurs, elle serait plus forte face à la vérité.

Oui, plus forte, se répétait-elle en voyant grandir les murs d'enceinte du domaine.

— Mounia ! Khalil ! sembla lui chanter le vent, comme une promesse de retrouvailles.

Une de plus dans son cœur impatient.

— Mounia ! Khalil !

Son fils tira sur les rênes.

— Que fais-tu ? s'inquiéta-t-elle.

Il tourna vers elle un visage réjoui.

— N'entends-tu pas, maman ?

— …

— Mounia ! Khalil !

Cette voix. Cette voix qui grandissait dans un bruit de galop, se mit-elle à trembler.

Non. Ce n'était pas le vent.

Emportée d'émotion, elle sauta, se planta sur le bas-côté.

Là-bas, remontant les carrioles ventre à terre, ce cavalier fouillant du regard leurs fenêtres… hurlant…

Elle se couvrit la bouche de ses mains pour étouffer un cri de joie, les yeux inondés.

Il sut que c'était elle bien avant que la distance ne lui affirme ses traits. Il le sut dans chaque fibre de son corps, de son âme. Dès que le convoi s'arrêta.

Il se dressa sur ses éperons, hurla plus fort.

— Mounia !

Alors seulement elle consentit à y croire vraiment. À courir vers lui, à murmurer puis à crier à son tour.

— Je suis là ! Je suis là, Enguerrand !

Il sauta de sa monture à une quarantaine de toises d'elle, manqua s'aplatir sur le sol, se releva la cheville en feu pour reprendre sa course comme elle poursuivait la sienne, riant, pleurant, les bras ouverts, tendus, tétanisés par des années de renoncement.

Ils se rejoignirent enfin sous les acclamations des Bohémiens, s'enfermèrent dans une seule étreinte puis s'embrassèrent.

S'embrassèrent à se couper le souffle.

61.

Lorsqu'ils s'écartèrent enfin, de quelques pouces seulement, ce fut pour se fouiller du regard, se transpercer l'âme. Se reconnaître dans ce que le temps avait pu abîmer en chacun d'eux. Sachant qu'il leur était compté sur ce bas-côté, mais infini sitôt leur intimité retrouvée.

Déjà, le baron Jacques, Sidonie et Benoît s'arrêtaient en bordure et mettaient pied à terre.

Déjà Elora et Khalil les rejoignaient.

Enguerrand noua un bras à la taille de Mounia et la retourna vers son fils qu'il avait vu arriver, un franc sourire aux lèvres, plus grand de taille, mais identique à celui qu'il avait vu, grâce aux pouvoirs d'Elora, mener la carriole des bohémiens vers Venise.

— Heureuses retrouvailles, vous ne trouvez pas, père ? l'aborda Khalil simplement, dans un éclat de rire.

Enguerrand y reconnut le timbre du sien. Alors d'un geste, il ramena le jouvenceau dans ses bras. Dans leurs bras.

Trinité, songea Elora, à quelques pas. Elle aurait été heureuse de pouvoir elle aussi reformer la sienne avec son père et sa mère. Elle s'arracha à ce voile léger de tristesse. Certains choix étaient plus difficiles que d'autres. Algonde l'entendrait. Le comprendrait… Sûrement.

Elle en chassa le doute. Le baron Jacques s'approchait d'elle, de l'émotion plein les yeux.

— Palsembleu ! est-il possible que tu aies grandi encore depuis Rome ?

— Moi aussi, messire, je suis heureuse de vous revoir, répondit-elle simplement en s'inclinant dans une révérence.

Il se mit à rire.

— Et toujours aussi effrontée, ma foi !

Elle se releva, une jolie fossette au coin de la joue.

— Cela vous manquait, ne le niez pas.

— Et il n'était pas le seul dans ce cas, lui assura Sidonie en lui ouvrant ses bras.

Lors, pendant quelques minutes, sur ce bord de chemin, ils firent connaissance, tous, d'accolades et de chaleur partagée, loin des protocoles, des privilèges, Bohémiens, roturiers et seigneurs, unis par une même quête, une même histoire et un semblable respect.

Ensuite, sans parvenir à se décoller de Mounia qu'il jucha sur son destrier, Enguerrand les invita à le suivre en sa demeure pour festoyer.

*
* *

L'heure qui suivit fut consacrée à l'installation des Bohémiens sous les murs d'enceinte. Enguerrand leur proposa ses chambres, mais Bernard, qui menait la communauté en l'absence de son frère, déclina l'offre, arguant qu'ils étaient à l'image des tortues. Voyageant lentement, s'arrêtant là où l'herbe était tendre et rentrant dans leurs coquilles emportées partout.

Préférant, eux, l'intérieur, Mounia, Khalil, Elora, Jacques, Sidonie et Enguerrand s'installèrent confortablement dans un des petits salons, tandis qu'en la maison forte on se précipitait, s'activait, s'empressait pour trouver de quoi les sustenter tous, quitte à vider les réserves des habitants de Fontaine.

Le baron l'avait annoncé, il dédommagerait les villageois.

Pendant donc que le cuisinier pestait, tempêtait, suait, et dirigeait son monde pour se montrer digne de l'honneur qu'on lui faisait, les rires fusaient, entrecoupés de moments de gravité ou de colère selon qu'il était question de Janisse et Gersende, d'Algonde arrachée au Furon, de Constantin, de Petit Pierre, d'Hélène ou de Luirieux. Elora ayant rejeté à plus tard, lorsqu'ils seraient enfin tous réunis, le récit de leur propre épopée.

Enguerrand était sur le point d'évoquer Mathieu lorsqu'on vint annoncer que le déjeuner était enfin servi dans la salle de réception.

— Ce sera sa première utilisation, se réjouit le chevalier en remettant à plus tard la triste nouvelle.

Au fond, elle ne concernait qu'Elora. Mieux valait qu'il la lui annonce en aparté.

Pour l'heure, emboîtant déjà le pas au valet, elle poursuivait sa discussion avec le baron et son épouse à propos des funérailles de Djem. Khalil, lui, refusant qu'un autre aille chercher les Bohémiens, s'était précipité dans la cour pour les ramener.

Ne resta plus qu'eux dans le petit salon. Elle et lui, seuls. Quelques secondes.

Mounia enroula ses bras au cou d'Enguerrand, les yeux pétillants.

— Algonde, donc…

Il se sentit gêné.

— Certains moments, parfois…

Elle ne le laissa pas terminer, éclata d'un rire clair.

— … sont à l'image de ce que le destin en fait, oui,

je sais, Enguerrand. Je sais tout par Elora et je m'en réjouis autant que je t'aime.

Il la pressa contre lui.

— Dieu que tu m'as manqué ! Si j'avais su plus tôt, si…

— Chuuuut, imposa-t-elle à son oreille. Ce qui devait être a été. Oublions-le. Ensemble…

Elle s'écarta, son visage anguleux durci soudain d'une détermination impitoyable.

— … En écrasant Luirieux.

— En écrasant Luirieux, accepta Enguerrand avant de l'embrasser de nouveau fougueusement.

*
* *

Ils achevaient les cochons de lait dans un bel esprit de convivialité lorsque le mur attenant à la cheminée s'ouvrit, suspendant les conversations de la tablée.

Un colosse, massue sur l'épaule, parut dans l'encadrement du passage.

— Bien le bonjour, la communauté, lança-t-il dans un sourire guilleret.

Enguerrand venait de reconnaître le gaillard. Il se leva et marcha sur lui pour l'accueillir.

— Tu étais de l'échappée du Mathieu, si je ne me trompe, lui lança-t-il en même temps qu'une main tendue.

Briseur la serra.

— Vous avez bon souvenir, messire. Content de vous voir sur pied.

Jacques de Sassenage relâcha sa garde et avec elle la main qu'il avait portée à son épée. Suivant le colosse, deux jouvenceaux s'avançaient dans la lumière, un garçon, une fille, les épaules prises par les bras d'une femme aux longs cheveux tressés.

Regrettant qu'Elora se soit absentée quelques minutes, Enguerrand les salua à leur tour.

— Si j'en crois les dires d'Algonde, vous devez être Celma, Bertille et Jean.

— C'est cela même, l'approuva la devineresse dans un sourire. Nous étions cachés dans la grotte mais nous avons perçu votre présence à tous.

— Comment se pourrait-il ? s'étonna Jacques de Sassenage.

Une voix fluette s'éleva encore du couloir secret, précédant un petit homme, soutenu par un bossu, d'égale stature, mais au visage plus enfantin.

— Elle sait tout, voit tout et peut tout. Même revigorer un brigand aux portes de la mort. On me nomme La Malice. Et mon bâton noueux, c'est Mayeul. Pour vous servir, mes seigneurs.

Enguerrand sentit monter en lui une joie puérile.

— J'en connais un qui sera heureux de vous retrouver, tous autant que vous êtes.

— Petit Pierre, oui, nous savons, renchérit Bertille.

Jacques de Sassenage écarta ses bras vers les cieux, un rire joyeux aux lèvres.

— Je commence à croire qu'il n'y a rien que nous puissions vous apprendre !

Enguerrand sentit son cœur se nouer. Il fixa chacun d'entre eux avec une égale attention. Chercha Elora, puis, ne la voyant pas revenir, baissa les yeux sur eux.

— Pas même la mort de Mathieu, je présume.

C'est alors qu'elle fit son entrée, au bras de Présine qu'elle avait sentie arriver et vers laquelle elle s'était précipitée.

— Que nenni, messire Enguerrand ! Mon père ne s'est jamais mieux porté ! Il nous attend aux Saintes-

Maries-de-la-Mer, sur son navire, prêt à nous embarquer ! s'exclama-t-elle.

— Elora ? s'étrangla Mayeul devant la femme qu'il découvrait.

Elle éclata de rire.

— Alors quoi, mon petit bossu, suis-je devenue trop grande pour un baiser ?

Tandis que Présine confirmait au baron que ses runes les avaient avertis du sort de Mathieu depuis un bon mois déjà, Elora se détacha de Présine pour s'accroupir et presser Mayeul contre elle.

— Bougre de bougre, qu'est-ce qu'ils t'ont fait manger ? s'époumona-t-il en réalisant que même ainsi elle le dépassait d'une bonne tête.

Elle lui colla deux bises sonores sur les joues.

— Du sang de dragon…

Il écarquilla ses yeux comme des soucoupes.

— Vrai ?

Elle se releva dans un éclat de rire général.

— Non, bêta, mais ça pourrait bien arriver là où nous allons ! « Bougre de bougre »… Qui donc t'a appris ça ? Petit Pierre ?

Mayeul la couva d'un œil tendre autant que taquin.

— Fallait bien s'occuper pendant qu'on t'attendait !

Elle froissa sa chevelure broussailleuse.

— Toi aussi tu m'as manqué, petit frère.

Autour de la tablée, on se poussait sur les bancs pour accueillir les nouveaux arrivants. Les présentations se faisaient aussi naturellement que quelques heures plus tôt. Briseur avait posé sa massue pour aider La Malice, les enfants s'installaient, et Celma fixait Elora, Présine et Mayeul d'un air radieux. Quant aux valets, ils couraient, affolés, pour répondre à cette nouvelle demande d'invités.

— Une belle communauté, Elora, oui une bien belle communauté déjà, assura Présine, émue de ce spectacle.

La jouvencelle lui sourit. Le temps des explications viendrait. Pour l'heure, elle entraîna Mayeul par la main.

— Allez viens, mon tout beau, que je te présente mon fiancé.

Mayeul sentit son cœur se serrer. Juste une seconde. Avant de voir Khalil se déplier, et de comprendre que ces deux-là étaient d'une même race et qu'ils étaient forcément destinés.

Alors, se laissant emporter par le bonheur qui, tous, les inondait, il lui tendit la main en gage de fraternité.

62.

Hugues de Luirieux et ses acolytes avaient dormi longtemps, rattrapant leur nuit d'insomnie à galoper. Si bien que l'après-midi était déjà avancé lorsqu'ils se levèrent, empâtés. Le prévôt ouvrit la croisée pour inspirer un peu d'air frais et immobilisa son regard sur un rire qui trouait l'ombre de la bâtisse.

— Cette fois, je pars le premier…

Petit Pierre, reconnut-il. La seconde d'après, l'enfant s'élançait à toutes jambes vers le fond de la cour, bientôt rejoint par Le Galoup qui le coursait. Ils s'immobilisèrent, tous deux à bout de souffle et de rire.

Hugues de Luirieux s'en agaça quelques secondes. Ce monstre avait réussi à rendre à l'enfant sa gaieté, ce qui compromettait pour l'heure l'idée de le renvoyer. Bah ! songea-t-il, avec un minimum d'attention et de discipline, il récupérerait ses bienfaits…

Il s'étira. Un peu d'exercice lui ferait du bien. Et lui offrirait l'occasion de renouer avec son fils. C'était, après tout, le seul qu'il aurait jamais.

Dans le cabinet de toilette où ils s'étaient réfugiés dès qu'il avait quitté la chambre, Torval et Ronan de Balastre achevaient de se passer le visage à l'eau fraîche. Le prévôt les laissa à leurs ablutions sommaires et s'en fut déverrouiller, satisfait de constater que personne n'avait eu l'idée de les attaquer, comme il l'avait craint brusquement, juste avant de s'étendre.

Il trouva Gersende sur le seuil, prête à frapper à la porte.

— Plaît-il ? demanda-t-il, surpris.

— Dame Hélène serait heureuse de votre visite, messire.

Il la remercia, la laissa continuer sa descente, puis se rabattit dans le logis pour donner ses ordres à ses hommes. Ensuite de quoi, il grimpa l'escalier.

*

* *

Puisque son épouse l'avait fait mander, Hugues de Luirieux prit la peine, cette fois, de s'annoncer par une brève chiquenaude contre le battant, avant d'entrer.

Il la trouva de meilleure mine malgré l'évidente fatigue qui persistait sur ses traits. Pendant qu'il se reposait, on avait apporté un berceau neuf dans la chambre. Les jumelles y étaient couchées l'une contre l'autre.

— Le menuisier s'active à un second..., expliqua Hélène qui avait suivi son regard en oblique, avant d'enchaîner : Et Gersende à une deuxième nourrice. Il faut dire que nous avons tous été pris de court. Moi la première.

Hugues de Luirieux hocha la tête, indifférent à ces contingences matérielles. Il ne remarqua qu'une seule chose. Incongrue dans le contexte de cette intimité. Hélène lui souriait.

— Venez-vous asseoir près de moi. S'il vous plaît, Hugues.

Il la contenta. Accepta avec suspicion la main qu'elle posa sur la sienne. Demanda pourtant :

— Comment vous sentez-vous ?

Elle eut un petit rire.

— J'ai le sentiment d'avoir été à la fois écartelée et rouée de coups. Pour clore le tableau, horrible sans doute.

Dans le contexte étrange de cet échange, il crut de bon ton de la rassurer :

— Je ne trouve pas, non. Votre beauté est altérée, je ne le nierai pas, mais vos yeux pétillent et ils sont plaisants à regarder.

Un fard piqua les joues d'Hélène.

— Tant mieux.

Elle lui caressa le dessus de la main et curieusement l'idée lui vint qu'il avait bien fait de se les laver.

— Cela va vous sembler surprenant au regard des termes de notre contrat, mais j'ai eu le temps de réfléchir au long de mon voyage, plus encore durant cet accouchement interminable. Et, finalement, je ne vous en veux pas. Au contraire. Je persiste dans l'opinion que j'ai donnée de vous à mon père et à Enguerrand.

— Vraiment ?...

Hélène lui enleva la main pour la porter à ses lèvres. Leur douceur le troubla plus qu'il ne s'y attendait. Déjà Hélène la reposait pour planter dans les siens deux yeux chaleureux.

— Qu'ai-je à vous reprocher, en vérité ? De vous être payé en retour de vos largesses, par les modestes biens que je possédais ? Je vous les aurais donnés de moi-même pour ce seul regard que vous avez posé sur mes enfants. Comprenez-moi, Hugues. Elles sont tout ce qu'il me reste de Djem et vous les avez acceptées. Non, ne dites rien, je vous en prie, laissez-moi terminer...

Il se tut devant la sincérité de ses traits.

— ... Notre mariage est un marché de dupes, mais je n'ai pas le sentiment ce jourd'hui d'avoir été dupée. Respectez-moi toujours comme vous venez de le faire, mon mari, et je jure devant Dieu que vous n'aurez meilleure épouse. Le voulez-vous ?

Il sonda ce regard chargé d'une évidente tendresse. Ranimé par la maternité. Se pouvait-il qu'elle puisse un jour en arriver à l'aimer ? Ce ne serait pas le premier hymen qui, né d'intérêt, verrait les deux parties s'en accommoder. Il lui sourit à son tour.

— Rien ne saurait me plaire davantage, Hélène. D'autant que, votre fortune aidant, il est dans mon intention d'abandonner ma charge et de vous aider à la gérer.

Elle s'illumina.

— Quelle merveilleuse idée ! Oh ! Hugues, je suis heureuse comme je croyais ne plus jamais pouvoir l'être. Merci. Merci. C'était tout ce que j'espérais. À l'exception peut-être... Oserai-je vous le réclamer ?...

— Faites. Je n'ai rien à vous refuser.

Elle rougit de nouveau, baissa les yeux.

— Un baiser... Un vrai baiser.

Hugues de Luirieux perçut une aiguille de désir lui transpercer le bas-ventre. Hélas pas suivie d'effet. Il se pencha pourtant vers ce visage qui se tendait, cueillit la joue d'Hélène dans sa main caressante et fouilla cette bouche qui s'offrait.

Lorsqu'il la quitta, quelques minutes plus tard, ahuri et troublé, Hélène enleva de sa table de chevet le verre d'eau de mélisse qu'elle y avait préparé. Elle se gargarisa, puis, à la façon des janissaires qu'elle avait si longtemps côtoyés, envoya un crachat s'écraser sur le plancher.

Ensuite de quoi elle se laissa retomber sur l'oreiller, l'œil rancunier autant que soulagé. Plus aucun doute ne la tenait.

Hugues de Luirieux était tombé tête baissée dans le piège qu'on lui préparait.

*
* *

Lorsque Luirieux parut en haut des marches de l'entrée principale du castel, Petit Pierre venait d'entamer une partie de cloche-pied. Il le héla.

Abandonnant aussitôt Le Galoup, le garçonnet partit en courant pour s'immobiliser, jambes écartées, mains sur les genoux, teint rouge et souffle coupé, devant lui.

— Te voilà bien en sueur, mon fils.

L'appellation écorcha les oreilles de Petit Pierre, pourtant il leva vers Hugues de Luirieux un franc sourire.

— C'est à cause du Galoup, il court plus vite que moi ! Mais cela ne fait rien. Je vais m'entraîner pour gagner. Dites, quand pourrai-je voir mes sœurs ? Dame Gersende prétend qu'elles sont si petites que je pourrais les briser rien qu'à vouloir les toucher, est-ce vrai ?

Hugues de Luirieux fut agréablement frappé par la transformation qui s'était opérée chez l'enfant. L'œuvre du Galoup, sans aucun doute. Car, pour autant qu'il s'en souvienne, en guise d'au revoir au départ de Romans et juste avant de monter dans le carrosse, Petit Pierre lui avait écrasé le pied.

Il s'accroupit pour se ramener à sa hauteur.

— Demain tu les verras. Pour l'heure, ces dames se reposent. Elles ont eu une dure journée.

Petit Pierre hocha la tête.

— Je le veux croire. Puis-je retourner jouer ?

— Je préférerais que tu m'accompagnes.

— Où voulez-vous aller ?

— Faire le tour de nos terres, en grande chevauchée. Tu sais monter, je crois.

— Oui. Mon pè… (Petit Pierre se mordit la lèvre, chassa la brume qui endeuilla son visage pour se reprendre)… Le Mathieu me l'a enseigné.

Hugues de Luirieux nota l'effort, louable, qu'il venait de consentir à leur relation. *Décidément*, songea-t-il*, ce lieu fait des miracles.* À moins que ce ne soit l'arrivée de ces enfançonnes qui donne à chacun le goût d'une nouvelle famille. Il devrait veiller à se protéger d'une trop grande quiétude. Il savait, par expérience, qu'elle engendrait la mollice et que rien de bon n'en naissait.

Il froissa pourtant l'abondante chevelure bouclée.

— Mathieu te manque et je le comprends, mon fils. Il n'est pas utile que tu essaies de le cacher. Après tout, c'est auprès de lui que tu as grandi. Non seulement tu n'es pas responsable du mensonge de ta mère, mais on n'efface pas en quelques semaines tout l'amour qu'on a porté.

Petit Pierre hocha la tête, la gorge nouée. Non pas de cette apparente compréhension, mais de ce qu'il s'apprêtait à dire et qui lui coûtait. Il baissa le nez pour ne pas regarder cet homme qu'il haïssait.

— Ça va aller. Faut pas vous inquiéter. Qu'il soit dans la rivière ou sous terre, Mathieu, quelle différence ça fait, en vérité ? Il est mort, il est mort. Un point c'est tout. Dame Hélène me l'a bien fait comprendre. J'ai beaucoup de chance que vous m'ayez adopté. Avec mes vilaines manières, vous auriez fini par me pendre un jour ou l'autre. Alors…

Il redressa la tête.

— On fait la paix ?

Hugues de Luirieux accepta la poigne que Petit Pierre lui tendait.

— Avec joie, fils.

Petit Pierre s'arracha à sa tenaille. Pas lui laisser le temps d'une accolade. Fallait pas exagérer ! Il recula pour courir vers l'écurie.

— Le premier en selle mène la cheminée !

Hugues de Luirieux éclata d'un rire joyeux.

Ce qui ne l'empêcha pas, en s'écartant de la bâtisse, d'adresser un bref signe de tête à Ronan de Balastre. Dès qu'il serait parti avec Petit Pierre, l'attention se relâcherait dans le castel.

Assez peut-être pour que son homme de main, resté en retrait, puisse commencer à fouiner.

63.

Ronan de Balastre avait faim.

Il était dans sa nature de manger, quelle que fût l'heure de la journée, si, par chance, quelques mets chatouillaient sa gourmandise. Il en usait d'autant plus que son excellente constitution lui faisait perdre dans l'exercice le surplus qu'il avalait.

Une fois Luirieux parti, il se glissa donc en cuisine, et, n'y trouvant personne, récupéra une louche à son crochet. Sans le moindre remords, attiré par le fumet, il souleva le couvercle du pot sur le feu.

— Voulez-vous bien reposer cette cuillée !

Le ton était si comminatoire que Ronan de Balastre se retourna avant même de l'avoir plongée.

Maître Janisse, après avoir dévalé l'escalier, fondit sur lui d'un air ulcéré et le ventre en avant.

— Sacrilège, messire, sacrilège ! Quatre heures, pas moins de quatre heures encore de petit bouillon pour que les saveurs explosent en bouche. Y goûter maintenant gâterait tous mes effets !

Et, d'autorité, il lui arracha l'ustensile, le laissant penaud et embarrassé, lui qui ne se troublait jamais.

— Pardonnez-moi, maître Janisse, mais…

— N'en dites pas davantage, je sais, cela embaume.

Le prenant par les épaules, il entraîna Ronan de Balastre loin de sa mijotée.

— Je l'ai deviné rien qu'à vous voir, mon cher, vous

êtes un gourmet. Ce soir, au dîner, croyez-moi, vous me bénirez. Mais en attendant, que diriez-vous de vous occuper une petite dizaine de minutes…

— Pourquoi dix ?

Janisse l'arrêta devant un four, huma le parfum sucré qu'il dégageait.

— Vous sentez ? Reniflez, reniflez que diable ! insista-t-il en ouvrant les bras pour inspirer à pleins poumons.

Ronan de Balastre l'imita sous son œil satisfait.

— Tout le secret de la tarte aux myrtilles tient là, mon ami. Quand le sucre se met à fondre tout autour des grains, qu'il les sertit délicatement un à un. Ni trop, ni pas assez.

Il reprit Ronan de Balastre sous son bras épais et le ramena vers la sortie.

— Neuf minutes. Plus que neuf, et vous pourrez la goûter.

Ronan de Balastre sortit plus alléché encore qu'il n'était entré, sans voir combien Janisse était soulagé.

Il erra donc, puisque Hugues de Luirieux comme le cuisinier le lui avaient recommandé.

Rien d'anormal ne le frappa. Dans la cour du castel, chacun vaquait à sa tâche. Le boulanger enfournait, le père Vincent ramassait des simples dans un minuscule jardin, des jouvencelles revenaient, les bras chargés de fleurs pour les jonchées, ici l'on puisait de l'eau, là on en vidait. Il compta trois minutes devant l'antre du maréchal-ferrant, les mains derrière le dos, tout en gardant l'oreille et l'œil en alerte, puis passa dans l'autre cour, entre l'étable et la forge. Le Galoup fendait du bois près de la fauconnerie sous l'œil attentif de son maître qui rangeait les morceaux sous un appentis.

Quant au fauconnier, il entraînait une jeune recrue à fondre sur un leurre.

Ronan de Balastre s'y intéressa le temps d'un lâcher et d'un piqué puis revint sur ses pas.

Tout était tranquille. Hugues de Luirieux se faisait des idées, songea-t-il.

Il gagna pourtant l'écurie et réclama de voir la monture sur laquelle le troisième homme était arrivé la veille. Pendant qu'il l'examinait, le palefrenier lui confirma que le cavalier en question était de l'escorte du baron Jacques. Sa sellerie révéla pourtant à Ronan de Balastre des armoiries identiques à celles du bouton de brayette que Luirieux avait trouvé.

Lorsqu'il ressortit, perplexe, il apprit d'un valet que maître Janisse le cherchait.

Il s'empressa de retourner en cuisine, alléché autant de gourmandise que d'informations, car l'idée venait de le traverser que personne mieux que ce diable de cuisinier ne pourrait le renseigner.

Janisse l'attendait.

Il lui tendit une part odorante, parfaite, dont Ronan de Balastre se délecta, debout près du billot, les contours de la bouche noircis du jus des baies.

— Sublime ! La meilleure que j'aie goûtée.

Janisse s'empressa de lui en couper une deuxième part, puis une troisième.

— N'ayez pas de remords, une autre est en cuisson pour le dîner. Vous prendrez bien un peu de crème pour l'accompagner ? Vous verrez, elle est onctueuse et parfumée à souhait, insista Janisse en lui en versant une bonne louchée dans un bol.

Tant et si bien que, de longues minutes plus tard, Ronan de Balastre, repu et admiratif, faillit repartir sans avoir rien demandé. Il se reprit en haut de l'escalier.

— Dites-moi, maître Janisse, vous qui connaissez tout de cette maison, est-ce bien un dénommé Dumas qui est venu vous annoncer l'arrivée du baron Jacques hier soir ?

Janisse ne se démonta pas. Tout au contraire, il soupira.

— Ma foi, messire, je l'ai vu, mais ne m'y suis pas attardé. Un ignorant. Voilà ce qu'il est. Incapable de saucer convenablement ou de saliver d'une frottée d'ail.

Il tendit le bras vers la tarte, rognée de moitié.

— Là, voyez, cette merveille, il ne l'aurait pas même approchée. Ah ! tout le monde n'est pas comme vous, non non non. C'est bénédiction que vous l'ayez remplacé.

Ronan de Balastre insista encore, pourtant.

— Savez-vous s'il a été anobli ?

— Qu'est-ce qui vous le donne à penser ?

— La chambre seigneuriale qu'on lui a allouée.

Janisse ne fut troublé qu'un semblant de seconde, le temps de mouliner des bras dans un râle furieux.

— Trouvez-vous cela normal, en vérité ? Moi non. Je dis « non », messire. Non. Qu'a-t-il fait pour le mériter ? Je vous le demande, vous le savez ?

— Moi ? Non, répondit Ronan de Balastre entraîné par la fougue brutale et rancunière du cuisinier.

— Eh bien, moi non plus et personne de cette maisonnée, mais monsieur veut des égards, maintenant, des privilèges ! Sans même être capable de les apprécier. Tandis que moi… (Il brandit un index boudiné, bomba le torse.)… Moi, messire ! J'aurais cent fois mérité cet honneur. Cent fois ! N'était-il pas plus héroïque d'embrocher une poularde lardée qu'un manant ? (Il agita son doigt.) Je vous le dis, à vous qui me comprenez si bien, que seraient mes maîtres sans moi ? Faméliques et décharnés ! Pis messire ! Pis ! (Il détacha chaque syllabe.) Em-poi-so-nnés ! Oui ! Parfaitement ! Em-poi-so-nnés de mal manger !

Et c'est sur cette tirade que maître Janisse tourna le dos à Ronan de Balastre, le laissant convaincu et sans plus d'autre raison d'enquêter.

*
* *

Luirieux rentra tard de sa promenade.

Son bain pris, il accorda à Petit Pierre de passer quelques minutes auprès du Galoup, remettant à plus tard sa décision de chasser la créature. Un rapprochement tel s'était opéré entre lui et son fils qu'il ne voulait risquer de le briser. Ensuite de quoi il s'en fut embrasser son épouse qu'il trouva rafraîchie et reposée, et dans les mêmes dispositions à son égard qu'il l'avait laissée.

Tout semblait au mieux, donc, à l'heure du dîner pour lequel la table avait été joliment dressée.

Profitant de l'absence des valets, Ronan de Balastre lui fit son rapport au sujet de Dumas, insistant sur le fait que les habitants du castel semblaient ravis d'avoir enfin des maîtres à demeure.

Hugues de Luirieux s'en contenta. Lui-même avait chevauché par les bois jusqu'à approcher d'au plus près la Rochette, serrant Petit Pierre devant lui pour s'en servir d'otage comme de bouclier si besoin était. Il avait vu un campement de Bohémiens accolé à l'enceinte de la maison forte et par son portail ouvert une agitation de valets. Visiblement, tout était tel qu'Enguerrand de Sassenage le lui avait annoncé.

Il allait donc pouvoir jouir, en toute quiétude, de sa nouvelle vie.

Fort de cette certitude, il s'attabla avec ses compères, le cœur et l'esprit tranquillisés puis, à leur exemple, dégusta le verjus qu'un jeune échanson venait de leur verser.

Lorsque maître Janisse lui-même vint leur donner le menu, le prévôt était dans les meilleures dispositions.

— Un dîner léger, mais dont vous me direz des nouvelles. Un potage pour commencer. De jeunes navets caramélisés avant d'être pilonnés avec un mélange de baies. Le tout, ensuite, onctueusement travaillé à la crème de lait fouettée. Un délice !

Il tapa dans ses mains, et Gersende entra avec la soupière pour faire le service. Petit Pierre en reprit trois fois, Luirieux deux, quant à Ronan de Balastre et Torval, ils se partagèrent le restant.

— Mes félicitations, Janisse, dit Luirieux, subjugué.

— Une mise en bouche, messire… Le meilleur est à venir, assura le cuisinier dans une courbette.

— Qu'est-ce donc ? réclama Luirieux, enclin joyeusement à l'écouter raconter.

— Un chef-d'œuvre… Mon chef-d'œuvre… Je ne vous en dis rien, c'est un secret… Il est dans ma famille depuis des générations…

— Et un secret bien gardé, Hugues ! Ce tourmenteur m'en a fait saliver tout l'après-midi, renchérit Ronan de Balastre.

— Il faut ce qu'il faut, messires. Vous n'en reviendrez pas, je vous le promets, affirma maître Janisse en ouvrant la porte à Gersende qui était retournée en cuisine le chercher.

De fait, la sauce embaumait.

Cette fois, elle servit les trois hommes en premier, puis Petit Pierre qui tapota sa cuillée dans son assiette, désolé.

— La soupe était si bonne que j'en suis rassasié. Me pardonnerez-vous d'en laisser ?

Hugues de Luirieux rit de bon cœur.

— Vous vexerez-vous, Janisse ?

— Non point, messire, s'il me fait l'honneur d'y goûter.

Petit Pierre traîna. Assez pour que les trois hommes se jettent sur leur écuelle et en vident la moitié dans des exclamations jubilatoires.

Elles s'étranglèrent dans leur gosier.

D'un même élan et sans avoir le temps de comprendre ce qui leur arrivait, ils piquèrent du nez sur la table et se mirent à ronfler.

64.

Tous. Ils iraient tous, fut-il décidé. Jacques de Sassenage, Sidonie, Présine, Mounia, Enguerrand, Khalil, Elora, Jean, Bertille, Celma, Briseur, Mayeul et même La Malice. Seuls les Bohémiens se mirent en retrait, les laissant à ce qu'ils devaient.

Lorsque Benoît, juché sur le pigeonnier de la Rochette, aperçut le signal, une torche enflammée balayée depuis le sommet du donjon de Sassenage, ils se mirent en branle dans le silence le plus complet et une nuit d'encre. Ce n'était pas Hugues de Luirieux qu'ils comptaient surprendre par le nombre, ils le savaient à cette heure solidement ligoté et enfermé, mais bien plutôt les gens de la maisonnée.

Pour une surprise, ce fut une surprise. Car nul ne les vit entrer dans le castel sitôt la barbacane passée. Constantin, Janisse, Gersende, Jacques de Montbel, Petit Pierre et Algonde s'étant retranchés dans la chambre d'Hélène pour y attendre Enguerrand, Sidonie et le baron, ainsi qu'il avait été convenu.

Guidé par ce dernier, l'étrange équipage grimpa discrètement l'escalier jusqu'à la coursive, puis laissa Elora toquer à la porte.

— Ce sont eux, comprit Gersende en libérant la gâche d'un tour de clef.

Elle ouvrit, joyeuse que tout se soit déroulé ainsi

qu'ils l'avaient espéré, et demeura la bouche ouverte devant le sourire radieux qui lui fut retourné.

— Bonsoir, grand-mère. Puis-je entrer ?

Algonde, assise sur le bord du lit, Gasparde dans les bras, sursauta ainsi qu'Hélène à ses côtés. De fait, tous s'étaient figés, à l'exception de Gersende qui s'effaça, les sourcils froncés sur une impression de mirage. Elora fit deux pas dans la pièce, rayonnante, le temps d'accrocher leur silence pareillement incrédule.

— Vous ne m'attendiez pas, je pense, leur servit-elle dans un rire léger avant de biser la joue de Gersende qui sursauta, comme si un seau d'eau venait de lui être jeté.

Algonde s'était levée, abandonnant aux bras de sa mère la petiote qu'elle avait bercée. Des larmes coulaient sur ses joues.

Elora s'avança jusqu'à elle, aussi émue qu'elle l'était, et se nicha dans les bras qu'elle lui tendait.

Ce fut Janisse qui les ranima tous, d'un coup, l'air égaré.

— Elora ? C'est Elora ? Gersende, c'est Elora ? balbutia-t-il devant cette femme que la vie leur rendait.

Pour seule réponse, Gersende rejoignit ces deux êtres enlacés. Son sang. Sa chair.

— Vous le croyez, comte, une chose pareille, c'est Elora. Ah çà ! je n'en reviens pas. C'est Elora, vraiment… Et ce soir qui de mieux ! Vraiment…

— Elle est telle qu'en mon souvenir, mon bon Janisse, mais plus belle encore, lui confirma ce dernier, troublé.

Il se passa alors quelque chose d'étrange dans cette pièce où tout avait commencé.

Constantin rejoignit le bloc, puis Petit Pierre, et Hélène après avoir confié ses filles à Jacques de

Montbel. Puis un à un tous les autres de la communauté qui, en silence et sous le regard abasourdi de Janisse, enfilaient la porte dans un long serpentin de sourires, comme guidés par un appel silencieux.

— Eh bien, eh bien, moi aussi, puisque c'est ainsi. Moi aussi... Faut y aller. J'y vais, se décida Janisse, lorsque la porte se referma sur le dernier.

Il ouvrit ses grands bras et, sans plus s'embarrasser, se colla aux épaules de Présine et d'une autre inconnue qui rayonnait.

Dix-neuf personnes en tout, avait compté Jacques de Montbel. Dix-neuf corps soudés à elle, cette femme fée qui les avait rassemblés.

Lorsque la lumière bleue irradia d'elle, il n'en fut pas surpris. Pas davantage lorsqu'elle grandit, grandit, grandit encore jusqu'à les envelopper tous. Alors lui aussi s'avança dans le cercle, bouleversé de l'amour qu'il dispensait et qui offrait le plus beau des baptêmes aux nouveau-nées.

Ensuite seulement, la lumière décroissant, ils prirent conscience les uns des autres. Petit Pierre tomba dans les bras de Jean en premier puis de Bertille, de Celma, de Briseur, de Mayeul et enfin de La Malice, étourdi de n'avoir soudain plus de douleur ou de séquelles de ses blessures. Hélène pareillement remise allait des uns aux autres qui s'ébaudissaient devant les petiotes, soudain plus rosées.

En quelques minutes, succédant au silence, le brouhaha des rires, des voix et des larmes implosa dans la pièce. Tous voulaient expliquer sans y parvenir vraiment, répondre sans trouver les mots, comprendre mais surtout, surtout, se retrouver.

Consciente que rien ne les ferait taire, Elora attira Algonde au-dehors. Les écharpes de brume voilaient encore la lune. La chaleur n'était pas tombée mais il n'y aurait pas d'orage, nota Algonde comme si tout avait de l'importance pour qu'elle imprime cette nuit en elle, comme la plus belle depuis longtemps.

— Il est vivant, annonça Elora derrière elle.

Algonde se retourna, la trouva adossée à la porte qu'elle venait de refermer.

— Que dis-tu ?

— Il est vivant, maman. Papa est vivant.

Algonde sentit plus encore son cœur s'embraser. De nouveau des larmes de joie lui piquèrent les yeux.

— Merci, murmura-t-elle. J'ai tellement espéré. Sais-tu où… ?

— C'est une longue histoire, la coupa Elora.

— J'ai tout le temps, nous avons tout le temps désormais.

Elora sortit une lettre de son gilet, la lui remit puis l'embrassa sur la joue avant de rentrer.

Algonde demeura un instant sur le seuil, à retourner la missive entre ses doigts avant de descendre l'escalier et de s'enfermer dans les appartements de Gersende et Janisse. Elle enflamma une bougie puis décacheta le pli. Sa main tremblait.

« Mon amour, mon épousée,
Algonde,

Tant de nuits et de jours. Tant d'années. Je voudrais être là, à tes côtés, à l'heure où tu liras ces lignes, tomber à tes genoux et te demander pardon. Je le voudrais de tout mon cœur, de toute mon âme, mais Elora te le racontera, moi seul ai pouvoir sur ce navire qui t'attend, qui vous attend tous. Mes matelots nous l'auraient ravi si je l'avais quitté. Il me faudra donc patienter, encore, pour te voir, respirer ton souffle, m'imprégner de ta chaleur en espérant qu'un jour tu consentes à oublier tout le mal que je t'ai fait. Par trois fois je t'ai abandonnée. La dernière n'était pas de mon fait. J'étais mort. Un éclair m'a ressuscité au moment où un pirate passait sur l'Isère. La main de Dieu, le pouvoir des Anciens, je l'ignore, mais lorsque cet homme m'emmena, j'étais inconscient, puis sans mémoire. Elora me l'a rendue et, avec elle, la vérité. Elle tient en quelques mots, Algonde. Je t'aime. Je t'aime, ma bécaroïlle. Je t'aime.

Reviens-moi vite, s'il te plaît. Je ne te renierai plus. Jamais. »

Algonde n'était pas la seule à être bouleversée.

Au-dessus d'elle, dans la chambre, Petit Pierre, comme Hélène, écoutait Celma raconter leur angoisse à la découverte de La Malice transpercé de flèches, puis devant la fièvre qui l'avait abattu trois jours durant. La décision, au quatrième, de rallier la cache que Mathieu leur avait indiquée en dévalant le parvis de l'église collégiale. Leur progression, difficile, La Malice sur les épaules de Briseur. Les haltes, fréquentes, puis l'attente dans les monts du Vercors. Le choix, pour finir, de s'en remettre à Algonde lorsque les runes l'avaient vu, lui, sous le joug de Luirieux. Sans son père.

C'est ainsi que Petit Pierre apprit leur attente dans la grotte, puis leur certitude que Mathieu était toujours vivant.

Elora le confirma comme elle l'avait confirmé à sa mère, qui, berçant la lettre sur son cœur à l'étage au-dessous, pleurait encore, mais cette fois de tout ce bonheur qu'on lui rendait.

Cette nuit-là, à Sassenage, tandis que dans les cachots trois hommes rêvaient qu'ils festoyaient, un autre, manquant pourtant, avait retrouvé tous les siens par la pensée.

Oui, cette nuit-là, à Sassenage, grâce à la lumière d'une fée, tous les cœurs, oui, tous, furent comblés.

65.

Hugues de Luirieux émergea d'un sommeil lourd au même endroit où il s'était endormi la veille.

Ou presque.

Car au lieu d'être attablé, il était mains et pieds entravés à une chaise et ses juges le fixaient d'un même regard de haine. Embrumé, il se contenta de passer d'un visage à l'autre, les reconnaissant tour à tour, les uns debout près des autres, main dans la main, formant une chaîne qui lui barrait l'horizon.

Celma, La Malice, Briseur, Petit Pierre, Jean, Bertille, Mayeul, Jacques de Sassenage, Sidonie, Hélène, Jacques de Montbel, incongru parmi eux, mais pas moins que Le Galoup planté au côté de son maître. Il nota encore la présence de Janisse, de Gersende, d'une inconnue d'une étonnante beauté et d'un jouvenceau qui lui évoqua Enguerrand.

Sa tête, migraineuse, relevée un instant, retomba mollement sur sa poitrine. Il ne se souvenait pas d'avoir trop mangé. Il ne se souvenait en fait de rien, sinon d'avoir salivé des annonces de Janisse. Quoi qu'il en soit, il ne cauchemardait que par trop de ripailles. Et c'était un cauchemar, à n'en pas douter. Renonçant à en chercher le sens, il jugea que, pour s'en débarrasser, il fallait l'affronter. Il y revint. Sursauta.

Deux personnes étaient venues grossir le nombre, en avant-scène.

Enguerrand. Mounia.

C'est lorsque cette dernière lui jeta au visage le seau d'eau qu'elle était allée quérir qu'il s'arracha enfin à sa torpeur, effrayé par cette vérité fondamentale, insupportable.

L'amour peut tout. Même l'impossible.

Il s'ébroua, bien réveillé cette fois.

— C'est un grand jour, Hugues de Luirieux, annonça Mounia.

Il la fixa froidement, malgré l'émotion que sa présence fit renaître en lui. De fait, l'Égyptienne lui parut plus belle et plus désirable encore qu'autrefois.

— Heureux de te revoir, Mounia.

Elle s'accroupit à sa hauteur, à quelques pouces de lui.

— Pas autant que moi.

Il ricana.

— Détache-moi, ma belle, et tu verras.

Elle caressa sa joue dégoulinante d'un doigt tendre, soutint son regard vicieux, puis le gifla, comme elle avait rêvé de le faire chaque fois qu'il l'avait contrainte, torturée pour mieux jouir d'elle.

Il ne bougea pas. Il avait compris. On l'avait joué. Hélène, Petit Pierre, Janisse. Ils voulaient leur vengeance. Tous. Même ceux qu'il ne connaissait pas. Ils avaient forcément leurs raisons, comme les autres. Qu'importe lesquelles. Sa certitude fut là. Il souffrirait. Il souffrirait avant de mourir.

Tout en lui refusa de donner ce plaisir à ses bourreaux. Mourir puisqu'il le fallait, soit. Mais vite. De sa main, à elle. Mounia. La seule qu'il ait jamais aimée.

Elle s'était redressée, les poings serrés, le visage dur, forte du silence complice des siens.

Les ignorant tous, il la brava.

— Jouons, puisque tu es revenue pour cela. Que proposes-tu ? Ma mort, cela va de soi, mais comment ? Comment se débarrasser de moi sans qu'on s'interroge, sans que ma jolie et perfide épouse en souffre les conséquences, dis-moi ?

Elle ne répondit pas.

Luirieux chercha le regard d'Hélène.

— Une disparition. Cela fonctionna pour Philibert de Montoison… À condition toutefois de ne pas avoir de témoins, car il se trouve toujours un ingrat pour révéler la vérité et un autre pour en faire chantage.

— Comme vous…, nota Hélène.

— Comme moi. Ou ce pauvre Mathieu qu'avec mon fils vous autres brigands pleurez encore…

Il y eut un silence dans lequel il crut avoir fait mouche, puis Petit Pierre se détacha des autres pour s'approcher de lui. Il fouilla dans son gilet, en arracha un billet, le décacheta avant de plisser les yeux et de se retourner vers le dresseur.

— Peux-tu le lire pour moi, Algonde ?

— Algonde ? Algonde comme…

— Comme l'épouse de Mathieu, oui, c'est exactement cela, Hugues de Luirieux.

Il blêmit.

— Tu étais morte.

Elle enleva le bref des mains de Petit Pierre, sourit devant son air égaré.

— On ne peut plus faire confiance aux défunts, de nos jours. Pour preuve…

Elle lut.

« Il est d'usage de commencer une lettre par "mon cher ami". Je l'aurais pu transformer en "mon cher ennemi", mais, dans les deux cas, la seule chose qui me sera chère sera ton trépas. Je fais confiance

à ma femme, Algonde, à mon fils, Petit Pierre, et à ma fille, Elora, pour m'en raconter par le détail toutes les subtilités, car pour ma part, et crois bien que je le regrette, je ne serai pas des leurs ce jour-là. Tu me crois mort ? La date de cette lettre te détrompera. Amoindri ? Pas davantage. Bien plutôt au commandement d'une caravelle qui n'attend que ta fin pour prendre le large vers un nouveau monde. Qu'importe. Tout est désormais trop tard pour toi, et je tenais à ce que tu le saches. Je ne te pardonne pas. Tu iras en enfer, Hugues de Luirieux. Malgré toute la peine que tu t'en donnas, nous ne nous y retrouverons pas. »

Algonde s'approcha pour lui mettre sous le nez la signature et la date du douze de ce mois. Il serra les dents de colère. Tout lui filait entre les doigts.

Algonde s'écarta, main dans la main avec Petit Pierre. Il gronda.

— Et cette fillette, cette Elora ? Vous auriez dû l'amener aussi, qu'on soit tous là !

— J'y suis messire, s'amusa-t-elle.

Il ricana.

— Non, damoiselle, non. Elle a onze ans à peine et tu en as bien plus que ça.

Khalil s'avança d'un pas.

— Tout comme moi.

— Ou moi, s'amusa Constantin en les rejoignant.

Un doute reprit Luirieux. Il cauchemardait. Ce ne pouvait être que cela. Il rêvait qu'il cauchemardait. Il maugréa.

— Puisqu'il sera dit que rien n'aura de sens…

— Ne veux-tu pas savoir qui nous sommes ? demanda encore Khalil.

Il grinça.

— Si cela vous amuse…

Enguerrand passa un bras autour des épaules de Khalil.

— Je te l'ai dit, Luirieux. Mounia m'a donné un fils. Le voici.

Luirieux ne réagit pas. Il s'attarda seulement sur Constantin.

— Et toi, alors, puisqu'il semble que tu parles aussi, d'où sors-tu ? Du croisement entre une louve et un ours ?

— Constantin est le premier fils que Djem me donna, intervint Hélène.

Contre toute attente, Hugues de Luirieux explosa de rire.

— Continuez, mes bons. Ce cauchemar tourne au ridicule et j'en garderai le meilleur souvenir, je crois.

De fait, ils se turent. Ce qu'ils voulaient lui apprendre avait été dit. Enguerrand passa derrière lui et lui délia les mains tandis que Jacques de Sassenage et Constantin rapprochaient l'écritoire.

— Signe, exigea le baron.

Hugues de Luirieux parcourut les documents du regard. Une donation. De tous ses biens à Hélène.

— Évidemment…, grimaça-t-il.

Il parapha. Signa. Juste en dessous de la date. Elle comptait trois mois de plus que l'actuelle. Il s'en troubla.

— Vous comptez me retenir captif jusque-là ?

— Ta bague, exigea Enguerrand pour seule réponse.

Comprenant qu'on lui trancherait les doigts sans hésiter, Hugues de Luirieux la fit glisser de son annulaire. La cire coula sur l'acte replié en trois, que Gersende puis Jacques de Montbel avaient déjà signé au titre de témoins.

Son sceau s'enfonça, scellant avec le pli l'anéantissement de toutes ses manigances.

Et sa fin.

66.

Tandis que Briseur lui rattachait les mains au dos, Jacques de Sassenage sortit son poignard. Luirieux attendit, espéra le coup. À son grand regret, il ne vint pas.

Au contraire, tranchant ses liens, le baron lui libéra les jambes.

— Debout, ordonna Enguerrand.

Hugues de Luirieux obtempéra, prit la porte que Mounia venait d'ouvrir et grimpa l'escalier à sa suite.

— Entre, exigea Mounia, s'effaçant déjà dans l'écartement de la porte de la chambre du donjon.

Hugues de Luirieux y retrouva ses compagnons allongés à même le sol, bâillonnés et ligotés. Leurs yeux grands ouverts trahissaient une légitime angoisse.

— Je me demandais où ils étaient passés, trouva le courage de plaisanter Hugues de Luirieux tandis que la communauté s'enfilait dans la pièce.

Pendant que Présine, la dernière à y pénétrer, la rebouclait d'un tour de clef, Algonde fit jouer l'œil de Mélusine au manteau de la cheminée, libérant le passage secret.

Luirieux marqua la surprise. Qu'avaient-ils inventé ? Il ne lui fallait plus compter sur une réaction de violence spontanée, à présent. Même Mounia paraissait beaucoup s'amuser, preuve que le contraire l'attendait. Il serra les dents. Non, décidément, il n'aimait pas les vengeances froides, c'étaient les pires, les plus tordues et souvent les plus douloureuses.

Se désintéressant de lui, Janisse s'était penché au-dessus de Ronan de Balastre qui s'agitait vainement sous son bâillon.

— Une prune. Je me suis dit en vous la coinçant en bouche que vous apprécieriez l'attention, mon ami. Sachez que je suis navré de devoir me séparer de vous. J'ai rarement connu plus grand gourmand. Mais enfin, vous comprendrez qu'il nous soit difficile de vous laisser repartir.

Il s'écarta… Revint… Un doigt sur les lèvres.

— À moins…

Ronan de Balastre acquiesça du menton à tout ce que ces deux mots laissaient de perspectives.

Lâche, songea Hugues de Luirieux. Ces chiens se jouent de leur patience, ses hommes ne le voyaient-ils pas ?

Janisse se tourna vers Khalil.

— Ne veux-tu pas détacher ces gens, mon petit ? Je suis sûr qu'ils seront disposés à récupérer pour nous le trésor de Mélusine dans la crypte.

— Quel trésor ? s'emporta Hugues de Luirieux, agacé, tandis que Khalil obtempérait, aidé par Constantin.

Hélène se planta devant lui.

— C'est une longue histoire, mon mari. Vous n'êtes pas sans savoir que Mélusine fit bâtir ce château du temps de ses épousailles avec mon aïeul, Raymondin…

— Légende, persifla Luirieux. Si crypte il y a, elle servira à nous emmurer. La voilà, votre pitoyable vengeance !

Hélène pencha la tête de côté, une moue cruelle en bouche.

— Vous me vexez, Hugues. Aucun de nous ne saurait se montrer si généreux à votre égard. Non… Mon cher Janisse, voulez-vous bien expliquer à votre gourmand pourquoi nous ne sommes jamais descendus ?

— À cause de la créature, bien sûr.

— Quelle créature ? tiqua Torval en se frottant ses poignets entaillés par les liens.

— Une vouivre.

Luirieux leva les yeux au ciel. On se moquait d'eux. De lui. Il ne crèverait pas à petit feu en bas. Il se débattrait assez pour mériter une fin digne, brutale. Ici. Malgré la poigne de Briseur qui lui écrasait les bras.

Torval et Ronan de Balastre échangèrent un regard. Ils n'avaient jamais entendu parler de cette bête-là. Janisse se tordit les mains.

— On raconte que sa morsure est terrible. Elle entraîne une mort lente et si douloureuse qu'aucun bourreau ne saurait la reproduire.

Ils glissèrent un regard à Luirieux, se rassurèrent de son air goguenard tandis que Janisse poursuivait.

— Voici ce que je vous propose, mes bons. Vous récupérez vos armes que nous avons posées quelques marches plus bas et vous descendez. Celui d'entre vous qui remonte avec la cassette de diamants et de rubis sera libre.

— Et si nous remontons tous les deux ?

— Cela vaudra pour les deux…

— C'est bon, décida Torval, anticipant déjà qu'une fois armés ils les obligeraient à tenir promesse.

Luirieux ne fit rien pour les retenir, s'attendant que le passage se referme derrière eux et lui que Briseur poussait déjà sans ménagement vers la cheminée. Il gigota, mais n'obtint que de se broyer les poignets davantage, moins avec ses liens qu'entre les mains du colosse.

Ronan de Balastre récupéra la torche que le baron

venait d'enflammer, puis baissa la tête pour passer dans l'ouverture béante, Torval sur ses talons.

*
* *

Longtemps l'écho de leurs bottes sur la pierre remonta jusqu'à eux, puis le silence reprit ses droits. La crypte était profondément enfouie sous terre. Aucun bruit ne pourrait en revenir, leur sembla-t-il.

— Ce ne sera plus très long, annonça pourtant Algonde, reprise d'un frisson au souvenir de sa rencontre avec la bête.

Elle-même avait été sauvée ce jour-là par Mélusine. Mais Mélusine n'était plus là.

Luirieux ne se laissa pas intimider. Si on voulait l'effrayer, c'était raté. Ni leur mutisme, ni leurs faces sombres n'y parvinrent.

Jusqu'à ce qu'un cri de terreur s'élève, suivi d'un martèlement dans l'escalier. Quelqu'un remontait quatre à quatre en appelant à la pitié et à l'aide. La voix de Torval. Puis ce fut le bruit sourd d'un corps dévalant les marches. Et d'autres hurlements encore, inhumains, effroyables, qui retournèrent cette fois Luirieux et même tous ceux de son tribunal qui se trouvaient là.

Cela dura de longues, très longues minutes, les pétrifiant sur place, avant que de nouveau le silence les enveloppe de son linceul.

Ce fut Mounia qui le troubla dans un hochement de tête satisfait.

— Tu m'as convaincue, Algonde. Nous le sommes tous, je crois.

— Le venin sera moins concentré la prochaine fois. Ce sera plus long. Et d'autant plus douloureux, affirma cette dernière. Plusieurs jours sans doute.

Mounia se détacha d'Enguerrand pour se planter devant Luirieux, devenu livide.

— Tu l'as compris, le prochain ce sera toi. Tu vois, il m'aura fallu dix ans… C'est long, dix ans, Hugues. Très long lorsque la détresse te noue le ventre, te donne à croire que les tiens ne sont plus et qu'un seul homme est responsable de cela. Toi. Même l'idée de ta mort me semblait trop douce. Te torturer ? Nous y avons tous pensé, chacun notre tour, jusqu'à ce qu'Algonde nous raconte le long cheminement du poison dans les veines, comme des milliers d'aiguilles enflammées, la transformation des vaisseaux en cristaux bleus, et surtout la douleur. La douleur qui grandit au-delà du pensable, de l'humainement supportable dans un corps peu à peu pétrifié. La douleur, Luirieux. Je vais l'écouter te retourner le ventre, les yeux, le cœur, chaque parcelle de toi, des heures, des jours durant peut-être. Je vais m'en guérir de la mienne. Et tous ceux qui sont là avec moi.

La peur martelait à présent les tempes du prévôt. Une peur comme il n'en avait jamais connu et ne pensait en connaître. Pas d'échappatoire, pourtant. Il n'en aurait pas.

— N'as-tu rien à leur dire en retour ? insista Mounia.

— Non. Je ne regrette rien. Rien, Mounia, sinon toi. Je n'aurais jamais dû te vendre, ce jour-là.

Elle lui cracha au visage.

Ensuite elle s'écarta.

Briseur le poussa vers la cheminée.

Il s'agita, le visage inondé soudain d'une sueur froide. L'urine au bord du vit.

— Pour ma mère, trembla Petit Pierre.

— Pour la mienne et mon père, ajouta Mounia.

— Pour ceux de Choranche, confirma Celma.

Tous les poings serrés sur leur vengeance.

Briseur le poussa dans le passage.

Luirieux fut saisi par l'odeur infecte, tenta de se rabattre à l'intérieur de la chambre, mais rien n'y fit. Le colosse n'attendait que cela. Il lui administra un coup de pied violent dans les reins, tandis qu'Algonde actionnait le mécanisme.

Le passage se referma.

Pendant quelques secondes, ils restèrent à fixer la cheminée remise en place. Puis Petit Pierre demanda à Mounia :

— Tu crois qu'il descendra ?

— Pour chercher les armes de ses compagnons dans l'espoir d'en finir lui-même, oui, il descendra.

Elle lui froissa la chevelure.

— Mais rassure-toi, la bête le sentira. Aujourd'hui, demain, qu'importe. Il mourra.

— Mais on l'entendra pas, se désola le garçonnet.

Algonde tourna vers lui un visage évidé de couleurs.

— Si, celui qui restera dans cette pièce l'entendra, crois-moi.

— Eh bien, décida La Malice en sautant pour se coucher d'un bloc sur le lit, les deux mains sous la nuque, il n'y a plus qu'à prendre poste, à tour de rôle, parce que, je ne sais pas ce que vous en pensez, mais moi, je ne veux pas rater ça !

67.

Hugues de Luirieux mit trois jours avant de se décider à mourir. Dans des hurlements tels que certains d'entre eux, même les plus aguerris, se signèrent. Rameutés par Jacques de Montbel, de garde lorsque cela commença, ils assistèrent, depuis la chambre et, devant le passage rouvert, à sa lente et effroyable agonie, sans un mot, unis par la même certitude.

Justice avait été rendue.

*
* *

Le soir même, ils se rapatriaient à la Rochette.

Les huit jours qui suivirent, Enguerrand et Mounia s'aimèrent dans de folles étreintes.

Elora accorda sa lumière aux petiotes pour éliminer tout risque qu'elles passent pendant l'hiver tout en devisant joyeusement avec Gersende, Celma, Présine, Algonde, Sidonie et Hélène, quand le sire de Montbel ne l'accaparait pas.

Rejoints par les enfants de Bohême dont Carol et Anne, les fillettes de Nycola, sensiblement de leur âge, Petit Pierre, Jean, Bertille, Mayeul s'adonnèrent à toutes sortes de jeux mais aussi au braconnage sous la tutelle de Briseur et de La Malice.

Bouba ne lâcha plus Noiraud.

Constantin et Khalil lièrent une amitié profonde et complice.

Gersende et Janisse annoncèrent qu'ils étaient du voyage, les Bohémiens que la mer ne les tentait pas et que, forts de la lettre de recommandation du pape et du sultan, ils allaient reprendre le leur.

Dans les deux cas, le baron finança.

Durant ces huit jours aussi, on pria. Pour la petite Laurence, enterrée par le père Vincent.

Au matin du neuvième, Elora termina ses ablutions puis se dirigea vers la salle de réception dans laquelle le matinel était dressé. Elle se planta en bout de table et attendit que tous soient là.

La gravité de ses traits ne les trompa pas.

Ils s'installèrent en silence, les regards tournés vers elle.

Lorsque le dernier, Jean, fut assis, elle parla.

— Je sais ce que vous pensez tous. Que la vie est devenue douce en Dauphiné. Vous vous dites aussi que cette quête peut-être ne vous concerne plus.

Un murmure glissa qu'elle brisa net d'un geste de la main.

— Je ne vous le reproche pas. Moi-même, ici, je me sens chez moi. Mais je ne suis pas venue au monde pour y couler une vie douce et sereine. Toi non plus Khalil, ni toi Constantin. Nous possédons le pouvoir des trois. Le pouvoir que cette prophétie imposa aux nôtres, qui nous égara souvent, nous perdit pour nous rassembler tous enfin. Nous seuls en sommes les piliers. Nous seuls sommes indispensables là-bas. Chacun de vous est libre de nous accompagner ou pas. Nous partirons demain, à l'aube. Mon cœur se serrera de quitter ceux qui resteront, mais, quoi que vous décidiez, sachez que, de loin, je vous regarderai rire, grandir, aimer. Que par ce lien je serai toujours là, termina-t-elle, auréolée d'une lumière bleutée.

Ils s'attardèrent quelques secondes à son halo pailleté d'or, puis La Malice se leva.

— J'en suis.

— Moi aussi, il ne peut pas se passer de moi, affirma Briseur.

— Et moi de toi, avoua Celma en bisant la joue du colosse qui piqua un fard, allégeant un peu l'atmosphère.

— Pour moi, cela ne se discute pas, assura Présine.

Puis, un à un, tous ceux qui se trouvaient là, à l'exception d'Hélène et de Jacques de Montbel, malgré l'envie qu'ils en avaient, l'un comme l'autre. Les petiotes étaient trop chétives pour un tel voyage et il fallait qu'Hélène donne le change quelques mois, assure que son époux était demeuré près d'elle puisqu'il devait s'éteindre au moment des grands froids. Comme l'avait suggéré Khalil. Un jour, peut-être…

Les seuls qui ne se prononcèrent pas furent le baron et Sidonie. Un bref échange de regard les avait soudés. Depuis, Jacques gardait le profil bas. Lorsqu'il le releva, Elora était sur le point de reprendre la parole.

Il la devança.

— Nous vous accompagnons jusqu'en Avalon…

Le silence regagna la tablée.

Il darda sur Algonde un regard déterminé.

— Il y a dix ans de cela, nous t'avons laissée seule face à Marthe. Pas un seul jour depuis où nous n'en ayons éprouvé du remords. Cette fois, nous voulons être là.

Il revint vers le bout de la table.

— Car c'est bien de cela qu'il s'agit avant toute chose, n'est-ce pas Elora ? De sauver les Hautes Terres en en terminant avec Marthe… Là-bas.

Elle acquiesça.

— Je sais que Khalil aurait préféré qu'on la laisse errer sans fin à la recherche du passage…

— Pour sûr ! grinça-t-il en écho.

— … mais tôt ou tard, dans ce cas, elle redeviendrait une menace, qu'aucun de vous, ici, ne pourrait endiguer. Nous irons en Avalon récupérer la copie de la table de cristal que Merlin y cacha et je l'affronterai.

— Et si elle n'y est pas ? demanda Présine.

Elora la fixa intensément.

— Elle y sera, c'est inévitable.

La fée se troubla. Personne ne s'en aperçut, mais cela suffit pour confirmer à Elora ce que Merlin lui avait révélé de Présine, sous la montagne-pyramide.

Sans se laisser abattre, elle poursuivit.

— Avalon s'est éloignée peu à peu des rivages de l'Angleterre, jusqu'à s'accoler à un autre. Elle se trouve aujourd'hui très au septentrion, et si nous tardons trop, elle sera prise dans les glaces, ce qui ne facilitera pas notre voyage. Voilà pourquoi je vous hâte. Il nous faudra deux bons mois pour l'atteindre depuis les Saintes-Maries et, avant Marthe, nous confronter au froid.

— Joyeux…, grimaça encore Khalil que, vraiment, cette perspective n'enchantait pas.

Elora ne s'y attarda pas. Ce qu'elle avait à ajouter, elle le savait, leur plairait encore moins.

— J'espère de tout cœur que nous repartirons sains et saufs de l'île, mais je ne peux l'affirmer. Si elle fut peu à peu abandonnée des prêtresses et de Merlin lui-même, certaines créatures aussi terrifiantes que la vouivre y sont demeurées enfermées.

Canalisant l'angoisse qui les saisit, Enguerrand intervint :

— Tu crains que Marthe ne les ait libérées ?

— C'est possible, en effet, pour se protéger. Présine, en chemin, vous les décrira. De ce que j'en sais, aucune n'est invincible et mon père a déjà dû embarquer sur le navire tout le nécessaire pour les anéantir. La nuit porte conseil. Prenez-le. Et si demain, à l'aube, certains d'entre vous ont changé d'idée, personne ne songera à le leur reprocher. Une dernière chose, pourtant. Quoi qu'il advienne, quoi que je fasse, je vous demande de garder confiance et foi en moi, en le pouvoir des trois. Il nous vient de la lignée primordiale, par des chemins différents, mais le fait est là. Dans quelques mois nous dépasserons d'une tête au moins le plus grand de cette table et notre puissance sera à son apogée, même la tienne, Constantin, que tu ne soupçonnes pas.

De nouveau Présine sembla perturbée.

— Au-delà des ténèbres, je vous l'assure, renaîtra la lumière. La plus belle qui soit.

— La plus belle qui soit, répéta Présine en la couvrant de tendresse, sans plus douter qu'elle avait compris, tout compris et admis. Même l'impardonnable.

Elles se sourirent par-delà la table.

— Dans ce cas, que cette dernière journée soit inoubliable à notre communauté, déclara Enguerrand en levant son verre.

— Oui, qu'elle le soit, ponctua Hélène, les yeux humides, en serrant le bras de Constantin près d'elle.

Elle le fut, sans le moindre doute.

Le lendemain, soit le 7 août de cette année 1495, après de longues embrassades et laissant Hélène et ses filles aux bons soins de Jacques de Montbel, ils prirent tous la route des Saintes-Maries-de-la-Mer par la vallée de l'Isère, puis du Rhône, dans le pas des Bohémiens qui tenaient à embrasser Nycola une dernière fois.

*
* *

Deux semaines plus tard, au pas tranquille des bêtes, ils atteignaient le port et Algonde sentait battre son cœur au rythme des vaguelettes qui caressaient les berges.

— C'est ce navire, là-bas, indiqua Elora en indiquant la caravelle au mouillage, malgré le brouillard de mer qui l'effaçait parfois.

— Vous et moi. Juste vous et moi, réclama Algonde, la gorge nouée.

Petit Pierre, rabattu dans leurs jambes, lui prit la main.

— Non, Algonde. Seulement toi… Lui et toi. Après on viendra.

Déjà, Celma avait hélé un marin. Sa barque se rangeait contre le ponton.

— Ici, Algonde…, l'appela la devineresse.

Avant que de la rejoindre, elle tourna la tête vers les autres. Ils s'étaient éparpillés sur les rochers, le sable ou près des roulottes. Mais tous, encourageants, complices, la fixaient avec une joie simple.

Petit Pierre l'entraîna. Puis la main du matelot pour l'aider à descendre dans l'embarcation.

Algonde s'y installa à l'avant.

Lors, cessant enfin d'appréhender ce moment, elle ne vit plus que cette brume qui peu à peu avalait le ciel et l'eau.

La barque glissa dans le bruit des rames, droit vers le navire tantôt bien réel, tantôt masqué.

Lorsqu'il fut proche, elle se leva et ouvrit ses mains pour caresser les écharpes humides, les écarter de ses doigts. Comme dans sa prémonition.

Quelques brasses encore.

Il lui apparut, dans l'encadrement du bastingage, juste au-dessus de l'échelle de corde, sans qu'elle s'étonne de ses cheveux blanchis. Cette scène, elle l'avait vécue cent fois.

Elle sourit. Lui aussi.

La barque buta par le travers contre la coque. Le matelot l'y immobilisa.

Mathieu se pencha, plongea sa main dans le vide, au-dessus d'elle. Sans le quitter des yeux, elle enfila son pied dans un barreau. Leurs doigts s'entremêlèrent. Elle se sentit relevée à bout de bras.

Elle atterrit sur le pont avec la sensation d'être devenue aussi légère pour lui qu'un oiseau.

Un tout petit oiseau.

Une bécaroïlle.

Que, sans plus attendre, Mathieu enleva par le travers dans ses bras.

Pour la soustraire aux yeux de tous.

Et l'aimer.

L'aimer comme si c'était la première fois.

68.

Dès la naissance d'Elora, Marthe avait compris que les pouvoirs de cette dernière seraient immenses. À défaut de la détruire, elle avait décidé de la pervertir. Non pas de tuer sa lumière, mais de la transformer. Elle avait agi en ce sens alors qu'Elora baignait encore dans le ventre de sa mère, en faisant ingurgiter à Algonde une potion malfaisante qui avait provoqué ses couches[1].

Outre l'antimoine, la poudre d'œuf de vouivre et diverses décoctions, Marthe y avait ajouté de son propre sang afin que la petiote la reconnaisse et l'accepte à l'intérieur de son cercle de protection.

Tout avait été ainsi qu'elle l'avait imaginé. Abreuvant régulièrement Elora avec ce mélange jusqu'à ce qu'Algonde quitte la Bâtie pour suivre Hélène à Bressieux, elle avait introduit en la fillette une part indéniable de noirceur, mais aussi une faille qui lui avait permis de découvrir toutes les vérités cachées.

Elle avait ainsi vu Présine veiller sur Algonde dans le Furon et sur cette boule de poils qu'était Constantin. Et compris qu'on l'avait jouée.

Sa première réaction avait été de revenir en Royannais et d'anéantir tout sur son passage. Mathieu, qu'elle avait autrefois mis à sa botte par d'odieux procédés, l'aurait

1. Voir *Le Chant des sorcières*.

aidée, cette fois de son plein gré. Sa haine, sa colère et sa vengeance se seraient détournées d'elle pour fondre sur Présine et ses enchantements.

Marthe n'aurait plus eu qu'à récupérer Constantin et les deux autres flacons pyramides avant, ensuite, de chercher la table de cristal.

Réfrénant sa colère, elle avait changé d'idée.

Nouveau-né, l'enfant de la prophétie ne lui servait à rien. Trop peu de pouvoirs. Elora de même. Mieux valait attendre et laisser à d'autres le soin de les élever.

Sa quête avait alors commencé.

Au fil des mois, puis des années, elle s'était précisée, sans qu'elle cesse de surveiller le Royannais par le canal de pensée de la fillette qui grandissait.

C'est ainsi que, peu à peu, les éléments s'étaient rassemblés.

Le premier lui était venu d'un constat décevant.

Constantin, en grandissant, s'il manifestait de l'intelligence, ne possédait aucune autre faculté qu'une pilosité de plus en plus marquée. Et Marthe ne voyait pas comment, avec si peu d'arguments, il serait à même de conquérir les Hautes Terres.

Or, Présine veillait sur lui avec une tendresse et une attention qu'elle ne leur avait jamais manifestées à elles, ses filles, exception faite, toutefois, de Mélusine.

C'était là que Marthe avait été piquée.

Car, de fait, la mauvaise, la fourbe avait toujours été Mélusine. Née la dernière, elle était aussi la seule des trois à perdre parfois son apparence humaine. Mélior comme Marthe, du temps qu'elle était encore Plantine, jouissaient d'une nature plus douce, généreuse et réservée. C'était l'influence de leur benjamine qui les avait transformées.

Pour preuve, Marthe s'était souvenue du jour où, avec Mélior, elle avait décidé de punir Elinas d'Écosse, l'époux de leur mère qui les avait reniées et bannies toutes quatre après avoir accusé Présine de trahison.

Mélusine avait craché : « Faites. Je ne me sens pas concernée. »

Elles avaient insisté sur sa présence. Mélusine avait fini par accepter, à l'unique condition que le châtiment soit exemplaire et la fin du roi, souffrance. Elles avaient cédé. Elinas avait été emmuré.

En retour, Présine les avait condamnées toutes trois par cette malédiction.

À y regarder bien, pourtant, le châtiment n'avait pas été équitable. Quand Plantine avait été emprisonnée au cœur d'une montagne et Mélior dans un castel imprenable, Mélusine avait reçu pour peine d'errer jusqu'à rencontrer un homme qui accepterait de ne jamais tenter de percer son secret. Si la mauvaiseté de ses fils n'avait poussé Raymondin à se parjurer, elle jouirait encore de sa liberté.

Pourquoi ?

Pourquoi, surtout, ensuite, Présine avait-elle laissé fondre sur elles les trois harpies, alors qu'elle savait fort bien que Mélusine était protégée par la vouivre ? D'ailleurs, comment leur sœur, retenue par les eaux du Furon, s'était-elle procuré un œuf de cette créature ? Le seul endroit où l'on en trouvait était Avalon, où ils étaient sévèrement gardés par Merlin. Qui le lui avait apporté ? Le mage ? Il n'avait aucune raison de le faire.

Présine…

Quoi qu'elle fasse, Marthe en était revenue à cette conclusion, détestable et injustifiée.

Présine avait protégé Mélusine et cherché à détruire ses deux autres filles.

Par la suite même, alors que, réussissant là où Mélior avait échoué, Plantine s'était sauvée de la Harpie en l'amenant à prendre sa place, sa mère s'était mise à protéger la lignée de Mélusine contre elle, comme un trésor jalousement gardé.

Or, qui retrouvait-on au bout de cette lignée ?

Constantin.

Ce qui avait renvoyé Marthe à ces deux questions :

Quelle importance revêtait-il pour les Hautes Terres et pour sa mère ? Quelle était sa véritable destinée ?

La seule raison qui avait empêché Présine de tuer Marthe de ses propres mains était dans sa nature profonde de guérisseuse. Présine en était incapable. Fondamentalement incapable.

Ce qui l'avait amenée à ruser.

Alors, tandis que Mélusine proposait à Marthe une alliance contre leur mère, Présine s'était servie d'Algonde. Jusqu'à la convaincre de prendre la place de Mélusine dans le Furon. Mais la donne avait changé. Habitée par la noirceur et les pouvoirs maléfiques de la Harpie, Plantine était devenue Marthe. Et, avec elle, capable du pire pour atteindre son but.

Il avait fallu ces dix dernières années à Marthe pour comprendre que l'acharnement de sa mère n'avait eu qu'une seule raison, sa peur qu'elle se souvienne d'un détail, de quelque chose de primordial qui compromette ses projets. Alors elle s'était mise à chercher.

C'est le savoir de Mounia qui l'avait aidée à découvrir la vérité. Mais c'est dans le tombeau d'Osiris, devant la fresque qui montrait Morlat-Seth aux prises avec Apophis qu'elle avait fini par l'admettre. Sa mère les avait trahis. Tous. Elle et Mélior en premier.

Face à ce constat, elle aurait dû s'emporter de vengeance. Au contraire, un autre plan avait germé, réveillant en Marthe la voix éteinte de Plantine, et l'espoir de liberté.

*
* *

Ce jourd'hui, 7 octobre en Avalon, alors qu'une pluie givrante cinglait les volets de la tour sombre, la seule encore en état dans ce castel battu par les vents au sommet d'une colline bordée de landes, Marthe ne doutait plus qu'Elora avait compris le message qu'elle lui avait laissé à Istanbul avec le flacon pyramide.

Elle venait de capter sa présence à quelques encablures de l'île.

69.

À aucun moment depuis leur départ des Saintes-Maries, ni aux escales pour se ravitailler, ni à Brest pour rallier le navire qu'Enguerrand avait chargé ses mercenaires d'affréter, Présine n'avait eu d'intimité avec Elora. Même si la communauté avait été répartie sur les deux caravelles, pour en alléger le poids et leur redonner à chacun un semblant d'espace vital, ils étaient encore les uns sur les autres le plus souvent.

À l'exception d'une tempête qu'ils avaient essuyée avec plus de peur que de mal, la traversée s'était bien passée.

Les deux bateaux avaient, côte à côte, jeté l'ancre dans une des baies de l'île que leur avait indiquée Présine. L'endroit, leur avait-elle assuré, offrait un double avantage. Se garder d'une collision avec les icebergs qui dérivaient au large et s'approcher au plus près de la destination visée par la carte de Merlin. Refermée par des falaises escarpées et de longs bras de mer, la baie leur avait ouvert aussi de belles plages lisses et sablonneuses pour accoster.

Deux heures plus tard, la nuit était tombée et une pluie glaciale crépitait sur le pont.

Fort heureusement, l'averse s'était calmée à leur réveil, laissant place à un ciel chargé et froid que les mantels fourrés peinaient à endiguer. Le pont avait mis la matinée à dégeler. Elora avait eu raison de les presser. Qu'en aurait-il été une fois l'hiver installé !

Présine détourna son regard des monts qui dominaient l'ancien port d'Avalon redevenu aux yeux des hommes *Terra incognita*. Plus aucune trace ne subsistait de la ville sinon le vieux castel qui dominait la rade depuis sa haute colline. Marthe ne pouvait pas ne pas les avoir vus arriver. Mais, de là où ils se trouvaient, tout avait l'air abandonné.

Elle s'arracha au bastingage.

Pour garantir la sécurité des enfants, il avait été entendu qu'elle resterait à bord avec les trois quarts de la communauté. Seuls Khalil, Elora, Constantin, Mounia, Enguerrand, Lina et Nycola partiraient chercher la carte de cristal en suivant les indications de celle que Merlin avait laissée à Deir el Medineh.

Présine s'attarda sur le rire d'Algonde que Mathieu venait de chatouiller, l'empêchant de porter à Briseur qui l'attendait dans la barque, au flanc du navire, un petit tonnelet à emplir d'eau douce.

— Pas maintenant ! Pas maintenant, Mathieu ! Non ! s'indignait faussement Algonde en tentant de lui échapper tout en conservant son avancée.

Depuis qu'ils s'étaient retrouvés, ces deux-là ne se quittaient plus. La nuit, le jour, aussi soudés que Mounia et Enguerrand ou Khalil et Elora.

Présine s'attendrit.

Excité par leur jeu, Bouba était venu en renfort de Mathieu et Noiraud se glissait dans les pattes d'Algonde en jappant, manquant la renverser.

— Non, mais enfin, non ! C'est un complot ! Couché, le chien… Bouba… Mathieu… Si tu continues… HAHAHA !

Harcelée de tout bord, sous les encouragements de Petit Pierre, Algonde finit par poser son bagage et se défendre. Elle n'obtint que de se voir renversée sur l'épaule de Mathieu, qui la fit tournoyer.

Ils ont retrouvé leurs quinze ans, songea Présine avec joie. Les garderaient-ils en apprenant que c'était elle qui les leur avait volés ?

Elle les abandonna à leur tourniquet. Dans quelques secondes, il se changerait en bataille. Déjà Mathieu encourageait les enfants à s'y engager.

— Hardi, moussaillons, allez-vous laisser ce voleur d'eau s'en aller ?

— Non !

— Non !

— Attendez un peu que je descende, vauriens, tempêtait Algonde en sentant les petites mains lui battre les fesses… Et vous autres, venez donc m'aider au lieu de vous esclaffer !

Elle ne trouva personne parmi tous ceux de la communauté pour l'arracher à son époux, bien trop heureux de leur complicité retrouvée.

Présine traversa le pont et gagna la petite cabine dans laquelle elle avait vu Elora se glisser.

Elle toqua. La porte s'ouvrit sur la jouvencelle qui finissait de se préparer.

— Entre, l'invita-t-elle en achevant de nouer les lacets de ses braies, mieux à l'aise dans ses vêtements d'homme qu'en ces jupes que sa mère continuait de préférer.

Présine s'attarda sur la table qui tenait la moitié de l'espace. La carte de Merlin y avait été piquée, Elora ayant décliné son offre de les guider. Elle s'en détourna. Ce n'était pas la raison de sa visite.

Elora s'était assise sur un des couchages pour enfiler une botte. Présine se lança.

— Crois-tu que Marthe l'ait découvert ?

La jouvencelle tira la langue. Le cuir refusait de coulisser le long de son mollet. Elle s'escrima quelques secondes avant de répondre.

— J'ai laissé mon canal ouvert quelques minutes hier soir. Elle nous a vu ou senti arriver.

— Ce n'est pas de cela dont je veux parler.

Elora récupéra l'autre botte à terre avant de lever les yeux vers elle.

— La vérité est un lourd fardeau, n'est-ce pas ?

Présine hocha la tête.

— Si lourd qu'il me fit tout renier pour la cacher, jusqu'à mes propres filles.

Elora enfila son pied dans la tige.

— Je sais.

Présine se racla la gorge.

— Mais tu n'as rien dit à la communauté… Pourquoi ?

La jouvencelle se releva, sauta à pieds joints pour bien assurer le contact de ses talons sur la semelle. Puis, satisfaite, revint à Présine.

— L'heure n'était pas venue. Et puis ce n'est pas à moi de le leur apprendre.

La fée hocha la tête. Sa décision fut prise.

— Tu as raison. Je le ferai. Ce soir, au dîner… Mieux vaut que ce soit moi que Marthe, n'est-ce pas ?

Elora l'embrassa sur la joue avec tendresse. Présine se troubla.

— L'amour peut-il tout justifier à ton sens ?

— Non. Plantine ne te pardonnera pas.

Présine soupira.

— Je m'en accommoderai. Fais ce que tu dois.

— Tu sais ce que cela implique, n'est-ce pas ?…

— Oui, tu es venue au monde pour cela, affirma Présine sans mentir.

— Elora ?

La voix de Khalil derrière le battant.

La jouvencelle l'ouvrit, courba la tête pour ne pas se cogner au linteau en sortant.

— Alors quoi, je te manquais déjà ? dit-elle.

— Presque. Nous sommes prêts à embarquer.

Elle lui emprunta l'arrondi du bras.

— Eh bien, embarquons... embarquons, mon prince...

Il se mit à rire, Bouba bien calé en écho sur son épaule.

Présine les regarda s'éloigner sur le pont revenu au calme. Tout paraissait si simple avec cette enfant. Présine se demanda comment elle avait pu découvrir son secret. Et s'en accommoder avec autant de sérénité. Qu'importe. Rien n'avait changé dans leurs rapports. La même tendresse évidente qu'hier lorsqu'elles communiquaient par la pensée. Le sentiment de ne s'être jamais quittées. Sentiment qui semblait les atteindre tous. Anciens ou nouveaux couples, d'ailleurs, car, en deux mois de traversée, des liens puissants s'étaient noués. Entre La Malice et Catarina, Briseur et Celma, Nycola et Lina. Et jusqu'en les garçonnets, Jean et Mayeul qui rougissaient dès que Carol et Anne, les deux fillettes de Nycola s'approchaient. Pour ne pas citer Petit Pierre et Bertille dont le jeu favori semblait être de se biser sans que personne les remarque.

L'amour.

Il les tenait tous, d'une manière ou d'une autre, dans cette arche de l'impossible.

Ainsi qu'elle l'avait espéré.

Ainsi que l'être qu'elle aimait l'avait espéré pour repeupler un monde en perdition.

Et renaître lui aussi.

Elle referma la cabine derrière elle et s'avança au pied d'un des trois mâts qui supportaient les voiles latines, repliées.

Tous s'étaient accoudés pour regarder les embarcations gagner la plage.

Le cœur de Présine se gonfla. Elle les aimait. Chacun d'eux. De tout son cœur. De toute son âme. Elle les aimait.

Et le leur dirait, ce soir, oui, ce soir, pour qu'ils puissent, dans cet amour, trouver la force de lui pardonner.

70.

Ils marchèrent une demi-journée vers l'est, enchaînant monts et vaux, végétation de conifères ou marais, sous un ciel bas et lourd qui, par moments et de manière brutale, crachait des traits glacés. L'automne en Avalon leur rappelait les premières heures de l'hiver en Vercors. Celles qui en souffraient le plus étaient Lina et Mounia qui, jusque-là, s'étaient cantonnées aux douceurs de la Méditerranée. Elles ne s'en plaignaient pas, pourtant, se contentant juste de relever un peu plus haut leur col et de descendre plus bas leur bonnet.

Il n'empêche, lorsqu'ils atteignirent le cœur du bras de mer, le froid les avait tous transpercés. Par les bottes que les marécages traversés avaient fini par avaler, par les mantels fourrés que les aiguilles de pluie avaient pénétrés avant de se rigidifier. Même Constantin en était gêné.

Elora était la seule à ne pas sembler en souffrir. Toute son attention était focalisée sur les signes de vie autour d'elle. Ils étaient nombreux, furtifs parmi les colonies d'oiseaux de mer. Là une horde de cerfs aux bois étranges, ici un chuintement entre les herbes hautes, d'en haut une ombre gigantesque, volatilisée par un simple regard aux cieux. Avalée entre deux bandes de nuages.

Ennemis tangibles ou simples habitants dérangés par leur passage, Elora obligeait ses compagnons à rester sur le qui-vive.

Parfois, elle se retournait en direction de la tour, sur l'autre bras qui fermait la baie par le sud. Elle sentait la présence de Marthe, partout sur cette île battue par les vents, comme une profonde et nuisible écharde en sa lumière.

De l'extérieur, pourtant, rien ne le laissait supposer. Pour les siens, qu'elle menait avec assurance vers la cache de Merlin, guidée plus par sa voix intérieure que par la carte qu'il avait laissée, elle était toujours la même, silencieuse, concentrée, leur faisant éviter des sables mouvants dans les creux que la mer infiltrait, une branche basse sur les hauteurs, dans la brume qui, elle aussi, au fur et à mesure de leur progression, pesait sur la contrée.

Seul Khalil, fidèle à lui-même, ronchonnait. Il se voyait par l'atmosphère aux prémices de son cauchemar et se demandait à quel moment il lui faudrait l'affronter. Il restait si près de sa mère qu'elle manqua par deux fois de s'en entraver. Mounia n'eut pourtant pas le cœur de le lui reprocher.

Mais lorsque Elora, en tête du groupe, leva enfin le bras pour les immobiliser en disant : « Nous y sommes, c'est sous cette butte, au milieu de l'étang », ils se sentirent tous soulagés.

Beaucoup moins lorsqu'ils prirent conscience qu'ils n'avaient pas d'embarcation et qu'ils allaient devoir plonger dans le liquide, visqueux, verdâtre, nauséabond et probablement glacial.

Quittant les bouquets d'ajoncs qui depuis une dizaine de minutes avaient délimité leur progression, ils traversèrent une lande rase et jaunâtre et s'approchèrent du bord.

Khalil s'accroupit, le nez froncé par les remugles, et y trempa la hauteur d'une phalange. Elle en ressortit couleur bronze. Il fit jouer la texture graisseuse entre le pouce et l'index puis se redressa, la peau irritée, pour s'essuyer à son mantel.

— Ce n'est pas de l'eau. Je ne sais pas ce que c'est, mais ce n'est pas de l'eau.

Elora, plantée devant l'étendue, songeuse, se retourna vers lui.

— De l'urine. De l'urine de dragon.

Ils écarquillèrent les yeux.

— Es-tu sérieuse ? demanda Enguerrand.

— À ton avis ? grimaça Khalil sous la douleur qui grandissait à ses doigts.

— Il faut te rincer, s'empressa Constantin en débouchant une des gourdes.

Pendant qu'il la vidait tout en frottant la brûlure, Nycola fit un tour sur lui-même pour observer les abords. Par-delà ce réservoir sur les berges duquel rien ne poussait, la lande s'étirait de nouveau, entrecoupée de canaux et de marécages, semblable à celles qu'ils avaient traversées jusque-là et surplombée d'autres collines.

Elora avait raison.

Ce lieu était une enclave. Particulière. Presque apaisante malgré sa désolation.

Khalil fut rapidement soulagé, mais son mantel rongé par l'acide convainquit les autres que, tel quel, le sanctuaire était inviolable.

— Où se cache le dragon en question, à votre avis ? s'inquiéta Lina.

— Je l'ignore, mais il nous a survolés tout à l'heure, répondit Elora, les yeux rivés sur Nycola, toujours ténébreux.

— Je me disais aussi… Une ombre pareille, lui concéda Constantin en rattachant sa gourde vide à sa ceinture.

— Que suggères-tu, Elora ? demanda Mounia.

— Et toi, Nycola ? répliqua celle-ci en guise de réponse, les faisant se retourner vers le Bohémien, reculé en lisière des herbes hautes et sèches pour mieux jauger de la configuration d'ensemble.

Il ne fut pas surpris de la question.

— Le dragon est un gardien, mandaté par Merlin comme mon aïeul avant moi pour protéger un temple. Il ne nous attaquera pas.

Mounia poussa un petit cri de surprise.

Par ces quelques mots, elle venait de comprendre à son tour. Le bas-relief du petit temple de Deir el Medineh. L'arche qui était représentée sur un des murs, surmontée d'un dôme puis du symbole Sokaris qu'avait enfoncé Elora… L'arche dont elle était persuadée qu'elle avait contenu la table de cristal était là sous leurs yeux. L'étang dans sa globalité en était la représentation conforme. Il lui suffit de reculer à la hauteur de Nycola pour s'en convaincre.

Elle s'excita.

— Il faut chercher le Sokaris. Celui-ci actionné, l'étang se videra, nous ouvrant l'intérieur de l'arche.

Elora hocha la tête.

Merlin avait raison. Elle n'aurait pas besoin de révéler quoi que ce soit, leur bel esprit de déduction s'y emploierait sur place. Il avait laissé suffisamment d'indices dans le petit temple pour cela.

Déjà Mounia écartait les joncs et Khalil se précipitait sur chaque rocher.

— À quoi ressemble ce Sokaris ? demanda Lina.

— À une tête de rapace, répondit Nycola en examinant de plus près un petit tumulus de pierres.

Constantin, lui, les laissant à leur quête, fixait le ciel bas, conscient de la présence de l'animal entre deux couches, épaisses, de nuages. Il reconnaissait son cri au milieu de ceux des oiseaux. Dans ses rêves de bestiaire, il avait déjà vécu ce moment-là.

Elora se dirigea vers la dextre du réservoir. Elle trouva sans peine la roche de soubassement.

— Je l'ai, dit-elle en enfonçant le symbole.

Ils se précipitèrent pour voir se former une grosse bulle d'air à la surface. Elle explosa dans une odeur pestilentielle et un odieux gargouillement.

Dans les secondes qui suivirent, un tourbillon se forma au-dessus du siphon et la pâle lumière du jour se voila d'une ombre imposante. Ils levèrent la tête de conserve, rattrapés par la terreur.

La bête avait traversé la couche de brume et descendait vers eux, les ailes et la gueule grandes ouvertes.

71.

Arrachant son épée au fourreau, Enguerrand fut le premier à réagir.

— Dispersez-vous dans les joncs ! gueula-t-il, prêt à les défendre.

— « Je suis le gardien… Il n'attaquera pas… » Pfff… tu parles…, ronchonna Khalil en repoussant Lina et Mounia, tétanisées, vers les marais, avant de leur recommander de se coucher le nez au ras du sol.

Elles s'empressèrent d'obéir, malgré la gangue dans laquelle elles s'enfoncèrent et les hautes tiges qu'elles écrasèrent.

Khalil en aurait probablement fait autant s'il l'avait pu, mais il décida que c'était le moment ou jamais de tester le pouvoir des trois. Le seul problème était qu'il en ignorait le fonctionnement et le résultat.

Dans le doute, il enleva son braquemart à sa ceinture et fit volte-face, suivant le cri perçant de la bête qui planait en cercles au-dessus de l'étang.

N'écoutant que son courage, Enguerrand battait déjà l'air de la pointe de son épée ; Nycola s'était rapproché de Constantin et d'Elora, figés en bordure.

Vue de là, pourtant, la créature, d'une blancheur immaculée, n'apparut pas à Khalil si gigantesque et si effroyable, malgré les crêtes qui lui dévalaient l'échine jusqu'à la queue terminée en pointe de lance.

Il avança en rentrant la tête dans les épaules, l'arme au poing. Faible rempart contre le monstre.

Un nouveau cri, plus strident encore, fendit le silence. Le dragon demeura stationnaire à quelques toises au-dessus du réservoir qui achevait de se vider, les pattes griffues repliées sous son poitrail. Par l'épaisseur de sa carapace, il était invincible à toute arme et sa faction le rendait d'autant plus dangereux, comprit le petit Bohémien en même temps qu'Enguerrand.

Même si, pour l'heure, il se contentait de les fixer de ses gros yeux globuleux, il lui suffirait d'allonger brusquement le cou en direction d'Elora, de Nycola et de Constantin pour n'en faire qu'une bouchée ou les réduire en cendres.

Khalil hésita à les rejoindre, cherchant à actionner en lui quelque mécanisme improbable. Rien ne vint.

Sinon la voix de Constantin tournée vers Elora.

— J'étais sûr que ce serait celui-là. Il y a de la bonté dans son regard. Nous n'avons rien à craindre de lui. C'est un ami…

Et, au grand étonnement de Khalil, il s'agenouilla devant la bête. Nycola fit de même. Puis Elora avant de jeter par-dessus son épaule :

— Rangez vos armes et faites allégeance.

Emporté par l'élan d'Enguerrand, Khalil obtempéra. Toujours faire confiance à Elora… C'était la règle. Même si, cette fois, il n'était pas certain que ce soit le meilleur choix.

Pourtant.

Le dragon déplia ses pattes et se posa avec une délicatesse insoupçonnée tout en haut du dôme, au milieu de l'étang vidé, l'entourant de sa longue queue.

Le plus tranquillement du monde, nota Khalil, enfin soulagé.

Pendant quelques minutes, à l'exception de Mounia et Lina, couvertes de boue, qui revenaient en rampant, ils restèrent immobiles, puis Nycola se redressa.

— Je ne serai pas long, se contenta-t-il de dire, sûr de son fait.

Et sans plus attendre, il traversa le réservoir, évitant les flaques qui s'y trouvaient encore, droit vers une ouverture dessinée à flanc de butte.

Lorsqu'il ne fut plus qu'à quelques coudées, le dragon blanc abaissa sa tête musculeuse et crêtée jusqu'à lui. Nycola attendit qu'il le renifle avant de relever une main. L'animal la laissa se poser sur sa joue cuirassée, ébaucher un semblant de caresse, puis s'écarta.

Lina n'avait plus de jambes et de cœur lorsque, enfin, Nycola disparut à l'intérieur du sanctuaire.

Il en ressortit cinq minutes plus tard, les épaules prises par les deux sangles d'un imposant sac de cuir rectangulaire. La bête ne bougea pas. Pas davantage lorsqu'il remit pied sur la rive.

Elle se contenta de les regarder, avant de pousser sur ses pattes, de battre des ailes et de s'élever dans les airs.

Ils suivirent son envol, troublés par cette rencontre improbable.

Le dragon atteignit les nuages, les creva de sa musculeuse puissance et disparut, abattant sur eux une pluie aussi soudaine que froide, qui, si elle ne dura que quelques secondes, les inonda.

Alors seulement ils firent cercle autour de Nycola.

— On peut la voir ? réclama Mounia, rincée comme Lina par l'orage.

— On peut, affirma le Bohémien, avant d'ajouter : Elle est excessivement lourde. Soutenez-la, s'agirait pas de la briser maintenant.

Tandis que Khalil et Constantin se plaçaient derrière lui, il accepta l'aide d'Enguerrand pour dégager les sangles de ses épaules.

Quelques minutes plus tard, ils l'avaient mise à plat sur l'herbe jaunie et, accroupis autour, ils laissaient Nycola défaire les lacets puis écarter la peau qui la recouvrait. Elle leur apparut enfin, large d'une demi-toise, haute d'un quart et épaisse de trois pouces, comme taillée dans une brume ocrée, veinée de noir et de bleu selon qu'elle accrochait ou non la lumière, soulevant des réactions diverses mais une même émotion.

La copie réalisée par Merlin de la table de cristal des Hautes Terres.

— Je l'imaginais plus grande, nota Khalil.

— Et moi plus translucide, surtout. À l'exception de l'emplacement des flacons, on voit à peine les tracés… ou plutôt les canaux, s'intrigua Mounia en passant un doigt sur les sillons.

— C'est la même roche que la double aiguille pyramidale de ton bijou, souleva Nycola, ramenant leur regard à tous vers Elora.

Elle leur sourit.

— La même aussi que le benben, si j'en crois la mémoire de Merlin. Voilà pourquoi ce cristal est si rare. Il ne ressemble à rien de connu, ni par son allure ni par ses propriétés. Allons, à présent, alourdis par cette charge, nous irons moins vite, sans compter que la nuit tombe plus tôt ici que chez nous, réveillant les ombres maléfiques demeurées sur l'île.

Ils frissonnèrent d'une même angoisse.

Nycola referma les battants de cuir puis noua solidement les lacets.

— Nous la porterons à tour de rôle, décida Constantin en prêtant sa main à Nycola pour l'aider à se redresser, son fardeau remis aux épaules.

— Ma foi, ce ne sera pas de refus, accepta-t-il en se mettant debout.

Déjà, Elora ouvrait la marche. Lina enroula ses doigts à ceux de Nycola et vint planter ses yeux dans les siens.

— Je sais que l'endroit n'est pas le mieux choisi, mais j'ai cru mourir d'effroi quand le dragon s'est penché sur toi… Je…

— Moi aussi je t'aime, la coupa-t-il d'un baiser furtif sur les lèvres.

La Sarde s'embrasa sous son regard brûlant.

— C'est pour cela que je n'ai pas un seul instant douté qu'il me laisserait passer, ajouta-t-il avant de l'entraîner, laissant Constantin, qui les attendait, former leur arrière-garde.

Ils avancèrent une bonne heure avant de s'accorder une pause au pied d'une colline, près d'une source repérée à l'aller et qui jaillissait, limpide, entre deux roches. La faim les tenaillait tous et, si le vent agaçait la plaine, leur battant les oreilles de son sifflet glacial, le ciel se dégageait peu à peu. Ils s'installèrent sur la mousse qui recouvrait les affleurements de roche, près de quelques arbustes rabougris, posèrent la table sur un dégagement plat, puis ouvrirent le sac que Janisse leur avait donné.

Rien n'avait vaincu le talent du cuisinier. Ni le mal de mer, ni les rationnements entre deux escales, ni leur obstination à ne croiser que des bancs de morues ces derniers temps. Il trouvait toujours moyen de les régaler.

Le poisson qu'il avait réussi à fumer puis à rouler dans un mélange d'épices les ravit sitôt la première bouchée. Les yeux suivant les envolées des centaines d'oiseaux qui avaient colonisé l'île, ils le dégustèrent en silence, s'imprégnant d'un bonheur simple et d'autant plus apprécié que la menace de Marthe le rendait précaire.

Une fois rassasiés, ils remplirent leurs gourdes, et allaient repartir lorsqu'un hennissement leur fit dresser la tête. Un autre suivit, dans un bruit de galop.

Khalil et Nycola échangèrent un regard de convoitise. Mais ce fut Constantin qui les devança.

— Voilà qui ferait notre affaire, ne trouvez-vous pas ?

— Trop sauvages, vous n'en aurez aucun et perdrez notre temps, voulut les décourager Enguerrand.

La horde traversait le marais dans un soulèvement de gouttelettes, vraisemblablement avide du point d'eau qu'ils occupaient.

— S'ils piétinent la table, elle est perdue, gémit Mounia en se précipitant déjà.

Elora arrêta son geste, un sourire confiant aux lèvres.

— Aucun danger. C'est moi qui les ai appelés.

De fait, la cavalcade avait cessé, laissant place à un sifflement admiratif dans les bouches masculines.

Rassurée, Mounia se retourna.

Quatre chevaux s'étaient détachés du groupe pour s'avancer vers eux, paisibles, le front bas, mais là ne fut pas sa surprise. Ils encadraient, telle une reine, une bête aussi immaculée que le dragon et tout aussi légendaire.

Se détachant de Mounia, Elora se dirigea vers elle et ouvrit sa paume. Alors, inclinant cette torsade qui lui piquait le front, juste entre ses deux yeux, la licorne y plongea ses naseaux.

Pour leur plus grande joie.

*

* *

Selon les ordres de Présine, Janisse avait préparé un succulent repas et les tables avaient été dressées sur la caravelle que commandait Mathieu, rebaptisée *La Reine de lumière* depuis leur départ.

Leur journée à tous avait été fructueuse. Briseur, La Malice et le baron avaient fait provision d'eau potable ; les enfants, une pêche miraculeuse. Aidée de Catarina, Présine avait achevé de recoudre une des voiles ; quant aux autres, ils avaient vaqué aux ordres de Janisse.

Seul Bouba avait été insupportable, rageur d'avoir été abandonné par Khalil et Nycola à la fois, quand Noiraud, harassé de jeux, grognait à ses tentatives pour l'arracher au sommeil.

Voir arriver cette chevauchée ajouta donc à leur joie à tous. Pour un peu, à l'exception de Présine, vigilante, ils en auraient oublié Marthe. Durant quelques minutes, ils voulurent tous descendre à terre pour approcher la licorne. Mais Elora lui rendit sa liberté, comme aux autres montures, sitôt la grève touchée. La nuit tombait et elle sentait grandir la menace du bestiaire maléfique de l'île dont Présine leur avait confirmé la présence dans les sous-sols du vieux castel.

Mathieu remonta à bord le premier, annonçant haut et fort qu'ils rapportaient le trésor de Merlin.

La licorne perdit aussitôt de son attrait, sinon pour les enfants qui, grimpés dans la mâture, en suivirent, le plus loin possible, le retour au milieu des terres.

Avant que de montrer la table de cristal, il avait été entendu entre Enguerrand et Mathieu qu'ils mouilleraient, comme la nuit précédente, un peu plus en retrait des côtes, en plein cœur de la baie.

Tandis que Nycola s'en allait déposer son fardeau dans la petite cabine, à la place de la carte de Merlin, désormais inutile, les deux commandants, chacun à leur poste, firent lever l'ancre et les voiles.

Les deux caravelles prirent le vent sans difficulté, et s'immobilisèrent, côte à côte, au beau milieu d'un prodigieux banc de poissons, à une distance suffisante pour être hors d'atteinte, puisque rien, la veille, n'était venu troubler le sommeil de la communauté.

Alors seulement, laissant *Le Chant des sorcières* à la garde des mercenaires d'Enguerrand, chaque membre de la communauté put venir dans la cabine, seul ou accompagné, et examiner à sa guise l'objet tant convoité.

Le repas qui suivit les réunit tous autour du sujet, dans le même émerveillement face aux étonnants changements de couleur du cristal, qui du bleu le plus pur variait au noir le plus sombre selon que la lumière le caressait de tel ou tel côté.

Puis, les bontés de Janisse aidant, ils s'abandonnèrent à sa cuisine, sur le pont illuminé par les lampes tempête et une lune ronde. Engoncés dans leurs pelisses, ils dégustèrent des plats de poisson plus délicieux les uns que les autres, agrémentés de fruits et de légumes, s'ébaubirent au récit de la rencontre avec le dragon, rirent de la plongée des deux femmes dans la boue, donnèrent leur sentiment, bref, devisèrent comme à l'accoutumée et sans doute plus encore.

Elora attendit que tous soient repus et réchauffés de vin pour annoncer qu'elle se rendrait au castel dès le lendemain, se mesurer à Marthe.

Son annonce faucha rires et conversations.

— Nous lèverons l'ancre dès mon retour, ajouta-t-elle en regardant Présine qui se tordait les mains depuis quelques minutes.

La fée hocha la tête. Elle était prête. Autant que cela se pouvait. Elora enchaîna :

— Mais, auparavant, Présine a une histoire à vous raconter. Une histoire tragique. Elle nous concerne tous. Quelle que soit votre réaction, sachez que j'ai accepté d'être complice de son secret. Pour une seule raison. Ce qui fut ne peut être défait. Sinon par nous tous. Mais plus encore parce que j'ai confiance en cet amour qui de tout temps l'a guidée.

Elora se rassit.

Et Présine, ployant sous les regards, se mit à parler.

72.

C'était au commencement des temps. Avalon venait de naître et Merlin avait été envoyé sur Terre en mission de reconnaissance. Il emmenait avec lui huit des Sages, hommes ou femmes qui s'accouplèrent aux primitifs, dans le dessein de créer une race intermédiaire qui permettrait leur évolution. Ainsi naquirent les fées. L'expérience se montrant concluante, il fut décidé de la renouveler, mais, cette fois, sans que les Anciens soient impliqués. Les fées s'accouplèrent à leur tour, puis leur fille et leur fille, jusqu'à la quatrième génération.

Ce fut une de trop.

Dégénérés, les pouvoirs des Anciens avaient donné naissance à des créatures étranges, qui, elles-mêmes, s'accouplèrent à des animaux de la Terre, créant un bestiaire effrayant de noirceur ou simplement d'allure.

Puisque le contrôle leur avait échappé, les Anciens chargèrent Merlin de veiller à ce que les fées restent en Avalon et n'en sortent plus jamais. Dans le même temps, il reçut l'ordre de former des prêtresses d'une lignée humaine mais en qui serait distillé le savoir des Hautes Terres. Afin de ne pas recommencer les mêmes erreurs, il fut décidé qu'à titre d'essai cette lignée ne s'implanterait qu'en les îles voisines d'Avalon.

Ainsi fut fait.

Jusqu'à ce que Merlin ramène un assistant sur l'île.

Le jeune Apophis. D'allure agréable, il était d'une intelligence vive et d'une bonté sans pareille. Merlin le gardait au secret, car il travaillait, depuis Avalon, à la création du benben, censé ouvrir des portes à travers l'espace et le temps, ce, à volonté.

Durant de longs mois, Présine ne sut rien de l'existence d'Apophis, jusqu'à ce qu'elle accroche son regard derrière la croisée et en soit, comme lui, bouleversée. Très vite, ils prirent l'habitude de se voir, à la dérobée, puis de profiter des absences, trop courtes, de Merlin pour s'approcher et finalement se découvrir si puissamment liés l'un à l'autre qu'aucune loi ne pourrait s'y opposer.

Bien évidemment, Merlin finit par découvrir la vérité, mais, devant un amour si pur, il décida de plaider en leur faveur auprès du conseil des Sages, lorsqu'il remonterait leur faire la démonstration du fonctionnement du benben.

Hélas, les Anciens furent catégoriques dans leur refus, malgré les suppliques d'Apophis à qui ils interdirent de retourner sur Terre.

C'est dans les heures qui suivirent que survint le drame. Ce ne fut pas le benben lui-même qui fut la cause de l'accident ce jour-là, mais la tourmente qui habitait le cœur d'Apophis, à l'idée de ne jamais revoir celle qu'il aimait. Il commit une erreur en insérant le benben au-dessus du flux énergétique, et en paya le prix. Son âme, son apparence devinrent à l'image de sa colère, de sa rancœur envers les Anciens, ces êtres, trop purs, trop parfaits, emplis de sagesse, certes, mais dénués d'amour.

L'être monstrueux qu'ils avaient craint de créer par mésalliance était né de leur aveuglement.

Grâce à leurs pouvoirs, ils l'isolèrent mais rien n'y fit. Chaque jour davantage, rendu fou de douleur et de désespoir, Apophis absorbait l'énergie des Hautes Terres et gagnait en puissance dans un esprit de vengeance.

Les Anciens siégèrent en grand conseil, et Apophis fut banni sur la Terre d'en bas où comme ils l'avaient prévu, ses pouvoirs déclinèrent.

Se réfugiant en des profondeurs sous-marines que nul ne put percer pour le détruire, Apophis ne fut plus qu'un homme serpent condamné à errer.

La première fois qu'il revit Présine occupée à ramasser des coquillages sur le rivage d'Avalon, il sentit son cœur s'émietter. Plus encore lorsque, l'apercevant, elle se mit à courir dans les vagues, malgré la froideur de l'onde, en hurlant son nom.

Il n'eut pas le courage de la confronter avec son corps reptilien, même si, apaisés, ses traits avaient retrouvé leur beauté.

Il plongea.

Alors Présine revint toquer à la porte de Merlin qui lui avait annoncé sa mort au moment de l'expérience et exigea de savoir ce qui s'était réellement passé.

Elle n'obtint que de se voir interdire l'accès à la plage et d'être étroitement surveillée.

Des siècles passèrent ainsi sans que Présine oublie Apophis et Apophis Présine. Sans qu'ils puissent se voir tout en sachant l'un comme l'autre leur proximité.

Et puis, un matin, l'île d'Avalon se vit bouleversée.

Seth Morlat avait dérobé la table de cristal et les flacons pyramides.

Présine profita de l'effarement de tous pour courir jusqu'à la grève. Elle ne fut pas longue à voir Apophis émerger. Craignant qu'il ne s'enfuie encore, elle demeura en lisière de l'eau et hurla la nouvelle. Comme elle s'en doutait, Apophis en fut satisfait. Seth Morlat était son meilleur ami. Apophis ne douta pas que son geste avait été dicté par la volonté de lui venir en aide, d'autant plus sûrement que Seth avait fui en empruntant le passage en plein océan par lequel on l'avait chassé.

Quittant Présine, il s'élança vers lui.

Mais Seth affirma qu'il ne pouvait rien pour le sauver, qu'il avait agi seul, par pure vengeance, parce qu'on lui avait interdit de remplacer son père, défunt, au conseil des Sages. Apophis insista sur sa rédemption. Seth refusa. Alors Apophis, furieux de tant de trahison et d'injustice, battit les eaux de sa queue gigantesque. Le navire sombra et avec lui la table de cristal. Dans la tourmente qu'il déclencha, Apophis ne la vit pas sombrer dans une faille profonde, ni Seth, excellent nageur, s'éloigner.

Lorsqu'il revint pour tout raconter à Présine, il était fou de rage. Contre Seth mais aussi contre Merlin, qu'il rendait responsable de tout. S'il n'avait rien dit, s'il ne s'était pas servi de lui pour cette expérience…

Ce jour-là, Présine repartit le cœur gros. D'une certaine manière, Apophis avait raison. Merlin aurait dû prévoir la réaction des Anciens, les laisser elle et Apophis s'enfuir d'Avalon comme ils le préconisaient. Ou encore, le mal fait, leur permettre de se revoir, malgré cette difformité.

Parce qu'elle n'était pas faite pour la haine, Présine ne garda pas de rancœur, elle se contenta de supplier, puis de se résigner lorsqu'une nouvelle fois Merlin se ligua aux Anciens pour les séparer.

Car Seth avait parlé à son frère Osiris. Son geste n'aurait pas dû avoir de conséquences. Seulement obliger les Anciens à prendre en compte sa requête. Il aurait rapporté le tout sitôt que le conseil des Sages y aurait accédé.

Mais le fait était là. Et le grand conseil craignit qu'Apophis retrouve la table de cristal et l'utilise pour réactiver le passage par lequel il avait été chassé. Qu'il réapparaisse pour se venger.

Présine fut bouclée au plus haut de la tour sombre, pour qu'elle ne puisse, d'aucune manière, l'y aider.

Seth, repenti, fut exilé dans le désert, seul endroit où la menace d'Apophis se perdait, chargé de conserver les flacons pyramides et de trouver le moyen de se racheter. Et Merlin confia le benben à Osiris, afin qu'il l'utilise pour renforcer en énergie les hauts lieux de cette Terre et permette à l'âme des Anciens d'y subsister.

Le temps passa ainsi dans la quête éperdue d'un monde pour sa survie. Les Anciens moururent, faute de pouvoir se régénérer, et les passages se refermèrent, les uns après les autres. L'idée d'une lignée primordiale devint une nécessité dans les deux mondes malgré les risques de dégénérescence encourus. Elle n'apporta rien que la transmission d'un savoir peu à peu émietté et des êtres de plus en plus imparfaits. Seth fut rappelé dans les Hautes Terres auprès de Rê et se mit en quête d'un autre gisement de cristal. Merlin de même, sans succès, tandis que le contenu des flacons pyramides s'amenuisait.

Or, la fin du conseil des Sages vouait les Hautes Terres aux mêmes affres que celle d'en bas. La violence, la jalousie, la corruption, le mensonge, la cupidité. Tous les plus vils instincts lentement et efficacement jugulés par la raison reviendraient. Déjà, ils s'amorçaient, de génération en génération.

Seth suggéra de trouver un terrain de conciliation avec Apophis, mais ni Merlin ni Rê ne purent s'y résoudre, convaincus que sa puissance destructrice serait décuplée comme elle l'avait été après sa mutation.

Présine, de son côté, ne songeait qu'au moyen de quitter l'île.

Ce fut Elinas, roi d'Écosse, qui le lui offrit, de nombreux siècles plus tard, en venant rendre visite à la reine Morgane. Jouant finement, Présine réussit à se faire voir de lui et à lui parler. Elle lui mentit sur sa nature féerique, affirmant qu'on la séquestrait par crainte des secrets qu'elle avait découverts en Avalon. Il la crut, l'enleva et l'épousa.

Mais, contrairement à ce qu'elle avait imaginé, Présine ne fut pas davantage sauvée. Elinas la mit enceinte dès la première nuit et la grossesse fut si épouvantable que, craignant de les perdre, elle et l'enfant, Elinas l'obligea à demeurer alitée. Ainsi naquit Mélior et, neuf mois après le retour de couches de Présine, Plantine.

Présine jura qu'on ne l'y reprendrait plus.

Elle fabriqua une potion d'impuissance qu'elle administra elle-même à Elinas durant son sommeil. Puis, ses forces revenues et pendant que ses filles, conçues dans le dégoût et la violence, grandissaient dans les bras de leurs nourrices, elle se rendit au pied des falaises que l'océan caressait.

Des mois passèrent avant qu'Apophis l'aperçoive. Alors commença un long ballet fait de patience. Elle s'approchait, il reculait, plongeait, disparaissait, revenait, la guettait et recommençait. Jusqu'au jour où elle rusa et fit semblant de se noyer comme il arrivait. Il la sauva, l'étreignit de toutes ses forces, mais que pouvait un corps de serpent contre un corps de femme ?

Pour avoir été longtemps l'assistant de Merlin, Apophis avait réfléchi à cette question sans vouloir croire pourtant que Présine se résoudrait. Elle réussit à le convaincre : qu'importe l'apparence, elle l'aimait. Ils s'aimaient.

Et elle préférait vivre femme serpent à ses côtés que de continuer à se cacher.

Elinas, employé à guerroyer, ne se douta pas que sa

fortune était dépensée à une autre cause qu'à nourrir son armée. Rapporté d'Égypte par les mercenaires que Présine engagea, le benben fut entre leurs mains, et, une nuit d'orage, Apophis le plaça au-dessus de leurs têtes tandis qu'ils s'étreignaient. La transmutation s'opéra. À son grand regret, Présine n'obtint un corps de femme serpente qu'un seul jour, celui qui marquait de sept en sept le moment de leur union. Quoi qu'il en soit, neuf mois plus tard, Mélusine naissait et le benben retrouvait sa place dans le tombeau d'Osiris sans que personne sache qu'il l'avait quittée.

Lors, Présine dut composer avec cette double vie, forte du serment que lui consentit Elinas de ne pas troubler son bain le samedi. Ce jour-là, elle le prenait avec Mélusine qui, dès son plus jeune âge, développa la même particularité que ses parents. Une jolie queue de serpent.

Cela ne dura pas. Elinas enfonça un jour sa porte et découvrit la vérité. Il la mit sur le compte de la féerie. Furieux d'avoir été trompé, il renvoya Présine et ses filles en Avalon, où elle jura à Merlin qu'Elinas avait su lui faire oublier Apophis et qu'elle ne voulait plus entendre parler de ce dernier.

Merlin, elle le comprit, fut très vite convaincu du contraire. Cette fois pourtant, il jugea plus judicieux de ne pas s'y opposer. Mieux valait qu'Apophis se consacre à l'amour qu'à la vengeance.

Ignorant l'usage que les deux amants maudits avaient fait du benben, il s'attela à sa propre quête, ne revenant que périodiquement en Avalon pour s'assurer de la formation des druidesses.

Pendant ce temps, les trois filles de Présine grandissaient. Mélusine dans une complicité totale avec sa mère, les deux autres comme elles le purent. Jusqu'à ce qu'elles soient en âge de se demander pourquoi le roi Elinas les avait privées de leur héritage. Présine leur mentit comme elle avait menti à tous. Il s'était cru trompé et son orgueil n'y avait pas résisté.

Les trois sœurs ourdirent leur vengeance et, pour satisfaire aux ordres de la reine Morgane et des fils qu'Elinas avait eus en secondes noces, Présine dut sévèrement les punir. La malédiction lui coûta d'autant plus qu'Apophis était opposé à l'idée de ne plus revoir sa fille. Présine imagina donc une feinte pour Mélusine, espérant ainsi l'épargner. Hélas, vingt ans plus tard, son châtiment l'avait rattrapée.

C'est alors qu'en Avalon une des devineresses, dans un état profond de transe, édicta la prophétie :

« Le pouvoir des trois du mal triomphera, et l'enfant velu né d'Hélène et d'un prince d'Anatolie les Hautes Terres conquerra. »

La reine Morgane ne douta pas un seul instant que Plantine, Mélior et Mélusine formeraient cette trinité. Or Morgane en voulait à Présine de lui avoir ravi l'amour d'Elinas et à ses filles de l'avoir tué. Dans un geste de colère, elle libéra les trois Harpies. Présine l'apprit et aussitôt s'en fut alerter Mélusine à qui elle confia l'œuf de vouivre qu'elle avait dérobé.

Mélior succomba dans le plus grand secret. Plantine, elle, rusa suffisamment pour que la Harpie demeure prisonnière à sa place. En récupérant sa laideur et ses pouvoirs, Plantine apprit tout de la créature, y compris les raisons qui l'avaient poussée à son crime.

Sans nouvelles de Mélior, elle se précipita en Dauphiné. La Harpie qui guettait Mélusine s'y trouvait déjà. Plantine eut peur d'être démasquée. Il n'en fut rien. La Harpie se laissa prendre à son odeur et Plantine put la mener jusqu'à la vouivre et s'en débarrasser.

La reconnaissance de Mélusine fut de courte durée. Plantine, devenue Marthe, avait compris que, Mélusine ayant été la seule des trois à avoir eu une descendance, c'était d'elle que naîtrait l'enfant velu. Et que leur trinité devrait le protéger.

Or l'omniprésence de sa sœur n'arrangeait en rien les véritables projets de Mélusine.

Car, comme Présine, Mélusine avait décrypté la prophétie, si conforme aux espérances de son père. Si l'enfant velu devait être de son sang, la trinité, elle, ne pouvait être que de lignée primordiale pour avoir une chance de sauver Apophis de son carcan monstrueux.

Elle informa sa mère de la libération de Plantine. En retour, Présine lui annonça que son père avait enfin retrouvé la table de cristal.

Ne restait plus qu'à la lire.

À la faveur d'une nuit et de l'absence de Merlin, Présine emprunta la porte d'Avalon, se rendit dans la tour de cristal et déroba les flacons pyramides.

Deux jours plus tard, Apophis regagnait les Hautes Terres, triomphant.

Ni Seth, ni Rê, trop faibles, ne s'opposèrent à lui. La table retrouva sa place sur le pilier Djed, les flacons pyramides furent remplis d'élixir et les deux Sages furent sauvés, dans le seul dessein, leur annonça Apophis, qu'ils trouvent le moyen de le guérir.

Il s'installa sur le trône des Hautes Terres, aux côtés de Présine, mais bien vite se rendit compte de ce que ce monde était devenu. Une terre de désolation, traversée de guerres de clans. La cité blanche n'avait dû son salut face à leurs attaques qu'à cette énergie bienfaitrice qui la traversait. Mais il n'en restait qu'une tour de cristal, qui, de jour en jour et du fait même de la présence d'Apophis, noircissait.

— Les Hautes Terres doivent renaître, Présine. Avant le drame, je n'ai jamais voulu leur fin, seulement vivre en paix dans l'amour que tu me donnais. Il faut recréer l'harmonie. Mélanger mon sang à celui de la lignée primordiale. Pour donner naissance à une nouvelle race de géants. Mais pas ici. Sur la Terre d'en bas pour les protéger de moi. Des enfants de la lumière viendront ma rédemption et ma guérison. Aide-moi, l'avait-il suppliée ce jour-là, en prenant conscience de ce mal qui, peu à peu, lui rongeait l'âme.

Il n'en voulait pas. Il ne se reconnaissait pas dans ses crises de colère et de violence qui, brusquement et sans qu'il puisse les contrôler, balayaient tout sur leur passage. La peur du monstre dont il avait l'apparence le hantait, certain qu'il était d'un jour lui succomber totalement et de tout perdre. Jusqu'à l'amour de Présine.

Dès lors, la fée se démena.

Seuls Rê et Merlin étaient d'un sang pur. Rê avait engendré la lignée de Sardaigne et d'Égypte. Merlin celle des grandes prêtresses d'Avalon.

Une devineresse trancha en faveur de Merlin, assurant que l'âme des Géants de Sardaigne avait été préservée dans un nuraghe et que le troisième de la trinité les recevrait là-bas.

Mais, Présine le savait pour l'avoir suffisamment côtoyé, Merlin ne l'aiderait pas de son plein gré à asseoir la lignée d'Apophis dans les Hautes Terres. Quant à espérer le guérir, il s'y était essayé suffisamment longtemps pour s'être persuadé que c'était impossible.

Elle rusa donc. Et d'autant plus habilement qu'il revint en Avalon, triomphant, avec la copie de la table, le lendemain de son retour à elle.

Ce fut elle qui lui apprit qu'Apophis l'avait devancé. En larmes. Affirmant qu'il avait eu raison de la mettre en garde, car en quelques jours Apophis était redevenu un monstre de noirceur et d'une telle cruauté qu'elle avait dû s'enfuir pour se protéger. Mais, plus encore, qu'il s'était trouvé une alliée contre sa propre lignée.

Marthe.

La nouvelle abattit Merlin. Présine en profita. Quoi de mieux que la lumière pour vaincre l'ombre ? Ne pouvaient-ils essayer, elle et lui, de créer, l'être pur, parfait de bonté, capable par ses pouvoirs de renverser la prophétie ? De tuer Marthe, puis Apophis ?

Merlin avait cédé.

Elle l'avait quitté avant qu'il ne s'éveille, certaine de porter en elle sa lumière. Elle ne le revit jamais. Et n'avait que la certitude de sa mort puisque, au moment où elle avait voulu regagner les Hautes Terres, de longs mois après la naissance du père d'Algonde, la porte d'Avalon était refermée.

Désespérée de ne plus avoir de nouvelles d'Apophis, Présine s'était attelée à faire en sorte que la prophétie devienne réalité.

Et bien lui en prit. Car, au moment de mourir, Mélior avait fait passer son esprit dans celui d'un épervier. Présine n'avait eu conscience de sa présence dans le corps du rapace que tard, lorsque, après les avoir entendues, Mélusine et elle, Mélior avait tenté d'avertir Marthe de ce qu'elles tramaient. N'y parvenant pas, Mélior avait fait tomber du toit le père d'Algonde, abîmé Mathieu, piqué Hélène, bref, fait son possible pour empêcher l'avènement de cette trinité. Jusqu'à succomber enfin.

Et renforcer la colère de Marthe qui, ayant enfin appris la mort de Mélior, se doutait de la trahison de Mélusine, sans pouvoir l'expliquer.

73.

Présine marqua une pause face à leurs visages fermés. Elle pouvait y lire autant d'émotion que de colère, de sentiment de trahison que de déception. N'avait-elle pas manipulé chacun d'eux pour parvenir à ses fins, les torturant cruellement depuis dix années ? Elle ne s'y attarda pas, pourtant. Avant que de la juger, il fallait que son aveu soit complet.

Elle enchaîna dans un silence glacé.

— La vieille sorcière qui remit le flacon pyramide à Djem en Anatolie, c'était moi. Moi encore qui le donnai à sœur Albrante pour guérir Jeanne de Commiers, la mère d'Hélène. Aidée en cela par les dons de prémonition de Mélusine. Consciente au fur et à mesure que vous veniez au monde que j'étais devenue le socle, le djed de cette prophétie, mais plus encore qu'elle était légitime puisque vous lui donniez une réalité. Ma plus belle victoire fut l'avènement d'Elora et la conviction, devant sa lumière, qu'Apophis pouvait être sauvé. Ma plus grande défaite…

— La mort de Mélusine, grinça le baron.

Présine soutint son œil rancunier avant de secouer la tête.

— Non, messire. C'est de n'avoir pas compris la détresse que cachait la noirceur de Marthe. Et le prix qu'elle vous en fit payer.

Des larmes lui piquèrent les yeux.

— Ma faute n'est pas d'avoir aimé un monstre, mais d'en avoir créé un par manque d'amour. De cela seulement je suis coupable. Pour cela seulement j'accepterai d'être jugée. Car le reste, tout le reste, ne fut bercé que de cette seule vérité. Vous êtes nos enfants. Les enfants du pardon. Et je ne regrette rien de ce que j'ai fait pour vous y amener.

Elle se rassit, emplie autant de tristesse que de dignité, dans l'attente de leur verdict.

Le baron se leva le premier, puis Sidonie. Puis, un à un, tous quittèrent les bancs, sans un regard, sans se retourner. Même Constantin.

Ne resta plus qu'Elora, face à elle.

— Viens, lui dit celle-ci, allons nous coucher.

Les yeux noyés de larmes, Présine accepta la main qu'Elora lui tendait.

Elle ne leur en voulait pas. À aucun d'eux.

Elle s'y était préparée depuis longtemps.

Demain serait un autre jour.

Demain, ils se prononceraient.

*
* *

Mais c'est un hurlement qui, l'éveillant en sursaut, accueillit l'aube de ce lendemain.

— La table ! La table et les flacons ont disparu !

La voix du baron.

Présine bondit de sa couche en même temps qu'Elora. Le même nom en bouche.

Marthe.

Qui était de garde cette nuit ? Avaient-ils oublié de le désigner ? Ni Présine ni Elora ne s'en souvenaient mais, en quelques secondes, comme les autres, elles furent sur le pont, face à Jacques de Sassenage qui, acculé à un tonnelet de vin resté du dîner de la veille, et près de la cabine, se frottait le crâne sous le flamboiement du ciel.

Spontanément, Présine se précipita vers lui, avant de s'immobiliser à quelques pas, rattrapée par le souvenir de son rejet. Ils se jaugèrent du regard.

— Alors quoi ? dit-il dans un rictus douloureux, allez-vous me laisser avec cette bosse ?

Malgré les circonstances, Présine se sentit plus légère. Pendant que des quatre coins du navire tous les autres de la communauté s'en venaient, plus ou moins rhabillés, elle écarta le cuir chevelu.

— Rien de bien méchant, baron, une petite entaille qu'il va falloir nettoyer. Savez-vous avec quoi on vous a frappé ?

— Je n'en ai pas la moindre idée, grommela-t-il.

Présine fouilla le cercle autour d'eux, accrocha derrière un monticule de cordages la silhouette de Celma aux côtés de Briseur. La devineresse achevait de nouer les lacets de son corsage et Briseur de se recoiffer d'une main en arrière.

— J'ai besoin de tes simples, Celma, l'interpella Présine. Veux-tu m'aider ?

Celma finit son lacet, puis en quelques enjambées rejoignit le groupe qu'elle écarta d'une main ferme pour passer.

— Nous voulons tous t'aider, Présine, affirma-t-elle en se plantant devant la fée.

Mon jugement est fait, songea Présine en n'entendant aucune voix s'élever pour contredire la devineresse. Déjà Celma se penchait au-dessus du crâne dégarni du baron et Présine recouvrait sa confiance.

— En ce cas, dit-elle, si vous voulez bien nous raconter ce dont vous vous souvenez, baron…

Celma récupéra des mains de Briseur la petite besace qui d'ordinaire ne quittait jamais sa ceinture. Elle ne s'arrêta pas à l'œil narquois de La Malice, ravi, elle le savait, qu'elle se soit consolée d'avoir rendu Mathieu à Algonde et récupéra un de ses baumes.

— En vérité, pas de grand-chose sinon la visite de Mounia en plein milieu de la nuit.

Le doigt enduit de pommade de Celma resta en suspens à quelques pouces de la blessure.

— N'était-elle pas retournée avec Enguerrand sur *Le Chant des sorcières* ?

— Si, mais, bouleversée par votre confession, Présine, elle ne pouvait dormir et voulait en profiter pour examiner la table de plus près, du moins est-ce ce qu'elle m'a dit.

Il grimaça sous l'application aux parfums de noisette, avant de poursuivre.

— Je n'avais pas de raison d'en douter. Et encore moins de veiller. Nous avons échangé quelques mots à propos de votre confidence.

— Lesquels ? demanda Présine.

Le baron eut un geste de la main.

— Est-ce important ?

— Tout l'est, messire, s'interposa Elora.

Il soupira.

— Elle ne comprenait pas comment vous aviez pu vous montrer si cruelle et si injuste à propos de Plantine et Mélior, alors qu'elle avait tant d'exemples d'enfants recueillis ou adoptés dans l'amour par cette communauté.

Présine accusa la sentence d'un hochement de tête.

— Moi-même je me le suis demandé, baron. Qu'avez-vous répondu ?

Il planta son regard gris dans le sien.

— Qui n'a commis aucune faute ici vous jugera, Présine, mais ce ne sera pas moi et je ne l'ai pas fait, sinon trop vitement hier soir, à table. Si vous voulez bien me le pardonner.

— N'inversez pas les rôles, s'il vous plaît, et poursuivez, le somma-t-elle dans un sourire triste.

Celma referma son baume pour le ranger.

— D'ici à ce soir, il n'y paraîtra plus, assura-t-elle avant de s'écarter pour mieux laisser la voix de Jacques porter.

Il se dressa.

— Devant mon peu d'arguments, Mounia a ramené son attention sur la table, jouant avec les flacons pyramides. Fatigué autant que rassuré par sa présence, je me suis étendu, lui demandant de me réveiller quand elle partirait.

— L'a-t-elle fait ? demanda Khalil, livide.

Jacques de Sassenage haussa les épaules.

— Je ne me souviens que d'un bruit qui m'arracha en sursaut au sommeil et d'une violente douleur à mon crâne. Puis plus rien avant ce matin, j'en suis navré et tout autant furieux.

— Je ne peux pas croire que Mounia ait trahi la communauté, lâcha Lina d'une voix éteinte.

— Aucun de nous ne le pense, mentit Elora pour les rassurer.

— Nous saurons vite ce qu'il en est. Enguerrand s'en vient. Seul, lança Briseur, qui, attiré par un bruit de rames, venait de jeter un œil par-dessus bord.

Ils le laissèrent arriver, espérant de tout cœur que le chevalier contredise ce que tous redoutaient.

— Bien le bonjour, la communauté, s'exclama-t-il joyeusement en acceptant le bras de Briseur pour se hisser.

Leurs visages graves, Présine au centre du cercle. Il piqua ses poings sur ses hanches.

— Ravi de voir que j'arrive à temps pour plaider votre défense ma bonne Présine. Quoique je veuille croire qu'on ne vous aurait pas pendue sans m'en informer.

— L'heure n'est pas à la plaisanterie, papa, se dressa Khalil.

— À voir vos mines, je m'en serais douté. Alors quoi, qu'est-ce qui justifie cet attroupement à pareille heure ? Et où est Mounia qui est partie sans m'éveiller ? ajouta-t-il en balayant le pont du regard.

Elora s'arracha les mots de la bouche. Ces mots qu'elle avait espéré ne jamais prononcer.

— Là est notre inquiétude, Enguerrand. Mounia a été enlevée.

— Avec la table et les flacons pyramides, ajouta Nycola, furieux.

Enguerrand demeura quelques secondes frappé de stupeur avant de prendre le dessus et de grincer.

— La coupable est toute désignée, je présume.

— C'est assez dans ses manières, en effet, affirma Sidonie, même si je me demande comment elle l'a pu, en vérité. L'eau l'insupporte.

— Il manque un canot, celui que Mounia a pris pour vous rejoindre. Je ne l'ai pas vu à vos flancs, annonça Enguerrand pour contrer son angoisse par du raisonnement.

— Je le vois, cria Petit Pierre, grimpé dans la mâture. Il est échoué près de l'ancien ponton.

— Quelles que soient les raisons qui poussèrent Marthe à ses crimes, elle les a commis. Celui-là ne restera pas impuni, j'en fais le serment ! gronda le baron en arrachant son épée de son baudrier pour la dresser.

— Je dis haro. Haro la communauté ! Haro à sa cruauté !

Ils levèrent tous le poing d'un même élan et dans un seul cri de vengeance.

Elora attendit qu'il soit retombé pour s'interposer.

— Non, baron. Ni vous ni personne. Trop de sang a coulé par le passé et je refuse que cette expédition en soit entachée.

Un murmure de réprobation accueillit sa décision.

Khalil et Constantin vinrent l'encadrer, lui donnant plus de courage encore.

— C'est à nous et à moi en particulier de l'affronter, vous le savez tous. L'enlèvement de Mounia n'est qu'une bravade pour m'y contraindre. Rien d'autre.

— Il faut l'espérer, gronda le baron, déçu et cependant résigné.

C'est alors que Bertille, blême, s'avança au milieu du groupe, le visage mangé d'angoisse.

— J'ai eu une vision, dit-elle, ramenant en un instant tous les regards vers elle. Une créature arrive. Une créature au corps d'aigle et au visage de femme.

Présine blêmit.

— C'est la dernière des harpies. Celle qui a assassiné ma fille, Mélior. Marthe a dû la libérer pour qu'elle s'en prenne aux enfants. Il faut les enfermer et bander nos arcs. Vite.

Tous s'éparpillèrent. Qui pour s'armer, barrer les écoutilles, attraper le chien, rabattre les jeunes dans la cale.

Elora profita de la diversion que Marthe leur avait envoyée pour entraîner Khalil et Constantin. Elle atterrit à leur suite dans le canot d'Enguerrand.

Elle dénouait son attache quand Présine se pencha par-dessus bord.

— Ramène-les, supplia la fée.

Elora hocha la tête.

Avant que les autres aient réalisé leur départ, ils étaient à mi-chemin de la rive sur laquelle leurs montures les attendaient.

Mais aucun de la communauté ne songeait plus à autre chose qu'à sa propre sécurité.

Une ombre se découpait dans le feu du ciel, qui, indifférente au canot, fondait sur le navire.

74.

Même le bruit des sabots sur la tourbe et le till, songea Khalil, le cœur bondissant au rythme de leur chevauchée, alors que, passé les vestiges du port d'Avalon, ils traversaient la lande pour se diriger à vive allure vers la petite montagne. Il n'était pas une odeur, un rocher qu'il n'ait vu et revu cent fois dans son cauchemar, jusqu'à ce castel, tout au sommet, surmonté d'une tour carrée.

Comme Elora, il savait ce qui l'attendrait dans sa cour.

Il l'avait toujours su en refusant de l'admettre.

Mounia avait rejoint Marthe de son plein gré.

Elle les avait trahis.

Elle l'avait trahi.

Il eût dû en trembler d'effroi alors qu'enfilant le chemin pierreux à flanc de colline il se rapprochait de ce moment tant redouté. À l'inverse, il harcelait les flancs de son cheval, pressé d'en terminer mais plus encore de comprendre.

Un dernier lacet, et les hautes murailles se dessinèrent devant eux, révélant l'état de délabrement de l'ancienne forteresse. Des pans de murs entiers s'étaient éboulés. Quant à la herse relevée, elle semblait figée par la rouille. Le temps, l'abandon et les rafales de vent marin avaient fait leur œuvre. Avant longtemps, plus rien ne subsisterait.

Ils ralentirent leur course ; d'un même geste, Khalil et Constantin s'accolèrent pour encadrer Elora.

Ils franchirent la grille, au pas, côte à côte, et la virent.

Debout au pied des marches qui menaient à cette tour austère. Fragile mais déterminée dans son mantel de peau retournée, les traits rougis par le froid.

Elle ne bougea pas à leur approche. Pas davantage lorsqu'ils mirent pied à terre sur des pavés disjoints, brisés. À peine un regard navré glissa-t-il sur son fils qui avançait vers elle, à pied, sans armes et le visage sombre.

— Suivez-moi et refermez la porte, dit-elle en tournant les talons pour remonter les marches de pierre, éclatées par la neige l'hiver, et envahies, là, par une herbe folle.

L'endroit, trop venté, excluant tout discours, Khalil attendit qu'ils fussent à l'intérieur, dans un vestibule aux fenêtres barrées de volets épais et éclairé de torches pour demander :

— Pourquoi, maman ?

Mounia s'immobilisa au pied d'un autre escalier qui remontait vers les étages. Elle fit volte-face, ravagée d'émotion.

— Je me suis souvenue d'elle, cette nuit. De ce moment où elle est venue à mon chevet à Istanbul, avant que tu ne me retrouves. De sa voix surtout. Tu te souviens, je t'ai expliqué cette phrase dans ma tête, dix années durant, comme une amarre à la vie.

— *Ouïmaona inemaïchoï*..., murmura Elora.

— Oui, celle-ci. Ce n'était pas la voix des Anciens, Khalil. C'était la sienne.

Il blêmit. Mounia enveloppa son menton de sa paume, ébaucha une caresse.

— Sans elle, je serais morte de chagrin dans ma geôle, et cette nuit-là aussi si elle ne m'avait insufflé assez de force pour tenir jusqu'à votre arrivée.

Elora se troubla.

— C'est pour cette raison que mon pouvoir s'est trouvé arrêté lorsque j'ai voulu te guérir. Sa malignité était en toi et formait barrière que seul l'amour de Khalil a pu percer.

Mounia hocha la tête.

— Elle savait que tu y parviendrais. Elle le savait. Avant de partir, elle m'a dit ceci pour toi : « Il faut tromper le mal, parfois… »

Constantin se tourna vers Elora.

— Tu sais ce que cela signifie ?

— Oui, je suis née pour cela, répondit Elora, un sourire confiant aux lèvres.

— Alors on y va, décida Khalil.

— On y va, l'approuva Constantin.

— Une dernière chose. Quoi que je dise ou fasse, gardez foi en moi, comme là-bas, à Istanbul, Khalil.

Il se souvint du poignard dans son ventre.

— Toi aussi Mounia, ajouta Elora.

L'Égyptienne l'approuva d'un signe de tête, puis releva le bas de sa jupe d'une main décidée. S'appuyant à la rambarde de l'autre, elle monta l'escalier, lentement.

Cent vingt-six marches, compta Mounia.

Cent vingt-six battements de cœur, nota Khalil.

Cent vingt-six jours depuis la libération de Mounia, s'aperçut Constantin.

Cent vingt-six mois à refouler la part d'ombre en moi, admit Elora.

Les deux battants d'une porte vétuste s'écartèrent pour leur révéler Marthe au centre d'une pièce dépouillée de tout apparat.

Khalil ne put retenir un frisson en la reconnaissant. Elle était en tous points semblable à son cauchemar. La peau collée aux os du visage, les yeux sournois engoncés dans leurs orbites noires, les lèvres fines et sombres, la tresse pailleuse sur une robe couleur de cendres, une silhouette efflanquée, noueuse, et des mains… Des mains terminées par des ongles recourbés telles des serres de rapace qui reposaient, croisées sur une poitrine informe.

Il s'approcha, pourtant, dans le pas des trois autres, s'agaça de voir sa mère se placer aux côtés de Marthe et cette dernière le regarder froidement.

Merci, Khalil, de m'avoir ramené Elora, répéta-t-il dans sa tête, en même temps que la créature le prononça.

Il ne s'y attarda pas, pressé de passer à la suite. Celle de la lumière bleue de ses derniers rêves, pas cette fin détestable où Elora s'avançait…

Il tressaillit de la voir faire un pas.

… tombait à genoux…

Non, non Elora !, hurla-t-il sans voix en la voyant faire, puis prononcer d'une voix cassante, telle qu'en ses songes effroyables :

— Enferme-les, Mounia. À double tour.

Il serra les poings sur sa détresse. Pas cette version-là. Non. Il ne voulait pas de cette version-là…

Indifférente à sa colère, Elora en rajouta en tournant la tête par-dessus son épaule :

— Ne m'obligez pas à user de mes pouvoirs contre vous. Suivez-la, ordonna-t-elle dans un halo aussi noir qu'il avait été bleu, autrefois.

Mounia elle-même avait blêmi. Pourtant, se détachant de Marthe, elle les prit par le bras et les entraîna vers la porte.

Il fallut à Khalil le temps qu'elle se referme sans aide extérieure pour s'arracher à son désarroi et à la poigne de sa mère sur son coude.

— Non. Je refuse. Je refuse de la laisser comme ça ! grinça-t-il en faisant volte-face, prêt déjà à y retourner, à… à… peu importait quoi !

— Elle sait ce qu'elle fait, Khalil.

Il se dressa contre sa mère, les poings serrés.

— Comme toi, peut-être ?

Constantin s'interposa. Calme.

— Souviens-toi, Khalil. Il faut tromper le mal, parfois. Allons nous mettre à couvert, ainsi que le veut Elora.

Il vacilla. Mounia hocha la tête. C'est alors que lui revint cette séquence intermédiaire. La même révolte. Les mêmes mots. Regagné d'espoir, il prit l'escalier.

— Vous avez raison. Il ne faut surtout pas rester là.

D'un même élan, ils dévalèrent les marches.

Cent vingt-six pour se protéger du combat.

*

* *

Elora accepta la main de Marthe pour se relever. Elles se jaugèrent du regard, en silence, puis Marthe se détacha d'elle pour se rapprocher d'un coffre. Elle l'ouvrit. Elora la vit de dos s'activer à une tâche invisible et s'en revenir vers elle avec un hanap de béryl.

Elle le lui tendit, faisant danser dans la coupe un liquide violacé. Elora en reconnut l'odeur, particulière, familière.

— L'élixir du mal…

— Bois, exigea Marthe.

Elora n'hésita pas. Elle le vida d'un trait, ses yeux avalés par la noirceur dans ceux de la Harpie satisfaite.

Elle lui rendit la coupe, mais, au lieu de la prendre, Marthe desserra ses doigts. Le bloc de béryl, taillé en entonnoir, éclata sur les carreaux de sol en dizaines de gemmes.

Ensuite, elle se détourna d'Elora pour aller s'asseoir sur ce qui avait été, autrefois, le trône de Morgane. Dans l'attente que la potion fasse son œuvre, tue en Elora toute trace de bonté et la rende capable du pire.

Le liquide migra, amenant un rictus de douleur sur le visage de la jouvencelle. Lorsqu'il ravagea son ventre, elle tomba à genoux dans un gémissement, puis sur le côté, recroquevillée. Marthe la regarda se tordre courageusement, de longues minutes durant, dégoulinant de sueur, dans la gangue d'une lumière de plus en plus sombre. Lorsque les éclats de béryl épandus autour d'elle eurent perdu leur éclat bleuté, la douleur s'apaisa.

Elora se redressa, lentement, jusqu'à lui faire face, puis se déshabilla.

— Je suis prête, dit-elle. Viens.

Marthe pianota des ongles sur les accoudoirs éventrés du faudesteuil avant de se lever, satisfaite.

Lorsque, rendu lui aussi à sa nudité, le corps décharné de la Harpie s'avança vers elle, sans hésiter Elora lui ouvrit ses bras pour qu'elle se repaisse d'elle et de sa vitalité.

75.

Sur le navire, la situation était critique. Depuis la cabine où ils s'étaient réfugiés, le baron, Celma et Présine avaient beau piquer de flèches la Harpie qui avait eu raison de Mélior, elle continuait de griffer sauvagement les planches qui barraient l'accès à la cale et aux enfants.

De temps en temps, agacée, elle arrachait les pointes de son plumage ou de son crâne, sans qu'une seule goutte de sang ou de liquide jaillisse de la plaie, aussitôt refermée.

— N'en viendra-t-on jamais à bout ? gronda le baron, dont les réserves de flèches s'épuisaient.

Présine sentit son cœur se serrer depuis la cabine où ils s'étaient réfugiés pour la harceler.

— Il n'y a qu'un seul moment où elle est vulnérable. Lorsqu'elle tient une fillette contre elle. Ou une vierge.

— Autant dire jamais, rumina le baron en décochant une nouvelle flèche.

Depuis l'autre navire, les traits pleuvaient de même. Briseur avait bien essayé de s'interposer face à la créature, son gourdin dans une main et son épée dans l'autre. Il n'avait pas fait trois pas qu'il était fauché par le travers avec une force si puissante qu'il s'était retrouvé projeté par-dessus le bastingage, le ventre cisaillé d'un coup de griffe. Celma avait vu l'eau se teinter de sang par la fenêtre de la cabine puis le colosse nager vers l'autre navire où deux des mercenaires d'Enguerrand l'avaient repêché. Mathieu n'avait pas pu profiter de la diversion. Il s'était élancé tout de même pour taillader la Harpie de son braquemart et s'était vu pareillement rejeté avec violence contre un des mâts. Il y était resté assommé, de longues minutes, avant de se traîner à couvert.

Aucun d'eux n'intéressait la bête. Et Présine voyait arriver le moment où, malgré toutes leurs précautions et la communauté des adultes érigée dans la cale en rempart, le monstre ferait voler en éclats les lames de bois et parviendrait à son but. Emporter un des enfants.

Se tordant les mains d'angoisse, elle se mit à prier pour qu'Elora réussisse, dans cette tour qu'elle surveillait de loin par la fenêtre.

Parce qu'elle le savait sans rien pouvoir en dire.

Leur seul espoir viendrait de là.

*

* *

Pendant quelques secondes, entraînant Elora sur le sol dans ce contact charnel dont les Harpies devaient se nourrir, Marthe sentit renaître en elle des fragrances oubliées, des émotions, comme si l'âme de la jouvencelle s'installait en la sienne. Et puis, soudain, Elora la bascula pour se coucher sur elle, les yeux froids. Sa lumière pervertie les gagna, toutes deux, emplissant Marthe d'un plaisir morbide. Elora se redressa à demi, eut un rictus cruel, avant d'abattre son poing sur le cœur de la Harpie. Marthe se cabra, les yeux exorbités de souffrance, à l'endroit où l'aiguille du bijou de Merlin venait de pénétrer sa chair. Elle battit l'air de ses bras, le cherchant désespérément, Elora assise sur son ventre.

Finit par le retrouver dans la douleur.

Hurla.

À en vriller les murs de la tour, puis du castel tout entier, libérant dans ce cri toute sa puissance maléfique.

*
* *

Lorsqu'il retentit, Khalil vérifiait pour la dixième fois que la porte de leur cachot était bien barrée de l'intérieur. Les épaules courbées pour se garder du plafond bas, il se renfonça dans l'ombre et s'assit sur la roche, auprès de Constantin, de Mounia, et d'un squelette oublié là.

À l'étage encore au-dessous se trouvaient les créatures, leur avait dit l'Égyptienne en les mettant à couvert dans ce trou, dans le premier sous-sol, où elle avait déjà dissimulé la table et les flacons pyramides.

Ils retinrent leur souffle. Les entendirent passer devant la porte, certaines s'arrêter pour renifler contre le bois, d'autres pousser le battant, puis, le voyant résister, reprendre leur progression vers le dernier étage de la tour.

Comme dans ce que Khalil savait, désormais, être une prémonition.

*
* *

Elora les vit entrer, chacune leur tour, ignobles d'allures, mi-hommes, mi-bêtes, se mettre en cercle autour de ce corps qui se tordait sous elle, roulant des yeux fous et vengeurs. Elle savait qu'elles ne l'attaqueraient pas.

Elle était devenue une des leurs.

Aucune pitié. Aucun sentiment. Elora ne ressentait rien sinon une jubilation inconnue face à la souffrance de Marthe et le besoin de la mener à terme.

Lorsque toutes les créatures furent là, elle se jeta d'un coup sur l'autre côté, effilé, de l'aiguille, la laissant pénétrer sa poitrine.

Alors la lumière jaillit.

D'encre.

D'une puissance telle qu'elle rasa les murs et le toit, emportant les créatures, Marthe et elle comprises, dans une mort foudroyante.

*
* *

Présine s'alarma en voyant une nuée d'oiseaux quitter la côte et les nuages se ramasser au-dessus de la tour. Elle se précipita à la fenêtre, découvrit le donjon étêté. Elle n'eut pas le temps de se réjouir que Celma poussait un cri d'angoisse.

Une des planches venait de voler, et la Harpie fourrageait d'une patte griffue dans la cale, faisant hurler d'effroi les enfants.

Quelques minutes encore, et, malgré les coups d'épée des adultes, elle arriverait à ses fins.

Combien de temps faudrait-il au pouvoir des trois ? se demanda Présine, tandis que, n'écoutant que son courage, le baron se précipitait au combat.

*
* *

Khalil ôta la barre qui les avait si efficacement protégés.

— Maintenant, dit-il.

Constantin et Mounia se jetèrent à sa suite dans l'escalier encombré de gravats et de charpie sanguinolente. Parvenus au dernier étage, rattrapés par la bourrasque glaciale qui leur arracha leur chapel, ils trouvèrent les portes béantes, à moitié dégondées.

Par-delà, la pièce était à ciel ouvert sous l'œil de bronze de l'orage.

Les deux garçons abandonnèrent Mounia sur le seuil et se précipitèrent vers ces deux corps à terre, empilés l'un sur l'autre, couverts de poussière et de sang, sur lesquels les premières gouttes de pluie, épaisses, s'écrasaient déjà.

Sans attendre, mus par le même instinct, ils s'agenouillèrent chacun d'un côté et recouvrirent de leurs mains à plat le dos d'Elora.

Lorsque l'éclair les foudroya, attiré par la tige du cristal des Hautes Terres que Merlin avait conçu pour cela, ils le sentirent révéler en chacun d'eux un pouvoir immense.

De vie et d'amour.

Le pouvoir des trois.

*

* *

Sur le navire, Jacques de Sassenage s'était précipité sur le dos de la Harpie qui le dominait d'une bonne toise. S'accrochant aux plumes, puis à la chevelure filasse pour grimper jusqu'au sommet du crâne, il tenta de lui crever les yeux. Il ne réussit qu'à être projeté au sol. Qu'importe, il revint à la charge, en hurlant, assez pour l'arracher à sa quête et la forcer à se retourner vers lui, furieuse.

— Renforcez le passage ! gueula-t-il vers la cale.

Le premier coup de marteau cogna qu'il n'avait pas fini sa phrase.

Il évita un coup de patte en bondissant par côté, puis un autre en s'accroupissant, feinta d'un mouvement circulaire et réussit à passer sous l'aile pour crever le poitrail de son épée. Il ne blessa pas davantage la Harpie qu'avec ses flèches. Qu'importe. Il l'avait compris. Contre ce monstre il ne vaincrait pas. Il voulait juste gagner du temps. Il recommença. Piqua. Piqua. Piqua.

Mathieu, venu en renfort, s'était agrippé sous la Harpie par son crochet et essayait, les pieds dans le vide, d'entamer les tendons des serres avec son braquemart, sans plus de résultat. Sitôt cisaillés, ils se reconstituaient.

La bête, mi-oiseau, mi-femme, finit par comprendre. Elle devait se débarrasser d'eux si elle voulait sa proie.

Alors elle s'enragea.

Au moment où la griffe emporta la joue de Jacques de Sassenage, faisant hurler Celma d'effroi, une lumière aveuglante irradia l'azur depuis la tour.

La Harpie recula sous son éclat, s'immobilisa, comme frappée de surprise, hésita quelques secondes puis, laissant au sol le baron défiguré, et Mathieu, cisaillé sur l'avant-bras, elle s'envola avec le crochet qu'il lui abandonna.

*

* *

Lorsque la lumière bleue retomba, Constantin et Khalil se redressèrent puis s'écartèrent de quelques pas. L'azur avait été purgé au-dessus de leurs têtes et le vent s'était tu. Seul un rayon de soleil caressait le dos d'Elora.

Elle demeura quelques secondes encore immobile, à écouter battre un autre cœur que le sien, puis prit appui sur ses mains à plat pour dégager la silhouette qu'elle écrasait de son poids. La fine parcelle de cristal qui les reliait encore l'une à l'autre se brisa, achevant, comme l'aiguille restée en elles, de fondre en un pétale de lumière.

Malgré leur saisissement, Constantin et Khalil se précipitèrent pour aider Elora à se remettre debout tandis que Plantine se reculait dans un mouvement souple. Puis, s'envolant aussi délicatement qu'un oiseau, sa main voila l'arrondi parfait de ses seins des longues mèches dorées de sa chevelure.

Davantage pourtant que cette beauté éblouissante qui avait remplacé la laideur austère de Marthe, ce furent les yeux d'un mauve pailleté d'or, emplis de reconnaissance et de bonté, qui les éblouirent tous, y compris Elora.

— Merci, dit Plantine d'une voix cristalline. Merci d'avoir compris ce que Marthe n'entendit pas, trop sûre d'avoir pris totalement possession de moi et de contrôler jusqu'au moindre de mes pas.

Elora lui sourit en retour.

— Ce n'est pas à moi ou à nous que tu le dois, mais à ta mère qui voulut mon avènement pour vous sauver, Apophis et toi.

Le visage de Plantine se troubla. Elora ne lui laissa pas le temps du doute. Elle devait les lever tous. Maintenant. Tant qu'agissait encore le pouvoir des trois, pour qu'aucune parcelle de noirceur ne puisse subsister.

— Au moment où Présine voulut annuler sa malédiction sur vous trois, Mélior était morte et toi, tombée sous un joug plus redoutable. Si elle l'avait fait, c'est Marthe et non toi qui aurait survécu. C'est pour cette raison que Présine t'envoya Mélusine. Contrairement à ce que Marthe a voulu que tu imagines, ta sœur a essayé de te sauver, Plantine, par le même moyen que moi. C'était la Harpie ta véritable, ta seule ennemie, pas ta mère qui n'attendait que le moment de ta délivrance pour se racheter de son indifférence d'autrefois.

Une larme perla à ses yeux, passa le bord pour devenir diamant à ses joues.

— Je te crois, dit-elle.

Irradiée d'une lumière aussi pure que celle d'Elora, Plantine accepta la main de Constantin pour se redresser à son tour, laissant tomber la gemme au milieu des éclats de béryl repris d'un bleu pur.

Elle refusa pourtant le mantel dont voulut la couvrir l'Égyptienne.

— Plus tard. Ce n'est pas terminé.

Plantine leva la tête. La Harpie approchait à tire-d'aile. Pour la tuer.

Ils le comprirent en un éclair.

— Je l'ai lâchée trop tôt, s'accusa Mounia en se mordant la lèvre. J'espère qu'elle n'aura pas fait trop de dégâts.

— Je les réparerai. Tous, affirma Plantine.

— Mais pourquoi ? s'insurgea Khalil. Vous ne pouviez pas la laisser simplement dans ses fers ?

Plantine lui sourit avec tristesse.

— Tôt ou tard elle en serait sortie, comme les autres, libérée par des colons ou par la seule érosion du climat. Crois-moi, Khalil, c'était le seul moyen pour protéger les enfants. Pour protéger ce monde. Le seul.

Elle recula vers le trône, dardant sur eux un regard apaisé qui les poignarda.

Pour seule réponse, Mounia ramassa en hâte son arc et son carquois abandonnés dans un angle de la pièce et les tendit à Elora.

La Harpie, dans un cri rauque et détestable, était déjà là.

76.

Sur le navire rendu au calme, ils s'étaient tous réunis sur le pont, autour de Mathieu que Lina venait d'achever de bander et du baron qui se tordait, à terre, dans un bain de sang, une moitié du visage emportée.

Celma, Présine et même Nycola étaient à son chevet mais, malgré tout leur savoir, ils ne parvenaient pas à le soulager. Les griffes de la bête avaient pénétré profondément les chairs, entaillant les os, arrachant le nez, la joue et les yeux par le travers, mettant la dentition à nu. C'était miracle qu'il soit encore en vie. Et s'il le restait, dans un tel état qu'il s'achèverait lui-même, songeait Sidonie, qui lui pressait la main, désespérée.

Déjà, d'une voix mourante, et à peine compréhensible du fait des muscles sectionnés, Jacques de Sassenage réclamait une lame pour en terminer.

Mathieu le leur confirma dans un rictus douloureux.

— Malgré tes soins, Celma, je le sens, la plaie continue de se creuser, comme si de l'huile brûlante y avait été versée. Je ne vaudrai pas mieux que lui ou Briseur dans quelques heures, lorsque la bête reviendra.

C'est alors qu'une voix chantante s'éleva par-delà ce bloc humain.

— Elle ne reviendra pas. La Harpie est morte. Toutes les Harpies sont mortes.

Tous se retournèrent, aussitôt frappés de lumière et de beauté, mais plus encore de soulagement en découvrant Elora, Mounia, Constantin et Khalil aux côtés d'une inconnue. Trop pris par l'agonie du baron, ils ne les avaient pas entendus remonter à bord, mais pas un, sur l'instant, ne douta que la reine de lumière vaincrait ce mal-là comme elle avait vaincu les autres.

Laissant Celma renouveler la compresse d'eau de girofle sur les chairs déchiquetées, Présine, le cœur bondissant dans sa poitrine, se releva pour voir la communauté s'écarter et sa fille lui apparaître enfin.

Une tendresse infinie, puisée dans tous ces siècles de regret, inonda le regard de Présine, effaçant la dernière appréhension de Plantine. Elles s'étreignirent quelques secondes, dans un silence interrogateur, avant qu'un nouveau hurlement retentisse.

Suivie par Elora, Plantine vint s'accroupir près du baron, face à Sidonie en larmes et aux guérisseuses.

Elle leva la compresse, pour jauger de l'ampleur de sa tâche, puis planta ses yeux chaleureux dans ceux de la devineresse qui la fixait avec un mélange de suspicion et de confiance, étonnée qu'Elora n'intervienne pas.

— Tu as fait ce que tu devais, Celma. Mais il n'y a d'autre antidote au venin des Harpies que mes doigts.

S'arrachant à sa détresse, Sidonie trembla. Cette intonation derrière la fluidité de la voix.

— Marthe. Tu es Marthe, n'est-ce pas ?

Un mouvement de recul s'opéra dans la communauté. Était-ce bien là la créature maléfique qu'on leur avait décrite ? pensaient ceux qui ne la connaissaient pas. Les autres cherchaient la vérité dans l'attitude sereine d'Elora, à ses côtés. Plantine hésita une seconde, puis, comprenant qu'elle ne pourrait agir efficacement qu'entourée d'êtres apaisés, elle se redressa.

— Sidonie dit vrai. Marthe fut moi, et je fus elle, des siècles durant. Et nombre d'entre vous ont souffert de son joug. Mais pas autant que moi, emmurée dans sa noirceur et ma détresse. Elle s'en est servi pour m'imposer sa loi et ma propre vengeance. Mais, pendant que je guéris ces hommes, réfléchissez, toi Algonde, toi Mathieu, toi Sidonie, toi Enguerrand, vous deux Janisse et Gersende, avez-vous jamais été vraiment en danger auprès d'elle, quand elle eût pu vous tuer cent fois ? Demandez-vous pourquoi.

Ils ne répondirent pas, ébranlés dans leurs certitudes.

Plantine leur sourit.

— Serais-je là, moi, Plantine, sous cette apparence, si elle vivait encore ? Vous savez que non. Alors, écartez-vous tous, à l'exception de toi, Mathieu. Il est temps que je répare ses crimes d'hier, vous ne croyez pas ?

Traînant sa jambe douloureuse et confiant en le jugement d'Elora, Mathieu vint s'asseoir près du baron, dans ce sang figé par le froid. Le baron avait cessé de s'agiter, devenu trop faible. Seuls des gémissements de douleur perçaient son inconscience.

Plantine posa une main sur le visage décharné, l'autre sur l'avant-bras de Mathieu, par-dessus le bandage écarlate.

— *Ouïmaona inemaïchoï*, se mit-elle à chanter en boucle, d'une voix irréelle.

Alors ils cessèrent de douter.

Dans un halo mauve pailleté d'or, semblable à ce regard d'amour que Plantine levait vers le ciel, ils virent se cicatriser les chairs et se reconstituer la peau, remplaçant la douleur par un bien-être inégalé.

Lorsque Plantine ôta ses doigts, Mathieu avait une nouvelle main au bout de son bras et le baron n'avait pas seulement récupéré son visage. Il était aussi rajeuni de traits.

— Qui es-tu ? demanda-t-il en s'asseyant, ébloui

davantage de cette dextre que Mathieu se réappropriait, que de sa propre apparence dont il n'avait pas vu les plaies.

Autour d'eux, la communauté, incapable de parler, semblait flotter entre rêve et réalité.

Présine avait regagné leur confiance.

Elle sourit.

— Je suis une femme libre qui demande pardon pour le mal que son ombre a fait, répondit Plantine tandis qu'il se relevait, aidé de Sidonie.

Elle les laissa s'étreindre, sans bouger, les yeux rivés à ceux du baron qui s'étaient rallumés d'un sursaut de méfiance par-dessus les épaules de sa femme.

— Tous ici ont eu la même pensée durant ton évanouissement, Jacques de Sassenage, et je te répondrai comme à eux. Marthe n'est plus et ne reviendra jamais. Mais je suis coupable de ses crimes pour n'avoir pu les empêcher. De tous ses crimes, sauf de celui que tu me prêtes.

— Explique-toi, réclama le baron en se détachant de son épouse.

— C'est bien Marthe qui défit l'escorte de Jeanne de Commiers et l'arracha de sa voiture…

— Mais c'est l'épervier de Mélior qui fut responsable de sa trépanation, enchaîna Présine, en posant la main sur l'épaule de sa fille. Comme il attaqua Mathieu ou Hélène. Je revenais de Saint-Just-de-Claix lorsque je l'ai vu piquer sur Jeanne, si sauvagement qu'elle s'est effondrée.

— Marthe l'a crue morte et s'en servit pour se faire craindre et obéir de Sidonie, ajouta Plantine.

— Quant à moi, acheva Présine, j'ai emporté Jeanne dans mes bras jusqu'à l'abbaye où j'ai remis le flacon pyramide à sœur Albrante pour qu'elle puisse la sauver. La suite, vous la connaissez, baron.

Il hocha la tête, satisfait, enclin comme les autres à pardonner.

— On dit qu'une créature sublime fait des miracles par ici. En auriez-vous encore un, même au rabais ? demanda Briseur en fendant le cercle.

Le ventre barré d'un bandage sommaire et sanguinolent, il était soutenu par Constantin et Khalil qui s'étaient précipités sur l'autre navire pour le récupérer. La griffe de la Harpie n'avait guère cisaillé que le bourrelet de graisse à sa ceinture, mais il était en proie aux mêmes affres que ses compagnons. Le poison le rongeait.

— Plantine..., la salua-t-il d'un air suppliant, mis au fait de son identité dans le canot qui le ramenait.

Sans hésiter, la fée apposa ses mains sur la plaie.

Mounia, restée jusque-là en retrait, accorda au baron le temps de faire jouer sa mâchoire et de la constater plus mobile encore qu'avant, tandis qu'à quelques pas de là, soulevant les rires, Mathieu testait sa dextérité recouvrée en soulevant les jupons d'Algonde.

— Je suis navrée de vous avoir assommé, baron, dit Mounia d'une voix forte.

Les autres se turent aussitôt, autant par incrédulité que par incompréhension. Aucun d'eux n'avait imaginé qu'elle les avait trompés.

Mounia eût pu n'en rien dire, mais savait, du plus profond d'elle, qu'elle leur devait la vérité.

Elle brava leur silence revenu, comme Plantine l'avait fait.

— Non, personne ne m'enleva, sinon le souvenir de la mort d'Hugues de Luirieux et les paroles de Présine hier soir. Pourquoi ? Parce que m'est venue cette question, terrifiante. Par ce crime et tant d'autres, commis par la plupart d'entre nous, étions-nous moins condamnables que Marthe ?

Ils blêmirent, tous, sous l'accusation.

Sans leur laisser le temps de se défendre, Mounia reprit :

— J'ai entendu de ta bouche, Mathieu, le récit de la fin de Mélusine. Souffrit-elle plus que le prévôt, à ton avis ? Je ne crois pas. Quand bien même, ce jourd'hui, Marthe serait encore parmi nous, je la défendrais par ces mots. Face à la souffrance et à la détresse, nous sommes tous des monstres en puissance. Apophis est né de la vengeance, Marthe est née de la vengeance et nous-mêmes. Notre communauté. N'a-t-elle pas été unie vraiment dans les hurlements de Luirieux ?

Ils baissèrent le nez, rattrapés par leur passé.

Catarina par l'empoisonnement d'un des soldats du roi, Lina par l'assassinat de son époux en Sardaigne, Enguerrand par ses actes de piraterie, le baron par ses guerres aux côtés du roi, Sidonie par la bacchanale dans laquelle elle émascula son premier mari, Briseur, Celma, La Malice et Mathieu par leurs crimes de grand chemin, Algonde, Nycola, Gersende et Janisse par leur complicité dans la mort de Luirieux.

Mounia le lut sur leur visage. Le doute.

— Un seul être refusa d'assister à cette agonie. Elora. Souvenez-vous de ses paroles ce jour-là, pour justifier son absence. « Je n'ai que le pouvoir de vie, pas celui de mort. » Le pouvoir de vie. Et d'amour. Il existait en Marthe, au plus profond de sa noirceur. Plantine était toujours là, emmurée comme je l'ai été, moi. Je l'ai sentie tout au long de ces journées de geôle, je l'ai perçue tandis qu'elle m'arrachait à la mort et me chargeait de ces mots pour Elora. « Il faut tromper le mal, parfois. » Alors, cette nuit, j'ai compris son message, mais aussi celui d'Elora et de Présine. Il faut tromper le mal pour mieux le vaincre. La rédemption ne naît pas de la haine, mais du pardon. L'une attire la mort. L'autre est vie. Mais les deux viennent d'un même espoir. Trahi ou comblé. L'amour. Plantine se serait-elle laissé dominer par Marthe si Présine lui avait ouvert ses bras plus tôt ? Apophis serait-il devenu un monstre si les Anciens ne lui avaient pas interdit de revoir Présine ? Et chacun de nous, d'une manière ou d'une autre, que sommes-nous, qu'avons-nous été sans amour ?

— Rien, répondit La Malice en serrant de son bras les épaules recouvertes de Catarina.

Mounia leur sourit.

— En rejoignant Marthe, j'ai ouvert une brèche en elle. Celle qu'attendait Plantine depuis longtemps pour trouver la force de renaître. Et j'en suis fière, car, demain, notre combat à tous sera là. Ramener un monde, tout un monde vers la lumière. Nous sommes trop peu, songerons-nous parfois. Peut-être. Mais peut-être pas si nous acceptons nos différences, nos travers et nos erreurs. Si nous avançons toujours ensemble, derrière Elora. Et s'il faut vous en convaincre encore, demandez à Constantin ou Khalil, qui ont vu, comme moi, Plantine s'offrir, seule, à la Harpie pour sauver les enfants de cette Terre.

Leurs regards troublés glissèrent vers la fée, dont une des mains retombées s'était soudée à celle de sa mère.

— Je n'ai fait que ce que je devais, affirma-t-elle. Les Harpies avaient été envoûtées pour que rien ne les dévie de leur tâche, pas même leurs penchants. Je savais que la dernière se précipiterait sur moi. Elora l'a fauchée d'une flèche à ce moment-là, quelques fractions de seconde avant que je perde souffle.

Sortant de sa réserve naturelle, Constantin vint s'accrocher à ses doigts et darder sur la communauté son faciès velu. Les sourires s'étirèrent les uns après les autres, dans leurs visages ravagés par l'émotion.

Mounia avait eu raison. Présine le leur avait dit la veille. Ils étaient tous les enfants du pardon.

— Elle est des nôtres, pour sûr, Plantine est des nôtres, lança Janisse en essuyant une larme du revers de son tablier.

— Parfait, se réjouit Constantin, car il faut une reine à un roi et j'espère bien la convaincre d'être celle-là.

Présine sentit son cœur se gonfler tandis que montaient vers le ciel leurs chapels et leurs hourras.

Et plus encore lorsque Bouba, ressorti enfin de sa cache où l'avait précipité la harpie, grimpa le long de son épaule et s'installa sur sa tête blonde, en applaudissant à tout-va.

ÉPILOGUE

Ce même soir, sous un ciel resté clément, ils dressèrent table sur le pont savonné et s'y installèrent, tous, une dernière fois.

Tandis qu'au large de la baie un iceberg dardait sa masse bleuâtre, que des pingouins remontaient sur les bandes de terre, Janisse, qui venait de servir la soupe, se planta devant le baron, les poings sur les hanches dont une, du coup, se trouva barrée par la louche.

— Alors, messire ? Vous ne voulez vraiment pas nous accompagner là-bas ? Après tout ça ?

Jacques de Sassenage sentit les regards se ramener vers lui.

— L'envie ne m'en manque pas, je l'avoue, mais Hélène qui guette des nouvelles nous imaginerait tous perdus. Je m'y refuse. Elle a vécu assez de chagrin déjà. Nous irons pourtant jusqu'au passage pour le garder en mémoire et, un jour, mes amis, un jour, je vous l'assure, vous verrez ressurgir sur les Hautes Terres ceux qui ne vous oublieront pas.

— Parlons-en un peu, justement, de ce fameux passage, demanda Janisse pour masquer son émotion, quand y aborderons-nous ?

Elora se mit à rire.

— Nous ne l'aborderons pas, maître Janisse, il nous avalera. En plein milieu de l'océan.

— Et nous ressortirons sur les Hautes Terres ? s'étonna Jean.

— Oui, directement sur une autre étendue d'eau. Comme si l'espace et le temps avaient été gommés.

— Nous serons plus vieux ? espéra Mayeul qui aurait bien aimé grappiller quelques pouces.

Elora se mit à rire.

— Ni plus vieux ni meilleurs, juste nous-mêmes. Tels que nous voilà.

— J'ai encore une question, souleva Petit Pierre, sa cuillère en suspens, elles sont où, ces Hautes Terres ?

Elora leva les yeux vers la nuit. Des myriades d'étoiles habitaient son manteau, plus étincelantes les unes que les autres.

Elle en pointa une du doigt.

— Les voici. Dans la constellation d'Orion, dit-elle.

Tous s'y attardèrent, emplis des mêmes rêves et des mêmes espoirs. Sauf Petit Pierre qui soupira en caressant la tête de Noiraud.

— Trop haut. On n'y arrivera pas...

— Impossible n'existe pas, répondit Gersende, assise à ses côtés en décochant un clin d'œil en direction de son père.

Mathieu avait noué sa main dextre dans celle d'Algonde. Alors Petit Pierre se mit à rire, comme eux, comme tous, parce que Gersende avait raison.

L'impossible n'existait pas.

*

* *

Ils le vérifièrent moins d'une semaine plus tard, sous les yeux du baron et de Sidonie qui, les suivant de loin, virent brusquement disparaître le navire et tout aussitôt un filament de lumière monter vers le ciel.

Restés seuls face à l'immensité de l'océan, ils se pressèrent un peu plus l'un contre l'autre, puis le baron fit changer de cap.

Longtemps passerait avant qu'ils gagnent les Hautes Terres à leur tour.

Oui, bien longtemps.

Mais, comme ce qu'il advint de la communauté là-bas, cela est une tout autre histoire dont aucun livre de bord ne parla…

Chers vous tous,

Ce dernier chapitre clôt la saga de la « Légende des Hautes Terres » et ses deux cycles :

« Le Chant des sorcières » et « La Reine de Lumière ».

Vous avez été nombreux à m'éclairer au long de mes recherches, de l'écriture, et de l'édition.

Plus encore à me soutenir au quotidien.

Pour une fois, je ne vous citerai pas nommément. Vous formez désormais une communauté chaleureuse qui a nourri celle de ces livres. Certains l'ont quittée, d'autres l'ont intégrée. La vie est ainsi faite. Une histoire en mouvement. Qui s'écrit de confiance.

Vous vous reconnaîtrez dans ce bref hommage ou au travers de la bibliographie qui suit et savez déjà toute ma reconnaissance et mon affectueuse tendresse. Que rajouter de plus ?

Ah oui…

Merci.

Et, comme on lit parfois, à très vite pour de nouvelles aventures…

Petite bibliographie non exhaustive des ouvrages dans lesquels, chers amis lecteurs et lectrices, vous pourrez détacher le vrai du faux et la légende du possible...

Dans le désordre de ma bibliothèque ou d'autres rayonnages...

I. Cloulas, *Les Borgia*, Fayard, 1987 ; *César Borgia, fils de pape, prince et aventurier*, Tallandier, 2005

J. Burchard, *Journal du cérémoniaire, dans le secret des Borgia*, Tallandier, 2003

J. Heers, *La Cour pontificale au temps des Borgia et des Médicis 1420-1520*, La vie quotidienne, Hachette littératures, 2003

L. Melis, *Les Peuples de la Mer*, traduit de l'italien par mon amie Raffaelina Putzu

Shardana, *I custodi del tempo*

R. Beffeyte, *L'Art de la guerre au Moyen Âge*, éditions Ouest France, 2005

Collectif, *Histoire générale de la nation égyptienne*, T.V.

J. Quicherat, *Histoire du costume en France*, Librairie Hachette, édition originale de 1875

Collectif, *Dictionnaire étymologique et historique du français*, Larousse, 1998

N. Chorier, *Histoire générale du Dauphiné*, Chenevrier, 1869 ; *Histoire généalogique de la maison de Sassenage, branche des anciens comtes de Lion et de Forests*, 1669

B. Sevenin, *Mélusine de Sassenage*, 1991

Collectif, *Le Réseau souterrain des Cuves de Sassenage*

G. Allard, *Zizim prince, histoire dauphinoise*, *Connaissance des Arts*, hors série n° 426

G. Duby, *Le Chevalier, la femme et le prêtre*, Hachette littérature générale, 1981

R. Delort, *Le Moyen Âge, histoire illustrée de la vie quotidienne*, Seuil, 1983

C. Gauvard, A. de Libera, M. Zink, *Dictionnaire du Moyen Âge*, Quadrige/PUF, 2002

P. Mérienne, *Atlas mondial du Moyen Âge*, éditions Ouest France, 2001

F. Piponnier, P. Manne, *Se vêtir au Moyen Âge*, Adam Biro, 1995

J. Verdon, *Les Loisirs en France au Moyen Âge*, Tallandier, 1980 ; *Rire au Moyen Âge*, Perrin, 2001

Collectif, *Les artistes de Pharaon : Deir el Medineh et la Vallée des rois*. Réunion des Musées Nationaux, 2002

V. Koenig, *Deir el Medineh*, Hachette, 2002

A. Fermat, *Deir el Medineh, le temple des bâtisseurs de la vallée des rois*, première traduction intégrale des textes du temple, édition Maison de Vie, 2010

St-Barnard, *Romans sur Isère*, éditeur Lescuyer, 1985

Collectif, *Romans-sur-Isère et Bourg-de-Péage*, sauvegarde du patrimoine, Alain Sutton, 2006

Collectif, *Romans sur Isère, des origines à nos jours*, impression J.A. Doumergue, 1967

J. Tissot, *Histoire véritable du géant Theutobocus*, Bourriquant

Marongiu, R. Hirigoyen, *Découvertes n°7, La Civilisation des Nuraghes, antique civilisation de la Sardaigne*, imprimerie Crouan et Roques

J. Faucounau, *Les Peuples de la mer et leur histoire*, L'Harmattan, 2003

Hofstätter, Pixa, Hannes, *Histoire comparée des civilisations,* tome 2, de 2500 à 1200 av. J.-C., Cercle européen du livre, 1964

Akkad et Sumer, les peuples de la mer.

Inconnu, *Héliopolis, plan des ruines et de l'enceinte de la ville*, Imprimerie générale, 1809

M. Étienne, *Les Dieux de l'Égypte*, Réunion des Musées Nationaux, 1998

E. Sablier, *Djem sultan, Le Prisonnier de Bourganeuf, 1459-1495*, Perrin, 2000, ouvrage épuisé, généreusement prêté par mes amis Michel et Christine Chamart.

J. de la Pilorgerie, *Campagne et bulletins de la grande armée d'Italie commandée par Charles VIII* d'après des documents rares ou inédits extraits en grande partie de la bibliothèque de Nantes.

D. Le Fur, *Charles VIII*, Perrin, 2006

Ph. de Comines, *Mémoires*, dernière édition divisée en trois tomes, enrichie de portraits en taille douce et augmentée de l'histoire de Louis XI, connue sous le nom de *Chronique scandaleuse*, Foppens 1706-1714

L. Trichet, *Le Costume du clergé, ses origines et son évolution en France d'après les règlements de l'Église*, Cerf éditeur, 1986

G. Hancock, *L'Empreinte des Dieux*, Pygmalion, 1997

Collectif, *Ports maritimes et fluviaux au Moyen Âge*, publication de la Sorbonne, 2005

P. E. Taviani, *Christophe Colomb*, éditions Atlas, 1980

R. Rompkey, *En mission à Terre-Neuve, les dépêches de Charles Riballier des Isles (1885-1903)*, P.U de Rennes, 2007

E. E. Viollet-le-Duc, *Dictionnaire raisonné du mobilier, Armes médiévales*, Heimdal, 2004

C. Gilliot, *Armes et armures du* V[e] *au* XVe *siècle*, Heimdal, 2008

F. de Vigne, *Vade mecum du peintre ou recueil de costumes au Moyen Âge*, imprimerie de Busscher, 1844

J. Meyer, *Histoire de la marine française des origines à nos jours*, Ouest France, 1994

S. Recouvrance et D. Le Treust, *Histoire des bateaux et des marins*, Gisserot, 2000

L. Drevet, *Nouvelles et légendes dauphinoises*, Gant de Grenoble, 1912

Ajoutés à cela, de nombreux sites Internet que vous trouverez sans peine en pianotant sur Google, les mots clefs des énigmes ou personnages de ces cinq volumes.

Dans les semaines qui viennent, des photos et documents seront mis en ligne sur mon site perso : www.mireillecalmel.com, dans la rubrique bonus....

Je vous invite chaleureusement à vous y rendre et à me glisser quelques lignes dans le forum ou sur mon mail : calmelmireille@aol.com

Parce que aujourd'hui comme hier, je reste votre obligée, afin qu'au-delà de votre lecture plaisir, nous échangions autre chose qu'un interligne discret...

Votre amie de papier,

Mireille Calmel
Ce 29 avril 2010 à Saint-Christoly-de-Blaye